PeriscO

EL EFECTO
FRANKENSTEIN

**PREMIO EDEBÉ
DE LITERATURA JUVENIL**

ELIA BARCELÓ

EL EFECTO FRANKENSTEIN

**PREMIO EDEBÉ
DE LITERATURA JUVENIL**

edebé

Obra ganadora del Premio EDEBÉ de Literatura Juvenil según el fallo del Jurado compuesto por: Sr. Xavier Brines, Sra. Paula Jarrín, Sra. Rosa Navarro Durán, Sra. Care Santos y Sra. Elena Valencia.

© Elia Barceló, 2019

© Edición: Edebé, 2019
Paseo de San Juan Bosco, 62
08017 Barcelona
www.edebe.com

Atención al cliente: 902 44 44 41
contacta@edebe.net

Directora de Publicaciones: Reina Duarte
Editora de Literatura Juvenil: Elena Valencia
Diseño de la colección: Book & Look
©*Fotografía de cubierta:* Hadis Safari on Unsplash
©*Fotografía de la autora:* Nina Eisterer

7.ª edición

ISBN: 978-84-683-4274-0
Depósito legal: B. 5513-2019
Impreso en España
Printed in Spain
EGS - Rosario, 2 - Barcelona

A la memoria de Mary Shelley,
pionera de la literatura de ciencia ficción y de terror,
y su inmortal novela
«Frankenstein o El moderno Prometeo»,
que vio la luz hace 200 años, en 1818.

0

Abrió los ojos a una penumbra donde una brillante luz anaranjada pintaba rayas en la pared al atravesar una persiana entreabierta. No sabía dónde estaba y por un momento sintió que se ahogaba, asustado, porque no reconocía el techo de la habitación ni nada de lo que había a su alrededor.

Volvió a cerrar los ojos. A veces pasaban cosas así y en unos segundos todo caía de nuevo en su lugar y las cosas se aclaraban por sí solas. Los abrió otra vez, despacio, como dándole a su cerebro una oportunidad de ponerse en marcha y ofrecerle la respuesta que buscaba.

Nada. Seguía sin saber dónde estaba y por qué se había despertado allí al anochecer. ¿Habría bebido demasiado la noche anterior y algún compañero le habría ofrecido quedarse en su casa?

Se incorporó de golpe y quedó sentado en la cama con una opresión en el pecho que, si no era terror, se le parecía mucho. No recordaba nada de la noche anterior. Nada. Su mente era un agujero negro, un desierto, un vacío total.

Miró a su alrededor, perplejo: había estado tumbado en una especie de colchón asqueroso, lleno de manchas viejas cuyo origen prefería no conocer, y la habitación que lo rodeaba estaba en ruinas; las paredes desconchadas, el marco de la ventana comido por la carcoma, el vidrio roto en varios lugares como si le hubiesen estado tirando piedras durante años, el suelo lleno de escombros, de papeles de colores que ya casi no podía distinguir porque la luminosidad naranja había ido decreciendo y las sombras se amontonaban en los rincones de aquella casa en ruinas.

¿Qué podía haberle pasado para despertarse allí? ¿Habría sufrido una agresión? ¿Lo habría atacado una banda de ladrones y lo habrían dejado tirado allí, dándolo por muerto?

Se tocó la cabeza con cuidado. Le dolía un poco, pero era un vulgar dolor de cabeza, no parecía que hubiese contusiones craneanas. Se subió las mangas de la camisa para mirarse los brazos y, en la penumbra azul, no distinguió manchas de sangre ni arañazos o hematomas. Las piernas tampoco le dolían.

Se puso las palmas de las manos sobre el pecho y, a través de la tela, notó una especie de costurones en varios lugares; pero no sintió nada al presionarlos, ni dolor, ni quemazón, ni ningún tipo de molestia. Quizá fuera otra prenda de ropa que llevaba debajo y estaba remendada o cruzada por costuras gruesas.

Pensó en quitarse la camisa y mirar, pero ya estaba casi totalmente oscuro y hacía frío, de modo que decidió salir de allí, ir a su casa y, en cuanto se sintiera a salvo en su habitación, encender una lámpara, pedir agua para un baño, desnudarse y hacer una exploración detallada de su cuerpo.

Volver a su habitación. Volver a su casa.

¿Dónde vivía?

Otra vez el agujero negro.

Se pasó la lengua por los labios resecos, por los dientes (comprobó con alivio que estaban todos, no había mellas), se tocó las mejillas pinchosas, notando que debía de llevar un par de días sin afeitar.

No recordaba dónde vivía.

Se cogió la muñeca izquierda entre el índice y el pulgar derechos buscando el pulso, que, como esperaba, estaba muy acelerado. Tenía que salir de allí, aunque no supiera adónde iba. Necesitaba ejercicio, actividad, para no volverse loco.

Se puso en pie y salió de la habitación, tanteando las paredes, como un ciego reciente. El plano de la casa no le resultaba desconocido, pero no conseguía relacionarlo con nada. Bajó las escaleras con cuidado; aquellos peldaños de madera que crujían bajo su peso no le inspiraban mucha confianza, pero no había otra manera de llegar a la planta baja y, de ahí, al exterior.

Cruzando un cuarto en ruinas que en otros tiempos pudo haber sido una cocina, consiguió por fin salir al aire libre, y el vientecillo, aunque frío, le resultó tonificante. Ya era casi de noche, pero el cielo conservaba, a poniente, un hermoso tono anaranjado con vetas carmesí y el juego de colores se reflejaba en el Danubio, que en aquel punto, frente a la casa, se remansaba un poco.

Desde algún lugar cercano le llegaban retazos de música y de conversaciones y risas, como el eco de una fiesta. Giró la cabeza hacia arriba al oír una campanada y un nombre apareció en su mente: la catedral de Nuestra Señora la Bella.

Algo se relajó en su interior al repetir el nombre para sí mismo. Si sabía ponerle nombre a la iglesia y al río de su ciudad, sabría también dónde se encontraba; no tenía más que seguir buscando en su memoria.

Y a lo mejor, con suerte, incluso llegaría a saber quién era él. Porque lo que no había querido todavía confesarse a sí mismo era que no recordaba su propio nombre, que, al menos de momento, ignoraba quién era.

1

Nora caminaba a largos pasos por la calle paralela a la orilla del río tropezándose con las malditas faldas largas del disfraz de carnaval. Tendría que haberse vestido de algo más cómodo, pero Sarah le había prestado aquel vestido de dama del siglo dieciocho con bolsito, peluca y todo, y se había dejado convencer, aunque ella siempre se había disfrazado de vampira, de bruja y de cosas similares.

Ni siquiera sabía si hacía bien yendo a una fiesta donde no conocía prácticamente a nadie, pero llevaba ya unos meses en Ingolstadt y, entre las clases, los primeros test, el acostumbrarse a comprar, guisar y hacerlo todo sola, y las dificultades para relacionarse con gente de otra mentalidad, no había conseguido aún hacerse un círculo de amigos. Así que, cuando Sarah la había invitado a aquella fiesta e incluso le había prestado el vestido, había aceptado enseguida. Lo tonto era que no había podido llegar antes porque había tenido que cuidar de Marie durante dos horas, ya que sus padres hubieron de ir a una reunión de la guardería que habían elegido para cuando la peque tuviese la edad de empezar. No había podido decirles que no, y ahora trataba de encontrar el lugar donde se celebraba la fiesta.

Paró un instante para recuperar el aliento y echar un vistazo al GPS de su móvil. Supuestamente debía de estar cerquísima ya. Se ajustó la peluca sobre las orejas y ya iba a ponerse otra vez en marcha, cuando un grito desesperado la dejó clavada en el sitio, mirando a todas partes para localizar la fuente del sonido.

—¡Socorroooo! —gritaba una voz de mujer—. ¡Socorroooo! ¡Que alguien me ayude! ¡Mi nieta se ahoga! ¡Socorrooo!

Levantándose las faldas casi hasta la cintura, echó a correr hacia donde le parecía que estaba la mujer, y un par de segundos más tarde la había localizado, a la orilla del río, metida en el agua hasta las rodillas, tendiendo los brazos hacia un bulto que flotaba, alejándose de ella.

Por suerte, en aquella zona la corriente no era tan fuerte como en otros lugares. Se arrancó la peluca blanca con sus lazos y sus mariposas, se sacó el vestido por la cabeza, sin molestarse en abrirse la cremallera, y se tiró al agua sin pensar en lo fría que podía estar.

Estaba helada.

Su primer impulso fue salir inmediatamente y secarse con lo que fuera. Pero los gritos de la niña y su abuela la estimulaban, y ella era buena nadadora.

Se dejó llevar por la corriente, dando potentes brazadas que la acercaban cada vez más a la pequeña hasta que consiguió alcanzarla y sujetarla. La niña se le agarró como un monito y a punto estuvo de arrastrarla al fondo con sus patadas y sus brazos que le estrechaban la garganta, casi ahogándola. Trató de acomodársela de manera que no pudiera dificultar sus movimientos, pero al girarse para poner a la niña de espaldas contra su pecho, un obstáculo en el caudal del río chocó fuertemente con ellas y las separó otra vez. Una rama que flotaba a la deriva, le pareció.

Volvió a nadar con furia hacia el centro de la corriente, consiguió aferrar el anorak de la pequeña y atraerla hacia sí, pero esta vez ya no hubo patadas ni brazos enroscándose en su garganta. O había perdido el conocimiento, o algo peor.

Por un momento, abrazando a la niña, se dejó arrastrar sin más. El frío del agua era tan intenso que empezaba a sentir todo el cuerpo adormecido, agarrotado. Le costaba nadar y notaba como el calor de su cuerpo iba desapareciendo por la cabeza, por el pelo mojado, que cada vez se ponía más frío.

A la altura del puente, donde la corriente se estrellaba contra uno de los pilares, una ola les pasó por encima, sumergiéndolas por unos instantes, y Nora pensó que se había acabado, que no lo conseguiría. En ese momento, otros brazos surgidos de la oscuridad la ayudaron a flotar y a dirigirse hacia la orilla con su carga inmóvil.

Cuando por fin tocaron tierra, se dejaron caer en el barro, agotados, jadeando por el esfuerzo, pero aliviados y contentos de haber salido con bien de aquello. La abuela se acercaba corriendo, murmurando agradecimientos entre lágrimas, con un móvil encendido en la mano.

—¡Llame a la ambulancia! —gritó Nora.

—¿Está bien? ¿Está bien Tini?

13

Las farolas se habían encendido ya y, a su luz perlada, Nora vio que la niña estaba quieta, con los ojos cerrados, tumbada de espaldas como una muñeca abandonada en la orilla. Debía de tener unos tres años.

El chico que las había ayudado la miraba, desolado. Sus ojos se cruzaron durante unos segundos mientras oían a la mujer hablar por teléfono, dar la dirección y explicar lo que había sucedido.

Nora fue la primera en reaccionar: se arrodilló al lado de la pequeña inmóvil, la puso de lado tratando de que vomitara el agua que había tragado, le inclinó la cabeza hacia atrás, le abrió la boca, metió el dedo dentro para asegurarse de que no hubiese alguna hierba en el interior, le pinzó la nariz y, acto seguido, poniendo su boca contra la de la niña, empezó a hacerle la respiración artificial mientras el chico preguntaba en voz baja, casi más para sí mismo que para las que lo escuchaban: «Pero ¿qué hace? ¿Qué está haciendo? La niña ha muerto, no tiene pulso. No hay nada que hacer».

Nora se apartó para inspirar de nuevo, comprendió lo que había dicho el muchacho, y empezó con el masaje cardiaco. Treinta compresiones, dos insuflaciones, treinta compresiones, dos insuflaciones..., ritmo rápido, una vez, otra vez, otra vez, sin detenerse un momento, sin dejar de contar.

Unos minutos más tarde, apareció la ambulancia. Todo se llenó de luces azules giratorias y aullidos de sirena.

—¿Está viva? —preguntaba la abuela—. ¿Está viva?

Como en respuesta, la niña abrió los ojos y rompió a toser, expulsando así el agua que había tragado. La abuela se abalanzó sobre ella, pero antes de que pudiese abrazarla, dos camilleros la recogieron, la metieron en el vehículo y, momentos después, todos habían desaparecido.

—¿Ha... resucitado? —preguntó el chico, mirándola anonadado.

Nora sacudió la cabeza, se levantó y echó a andar en la dirección en la que debía de estar su ropa. Él la siguió. Por suerte, pensó, no había tenido que desnudarse del todo frente a aquel desconocido; debajo llevaba un *body* completo de pantalón largo que se había puesto para no pasar frío solo con el vestido tan fino.

—No, hombre, no estaba muerta —contestó, al notar lo importante que parecía ser para el muchacho—. Pero habría podido estarlo si la dejamos un poco más. ¡Pobre cría! ¿Cómo se le habrá ocurrido meterse en el agua, con este frío y casi de noche?

—Ha sido usted muy valiente —dijo él.

—Tú también. —Se giró a mirarlo al darse cuenta de que le había hablado de usted. ¿Qué clase de tipo raro era? Iba vestido como para hacer pareja con ella, con unas calzas con medias blancas y una camisa de mangas amplias y chorrera en el pecho. A lo mejor lo habían invitado a la misma fiesta—. Y... a todo esto..., gracias —añadió—. Si no hubiera sido por ti, nos habríamos ahogado las dos.

Habían llegado al lugar donde se había quitado el disfraz y, a pesar de que estaba empapada, se lo puso. Estaba muerta de frío, igual que él, que temblaba, aunque trataba de disimularlo.

Por fortuna, el móvil estaba en el bolsito que había tirado al suelo, y seguía funcionando. Llamó a un taxi diciendo que era muy urgente y, haciéndole gestos al chico para que la siguiera, salió a la calle paralela al río y se colocó debajo de una farola para que el taxista los viera nada más doblar la esquina.

—Nunca había visto una cosa así —dijo él, aún pasmado—. ¿Puede explicarme qué ha hecho, Fräulein? La niña no tenía pulso, podría jurarlo sobre la Biblia.

«¡Pero qué raro habla este tipo!», pensó Nora antes de contestar:

—Le he hecho lo que haría cualquier socorrista: respiración artificial y masaje cardiorrespiratorio. Lo normal. Bueno, y hemos tenido suerte, claro. Anda, ven conmigo a casa. Tenemos que cambiarnos o pillaremos una pulmonía.

Nora le abrió la puerta del taxi y prácticamente lo empujó dentro. Enseguida se puso a explicarle al taxista por qué estaban mojados antes de que el hombre los echara de su vehículo y, aunque a regañadientes, como ya se habían sentado, acabó por llevarlos a donde querían ir.

En el corto trayecto, el chico lo miraba todo con ojos espantados, en silencio, mientras los temblores sacudían su cuerpo. Más que de frío, Nora tenía la sensación de que temblaba de nervios, o de miedo, y a ella le parecía muy extraño y misterioso. ¿Por qué iba a tener miedo, ahora que ya había pasado todo? ¿Sería el *shock*?

Él la observaba de reojo, sin saber qué pensar, sin saber dónde estaba, cada vez más angustiado. Se apearon en una de las callejuelas del centro, subieron una escalera empinada hasta el tercer piso, la joven abrió la puerta y de repente todo se llenó de luz.

Del techo colgaba una lámpara como él no había visto en la vida, sin llama y sin humo, que esparcía una claridad que casi hacía daño a la vista. Y en la casa se estaba tan caliente como si llevaran todo el día encendiendo fuego tras fuego.

Ella se quitó los zapatos, abrió una puerta, desapareció en la habitación y enseguida se empezó a oír ruido de agua corriente. Aquello era cada vez más extraño.

¡Un sueño! ¡Eso era! Un extrañísimo sueño del que pronto despertaría. Tenía que ser un sueño, porque todo sucedía en la ciudad donde estudiaba, pero nada era exactamente como en la vida real.

—Toma, sécate un poco —dijo la joven, tendiéndole un paño azul—. Me ducho en un momento y luego te toca a ti.

Empezó a frotarse el pelo mientras echaba ojeadas a lo que lo rodeaba: ropa colgada en percheros de pared, mucho calzado raro..., femenino, a juzgar por el tamaño, y un par de zapatos quizá masculinos tirados por el suelo, una pila de libros en un rincón. ¿Sería aquella una casa donde solo vivían mujeres? ¿Y los zapatos de hombre? ¿Y cómo se atrevía aquella muchacha a dejar entrar a un desconocido? ¿Qué mejor prueba de que se trataba de un sueño que lo absurdo de la situación? Pero dentro de un sueño él nunca había notado con tanta claridad su ropa mojada, el frío de su cuerpo, el cansancio y el hambre que sentía en ese momento.

—¡Lista! ¡Para que luego digan que las mujeres somos lentas en el baño! A todo esto, me llamo Nora. Te toca a ti. ¿Prefieres ducha o bañera? —La joven se había puesto una bata blanca y una especie de turbante de color de rosa le cubría la melena mojada. Él trataba de no mirar, pero se le veían las piernas hasta las rodillas y no parecía darle ninguna vergüenza—. ¡Venga, ducha! —añadió, al ver que él no contestaba—. Se gasta menos agua y calienta igual. Mientras, voy poniendo un cacao, ¿te apetece? A lo mejor incluso queda algo de tarta.

Él asintió con la cabeza sin tener ni idea de qué le estaba preguntando, y entró en el pequeño cuarto de baño, el más pequeño que había visto en su vida, pero amueblado con objetos que no conocía. Exploró unos momentos, probó las manivelas que había dentro de la bañera y, al cabo de unos segundos, el agua caliente empezó a caerle encima. Se desnudó a toda prisa y, echando ojeadas constantes a la puerta, que no había cerrado por dentro porque no había conseguido descubrir el cerrojo, se dejó calentar por aquel maravilloso invento: un caudal de agua caliente que no parecía tener fin.

Sonaron unos golpes apresurados, se abrió la puerta y él cerró el agua y protegió su desnudez con las dos manos, muerto de vergüenza. Nunca hubiese creído posible esa desfachatez en una chica joven de clase acomodada.

—Perdona, se me había olvidado sacarte una toalla y un albornoz; siento que sea tan chillón —dijo ella, evitando mirarlo demasiado—. Aquí tienes. —Le tendía

18

un gran paño, esta vez amarillo, junto con una especie de bata de colorines—. Si quieres afeitarte, te he dejado ahí una maquinilla desechable nueva. Cuando acabes, la tiras. Te espero en mi cuarto. La puerta del fondo del pasillo. Y no tardes o se enfriará el cacao.

El baño estaba lleno de vapor, el espejo totalmente empañado. Se secó a toda prisa y se puso la horrible bata antes de salir al pasillo. La puerta estaba abierta y Nora lo esperaba sentada en el mirador a una mesa sobre la que humeaban dos tazones de chocolate. También había un gran trozo de tarta de nueces que le hizo la boca agua.

Se sentó a un gesto de la chica y tuvo que controlarse para no lanzarse como un lobo sobre el pastel. Se sentía como si hiciera días que no comía.

—Sírvete, anda —le ofreció. Se había quitado el turbante de la cabeza y su melena castaña estaba empezando a rizarse suavemente al secarse. Seguía vestida con la bata blanca, sin nada más. Tenía unos ojos brillantes e inquisitivos, de color cerveza—. Bueno, pues ya te he dicho que soy Nora. ¿Quién eres tú?

«Gran pregunta —pensó él—. Eso. ¿Quién soy yo?».

—Le va a parecer muy raro, Fräulein Nora —dijo por fin, después de unos segundos en los que tragó saliva un par de veces—. No me acuerdo.

Ella no pareció demasiado sorprendida. Se inclinó un poco hacia él y preguntó:

—¿Desde lo del río o desde antes?

Al inclinarse, quedó a la vista un colgante de plata bailando tentadoramente sobre su escote: un búho, el símbolo de Minerva, la diosa de la sabiduría; y también el símbolo de algo profundo y secreto que ella no podía conocer. ¿O sí? ¿Quién sería aquella joven? ¿Hija o hermana de quién?

Le había hecho una pregunta curiosa. Interesante. Científica. Volvió a mirar el búho y decidió decir la verdad.

—Desde antes. Poco antes de lo del río me desperté en una casa en ruinas, por allí cerca, sin memoria de mí, ni de todo mi pasado.

—¿Sabes al menos dónde estamos?

Asintió vigorosamente. Hacía apenas un par de minutos que su cerebro le había suministrado la respuesta.

—Ingolstadt.

—¡Bien! A todo esto, come un poco primero. Perdona, es que soy de un curioso insoportable...

El chico le sirvió a Nora un trozo de pastel antes de servirse a sí mismo y, controlando su impaciencia, cortó un bocado con el filo del tenedor. Estaba delicioso. Si lo había hecho ella, era un excelente partido: guapa, valiente, y con buena mano para la cocina.

—¿Recuerdas adónde ibas cuando oíste gritar a la abuela de la niña?

—No iba a ninguna parte. Solo quería salir de la casa y tratar de ver dónde estaba.

—¿Qué es eso? —De golpe, Nora parecía asustada. Miraba fijamente un punto en el triángulo de pecho que las solapas del albornoz dejaban descubierto.

Él bajó la vista a donde ella indicaba y, sin pensarlo, se abrió las solapas para poder mirar lo que tanto le había impresionado a ella. A la altura del corazón, y en tres lugares más de su torso, varios costurones destacaban sobre su pecho pálido y lampiño, como heridas profundas cosidas apresuradamente con un bramante negro.

Pasó la yema de los dedos sobre las heridas, que aún no habían cicatrizado, pero tampoco parecían frescas. No sentía nada. Estaban como acartonadas. Al tocar la que tenía a la altura del ombligo se dio cuenta de que más abajo había otra, casi en la ingle.

Alzó la mirada hacia la joven, consciente de que era absolutamente indecoroso mostrarle de esa manera su cuerpo desnudo, pero sin poder evitarlo, como buscando la confirmación de que lo que estaba viendo y tocando era real.

Ella se levantó, se acercó y con un «¿me permites?» susurrado, pasó también los dedos sobre los costurones. Él sintió un escalofrío. Desde la muerte de su madre, a sus diez años, no había vuelto a tocarlo una mujer.

—Esto es increíble —dijo ella en voz muy baja—. ¿Te duele?

Él negó con la cabeza.

—Estoy soñando, ¿verdad?

—No. A menos que los dos estemos soñando lo mismo, no. Esta es la realidad normal.

—La mía no. Aquí todo es raro: las lámparas, el baño, el vehículo que nos ha traído, la forma de vestir de la mujer y la niña del río... Tiene que ser un sueño.

Nora se apartó de la mesa, salió de la habitación y volvió al cabo de unos minutos con un par de prendas de vestir.

—Toma, ponte esto; son de Toby y no sé cómo te estarán, pero es mejor que verte vestido con el albornoz de Heike y con el pecho lleno de heridas mal cosidas que no duelen.

—¿Quién es Toby? ¿Su hermano?

—¿Quieres dejar de hablarme de usted? Me estás poniendo nerviosa. Toby es mi compañero de piso. Aquí vivimos Heike, Toby y yo. Ellos estudian Filología, y yo, Medicina.

—¡Medicina! Como yo —dijo él de pronto. Y sonrió—. ¡Me acabo de acordar! Estudio en Ingolstadt porque es la mejor universidad para química y medicina.

—Ahora ya no tiene la misma fama. Trasladaron la facultad a Landshut primero, hace un par de siglos, y luego a Múnich. Hace solo un año que la han vuelto a abrir aquí. Yo quería estudiar en Viena, pero no había plaza. El año que viene intentaré conseguir el traslado y a lo mejor puedo volver a Austria.

—Yo también soy austriaco. De Salzburgo. —Le parecía maravilloso ir recordando cosas sobre sí mismo. Tanto que no podía preguntar todo lo que se le ocurría al oírla hablar a ella, porque primero tenía que volver a recuperar su memoria completa.

Unos segundos atrás no habría sabido contestar si le hubiese preguntado de dónde era. Mientras hablaban, había ido vistiéndose de espaldas a ella y, una vez listo, se dio la vuelta para que le diera el visto bueno.

Nora se quedó mirándolo. La ropa era casi de su talla y estaba guapo con ella, pero de algún modo la otra ropa lo hacía más real; con las cosas de Toby parecía disfrazado.

—Ya has recordado algo más. ¿Probamos con tu nombre? A ver. Mírame. Yo soy Nora... ¿y tú? Ya sabes...: yo Tarzán, tú Jane...

—¿Cómo dices?

Vio su mirada de profunda incomprensión y, para no agobiarlo más, continuó:

—Nada. Vamos a intentarlo otra vez. Yo, Nora. Tú...

Lo miraba intensamente a los ojos, verdegrises y rasgados, inteligentes, algo oblicuos, sobre unos pómulos altos. Llevaba el pelo más bien largo, rubio oscuro, y no se había afeitado.

—Yo, Nora. Tú...

—Maximilian —dijo de golpe—. Creo —sonrió con timidez y se le formaron dos hoyuelos en las mejillas.

—Vamos progresando. Mucho gusto, Max. —Nora le tendió la mano para que la estrechara y él la giró delicadamente, se inclinó sobre ella y la besó rozándola apenas con los labios, con absoluta naturalidad—. Y ahora, vamos a la cocina —añadió rápidamente para disimular su turbación— a ver qué hay por la nevera para hacer una cena en condiciones. Estoy muerta de hambre y me temo que el cacao con el trocito de tarta no ha sido más que un aperitivo. ¿Te gusta la pasta?

Maximilian se encogió de hombros y la siguió. Solo sus padres lo habían llamado Max; para el resto del mundo era Maximilian. Pero le gustaba que ella también lo hiciera. ¡Qué lástima que aquello no fuera más que un sueño! Aquella muchacha tenía algo que llevaba mucho tiempo buscando.

* * *

Mientras ella trasteaba en la cocina, él volvió al baño a tratar de seguir el consejo de Nora y afeitarse. Le costó bastante averiguar cómo funcionaba aquel invento y se pasó todo el tiempo pensando en lo rarísimo que le parecía que hubiese un hombre viviendo con dos muchachas, sin ser familia siquiera. ¿Qué clase de personas eran? ¿Qué clase de personas podían ser sus padres, que permitían algo así? ¿Y cómo era posible que Nora estuviese estudiando Medicina? No era que le faltase inteligencia, eso estaba quedando cada vez más claro, pero era una mujer y, por lo tanto, jamás la aceptarían en una universidad. Tendría que preguntar más cosas, pero, por desgracia, más de la mitad de su mente estaba ocupada en recordar y, sobre todo, en averiguar de dónde procedían esas extrañas cicatrices que cubrían su torso.

Las miró en el espejo, anonadado. Por superficiales que fueran aquellas heridas, y no lo eran, al menos dos de ellas tendrían que haberle causado la muerte. Y ahí se abrían dos caminos a su pensamiento: por un lado, ¿quién le había hecho algo así?; por otro, ¿cómo era posible que hubiese sobrevivido y quién le había cosido aquellas heridas?

Si pudiese recordar, lo más probable era que acudieran a su mente las circunstancias del ataque, quizá incluso la persona que lo había hecho, y la razón. Por el momento, con la ayuda de aquella extraña mujer, lo único que recordaba era que se llamaba Max, que era de Salzburgo y que estudiaba Medicina en Ingolstadt.

¿Qué había querido decir Nora cuando había comentado que «ahora ya no es la mejor universidad», que la habían trasladado? Él había asistido a sus clases hasta una fecha muy reciente, estaba seguro. Nadie había trasladado nada. Y ella había dicho, además, que «hace un par de siglos».

Puso su ropa mojada encima de unos barrotes metálicos calientes que había en el baño, terminó de afeitarse, se encontró medianamente civilizado, y volvió a la cocina, de donde salía un olor maravilloso. Mientras tanto, ella se había vestido y su atuendo lo dejó clavado en el umbral: llevaba una especie de calzas negras masculinas, ajustadísimas, que en una mujer no dejaban nada a la imaginación, y cubriendo su torso, una prenda suelta que permitía ver bastante bien lo que llevaba debajo: una especie de ligero *brassière* francés que lo obligó a carraspear y desviar la vista.

Nora puso la comida en la mesa y le tendió una botella de vino tinto para que la destapara. ¡Una señorita bebiendo vino! Abrió la botella sin comentarios y sirvió dos copas, con la esperanza de que ella dijera que no, que era solo para él, pero se limitó a sonreír, tomar la suya y levantarla en un brindis.

—¡Por nosotros, y la peque que hemos salvado! Y porque pronto recuperes toda la memoria. Puede ser una consecuencia del trauma que has sufrido con lo de esas heridas. ¿Te acuerdas de qué te pasó?

Él sacudió la cabeza en una negativa y dio un largo trago al vino. Era buenísimo. La comida, sin embargo, era profundamente extraña. Olía muy bien, pero el plato estaba lleno de cosas que no conocía: unas tiras largas blancas muy delgadas, como enormísimos gusanos, nadando en una salsa violentamente roja salpicada de unas bayas oscuras, partidas, y otros gusanillos rosados con un trocito de cola quitinosa. Lo único que había identificado antes en un plato era una ramita de romero y un salpicado de albahaca.

—Vamos a comer antes de que se enfríe. Espero que no seas alérgico a las gambitas. Las compré ayer y son pocas, pero están bastante bien.

El primer bocado fue como un calambre en la boca. Nunca había probado ese sabor y era tan intenso que casi resultaba excesivo, pero las cosas blancas y largas (algo que obviamente estaba hecho con harina y quizá huevo) lo neutralizaban un poco y pronto se acostumbró, hasta que acabó comiéndose dos platos llenos a rebosar.

—Bueno —dijo ella, sonriendo satisfecha, como todas las mujeres cuyos esfuerzos en la cocina son apreciados por un hombre—, pues ya has probado mis famosos espaguetis con tomate, olivas y gambas. ¿Bien?

—Maravilloso.

—Ahora vamos a ver lo de tus heridas. ¿Me dejas mirar? Al fin y al cabo, los dos vamos a ser médicos.

Max tragó saliva, se apartó de la mesa y, ya a punto de quitarse la prenda de arriba, que no tenía botones ni nada para desabrocharla, volvió a negar con la cabeza.

—No, Fräulein, lo siento. Creo que primero tengo que aclararme yo solo y quizá consultar con algún colega.

Nora se lo quedó mirando, primero furiosa, luego inexpresiva.

—Bien, como quieras. Entonces mejor nos vamos ya a la cama. Ha sido un día muy largo.

26

Max se quedó de piedra. ¿No estaría insinuando...? No. No era posible. No sonreía. No lo miraba como él había visto que ciertas mujeres miraban a los hombres en una esquina oscura. Todo era muy extraño, pero estaba seguro de que ella era una chica decente. No podía estar proponiéndole... Sus palabras interrumpieron sus locos pensamientos:

—Puedes tumbarte en la cama de Toby. Se ha ido a pasar el fin de semana de carnaval a su casa, como Heike. Seguro que no le importa. Ahora te busco una manta. Mañana es fiesta; podemos levantarnos tarde, hablaremos más y seguiremos buscando. Buenas noches.

* * *

Debió de haberse dormido instantáneamente porque, cuando despertó con las campanadas de las cinco, se encontraba descansado y con la cabeza despejada. La vivienda estaba oscura y en silencio.

Se estiró en la cama más cómoda que había probado en la vida. La temperatura era perfecta y estuvo tentado de darse la vuelta y seguir durmiendo en aquel sueño maravilloso donde, con suerte, al levantarse volvería a ver a Nora; pero algo le decía que, si quería empezar a resolver el misterio, tenía que regresar a la casa en ruinas donde había despertado sin memoria de sí mismo. Y tenía que hacerlo solo. No podía poner en peligro a aquella deliciosa criatura. Ya la vería de nuevo cuando volviese a ser dueño de sí mismo.

Se levantó sigilosamente, cambió las ropas de Toby por las propias con un escalofrío (¡qué ligeras resultaban por contraste!) y, al asomarse por la ventana y ver que había nevado un poco durante la noche, decidió tomar prestada alguna prenda, se puso una chaqueta increíblemente cálida y liviana, y después de garabatear una nota, salió, cuidando de no despertarla, y se encaminó a su facultad. Quería asegurarse de su simple existencia antes de regresar a explorar a las ruinas.

* * *

Nora abrió los ojos en cuanto oyó el resbalón de la puerta al cerrarse. Había dormido poco y mal porque estaba segura de que Max trataría de marcharse en secreto, y había acertado plenamente, pero no estaba dispuesta a dejar que un chico con un trauma como el suyo se lanzase a vagar por la ciudad de madrugada; podía pasarle cualquier cosa.

«No trates de engañarte a ti misma, Nora. Lo que pasa es que te gusta el chaval y no quieres perderlo así como así. Si lo pierdes ahora, no tienes forma de dar con él», dijo su voz interior.

«Bien. De acuerdo. Me gusta el chico, ¿qué pasa?».

«Nada. Ve tras él. Hoy en día las mujeres no tenemos por qué esperar a que sean ellos los que den el primer paso. ¡Corre, antes de que se pierda por las callejuelas!».

Se vistió a toda velocidad, vio una nota sobre la mesa, se la metió en el bolsillo, miró por la ventana, lo vio doblar hacia la Kanalgasse, y salió del piso a toda velocidad calzada con las zapatillas de correr, lo que le permitió darle alcance enseguida, sin que él se diera cuenta.

Iba hacia la universidad vieja y, como ella suponía, se detuvo frente a lo que ahora era el Museo de Medicina y la Antigua Anatomía, pero que desde el siglo quince había sido el edificio donde se estudiaba Medicina y donde se hacían las disecciones de cadáveres en el teatro anatómico.

Lo vio parado allí durante varios minutos meneando la cabeza, leyendo una y otra vez la placa de la entrada moderna, apartándose unos pasos, echando atrás el cuello para ver todo el edificio, haciendo pantalla con las manos para mirar a través de las cristaleras del museo, cuyas luces, lógicamente, estaban apagadas a esas horas. Como si no lo reconociera, como si no se lo pudiera creer.

Un pensamiento que ya había surgido la noche antes en su interior empezó a crecer en la mente de Nora. Era imposible, era una estupidez, y sin embargo aclararía muchas de las cosas raras que había notado en Max: su comodidad con la ropa antigua que llevaba, su manía de hablarle de usted y llamarla Fräulein, su desconocimiento de las cosas más básicas, como los taxis, las lámparas y los tomates.

¿Y si era un viajero del tiempo? ¿Y si venía del pasado?

Nora sacudió la cabeza para sí misma justo en el momento en que Max echaba a andar de nuevo, esta vez hacia el río, hacia la casa en ruinas de la que le había hablado.

No podía ser. Además, si fuera un viajero del tiempo, estaría más entrenado: sabría lo que son los espaguetis y no la habría mirado con esa alarma al verla vestida con *leggings*.

Un paseante solitario caminaba junto al río con su perro. Max se escondió en un portal hasta que el hombre se perdió de vista. Nora esperó también.

Unos segundos después, Max continuó hasta una casa antigua que, efectivamente, era una ruina en mitad de un pequeño jardín también totalmente descuidado. Lo cruzó, entró por la parte de detrás y desapareció de su vista.

Nora se chupó los labios, indecisa. ¿Debería seguirlo y ver qué hacía o dónde se metía? Sí. No había más remedio. Si lo perdía ahora, quizá no volviese a encontrarlo. Lo siguió sigilosamente.

Atravesó un cuarto que debía de haber sido una cocina o un lavadero y desembocaba en un pasillo oscuro. Los pasos de Max, cuidadosos, crujían en la escalera. Si ella también subía, la oiría de necesidad, pero si, para evitarlo, se quedaba abajo, no sabría lo que él estaba haciendo y no tendría mucho sentido haber llegado hasta allí.

Antes de que pudiera decidirse, lo oyó bajar de nuevo y apenas tuvo tiempo para retroceder hasta la cocina. Asomó la cabeza con cuidado y, como esperaba, lo vio recortado contra la primera luz que se filtraba desde el exterior. Parecía mirar fijamente algo que se encontraba al pie de la escalera y que ella no podía ver desde donde estaba.

Oyó el chirrido de una puerta al abrirse, una exclamación ahogada, unos pasos y de repente silencio total.

Al cabo de un par de minutos, cuando estuvo segura de que ya no iba a pasar nada más, se atrevió a asomarse al pasillo, que ahora estaba iluminado por un sol recién nacido, de un potente color rojo. Avanzó hasta colocarse en el lugar donde él había estado y miró en la dirección que recordaba. Lo único que había era una simple alacena debajo del hueco de la escalera, cerrada con una puerta de madera con picaporte de metal herrumbroso.

Ella la había oído abrirse. Max tenía que estar allí dentro.

¿Dentro de una alacena debajo de una escalera? ¿Para qué? Y… ¿por qué no había salido ya?

Dio dos pasos lentos, trabajosos, en dirección a la puerta, con la mano derecha extendida delante de ella, como si temiera que el picaporte le fuera a dar un choque eléctrico.

Las campanas de Nuestra Señora la Bella dieron la media. Las cinco y media.

Rozó el picaporte sin sentir nada de particular, salvo que estaba frío. Apoyó su peso en él y la puerta se abrió hacia dentro con un chirrido de película de terror, hacia el agujero oscuro que esperaba. Un trastero. No podía ser otra cosa.

Y sin embargo...

Desde el fondo soplaba una corriente suave de viento frío. Dio un paso hacia el interior. Y otro más. Ahora le parecía distinguir una luminosidad lejana, como cuando estás en un túnel que se curva y no puedes ver la salida, pero intuyes la luz al fondo. Dio dos pasos más. Para ser una alacena debajo de una escalera, aquello era grandísimo. Y Max no estaba allí. El silencio era total; si estuviera escondido en la oscuridad, oiría su respiración o al menos sentiría su presencia, el calor de su cuerpo. Pero allí no había nadie.

Siguió avanzando.

Tenía el estómago apretado de miedo, pero la curiosidad era demasiado grande, de modo que, sin hacer caso a lo que sentía, continuó. Necesitaba ver dónde acababa aquel trastero, qué era la luz que se adivinaba al final.

Tres pasos más, una curva a la derecha y allí, al fondo, ya muy cerca, la luz de la calle. ¿De qué calle? Tragó saliva. La boca se le había quedado seca.

Con infinito cuidado se acercó a la ventana enrejada por la que brillaba la luz. Detrás había una calle, en efecto. Solo que se trataba de una calle en la que, al menos desde donde ella estaba, no se veía ni una farola, ni una papelera, ni un coche, ni nada que indicase que se trataba de una calle de la Ingolstadt del siglo veintiuno.

Se quedó allí unos minutos, transfigurada, aguardando que pasara alguien y poder comprobar su teoría, pero lo temprano de la hora le hacía temer que no sucedería, a menos que estuviera dispuesta a esperar un buen rato.

Se equivocaba.

Al cabo de unos minutos, un hombre vestido como para un carnaval, con calzas blancas, casaca parda y sombrero de tres picos, cruzó por delante de ella taconeando sobre los adoquines. Detrás de él, un chico jovencito vestido de forma parecida cargaba una gran caja de madera, posiblemente de herramientas de algún oficio que no podía imaginar.

Se apartó de la ventana, asustada. No quería que nadie la viera espiando. Y ya iba a retirarse, cuando una aguda campanilla la hizo volver a su puesto de observación. Un niño vestido de monaguillo, llevando una cruz dorada montada en una larga vara, abría paso a un sacerdote que, con las dos manos delante del pecho, parecía llevar una caja muy preciada. Otro monaguillo los seguía. Los tres caminaban muy deprisa y el hombre tenía una expresión de urgencia terrible.

Le sonaba haber visto un cuadro parecido en algún museo.

¡Claro! ¡El viático! Nora recordaba las historias de su bisabuela, cuando le contaba que, siendo ella pequeña, en el pueblo siempre se oía la campanilla cuando el sacerdote acudía a darle la extremaunción a un moribundo. Al parecer, había vuelto a un tiempo donde eso era perfectamente normal.

¿No sería Max el que se estaba muriendo?, pensó sobresaltada.

No, ¿cómo iba a ser Max? Diez minutos atrás estaba como una rosa.

Por un instante, la tentación de salir y pasearse por aquella Ingolstadt desconocida fue tan fuerte que tuvo que recurrir a toda su sensatez para no hacerlo. ¿Cómo iba a salir, vestida así? La tomarían por loca, la encerrarían. Lo menos que podía hacer era volver a casa, ponerse el disfraz del día anterior y volver vestida de un modo más o menos aceptable para la época. No sería ideal, pero al menos no llamaría tanto la atención. Y estaba casi segura de dónde encontrar a Max.

Había dicho que consultaría con algún colega.

Lo más probable era que se dirigiera derecho a su facultad.

2

El alivio que Max sintió al darse cuenta de que había regresado a la ciudad que tan bien conocía fue de lo más intenso que había experimentado en su vida.

Al principio no supo en qué consistía realmente la diferencia, pero pronto notó que incluso el aire olía de otra manera; no necesariamente mejor, sino distinto, menos químico, más orgánico, a bosta de animales, a la humedad del río, a..., a vida.

Las personas que pasaban a su alrededor iban vestidas normalmente: los hombres con calzas y botas, capas gruesas, pelucas y sombreros, de tres picos los más elegantes y modernos, redondos y de ala ancha los más tradicionales. Las pocas mujeres, que en su mayor parte se dirigían a la iglesia acompañadas de sus doncellas, ataviadas con capas de amplias capuchas y gran vuelo que permitían un atisbo de las faldas de seda de colores intensos, con elaborados sombreros sobre las pelucas blancas de diario; las sirvientas, con grandes cestos al brazo, de camino al mercado.

Se oían cascos de caballos repicando sobre los adoquines, ruido de conversaciones, campanas lejanas, los gritos de un maestro regañando a un aprendiz, las ruedas de un carruaje…, todo normal.

Se dio la vuelta para fijarse bien en el lugar y, con auténtica sorpresa, comprobó que se trataba de la casa donde tenía alquiladas sus habitaciones de estudiante en el tercer piso: un dormitorio, una salita y un laboratorio-estudio.

En la otra Ingolstadt, la de Nora, la casa se había convertido en una ruina. ¿Cómo era posible? Meneó la cabeza, angustiado. Aquello era demasiado extraño para poder comprenderlo y mucho menos aceptarlo, de modo que trató de borrarlo de su mente. Entró de nuevo en la casa, subió con cuidado la escalera (si alguien le preguntaba algo, diría que había salido a misa, se había dado cuenta del frío que hacía y había regresado a buscar su capa más gruesa), y ya en su habitación, se dejó caer en el sillón que tenía junto a la chimenea disfrutando de la sensación de estar en casa, la que había sido su casa desde hacía tres años, cuando salió de Hohenfels para venir a estudiar a la universidad más prestigiosa del ámbito germánico, la que, según Nora, había sido trasladada a otra parte doscientos años atrás.

Sin poder evitarlo se encontró recordando lo que había vivido con ella y empezó a compararlo con lo que había a su alrededor: la luz venía de una lámpara de aceite y dos velas de cera de abeja que daban un perfume dulce y hogareño. Si hubiera querido bañarse, habría tenido que pedir a su patrona que le calentara agua y se la fuera subiendo poco a poco hasta llenar la tina.

Pasó la mano con suavidad por la manga de la prenda que había tomado prestada, admirándose de su ligereza, de su calidez, comparándola con su capa de invierno, tan gruesa y pesada. La otra Ingolstadt debía de estar llena de maravillas, pero ahora su misión era averiguar con todos los detalles quién era él, qué le había pasado y quién era culpable de aquellas cuchilladas que cubrían su cuerpo.

No se lo había querido decir a Nora, pero era evidente que habían tratado de matarlo y eso significaba que tenía enemigos desconocidos, cosa que no se le habría ocurrido jamás. ¿Quién podía ganar algo asesinando a un simple estudiante?

Recordó el búho de plata y eso lo llevó a pensar en la sociedad secreta a la que pertenecía desde hacía más de un año. ¿Podía tener relación el intento de asesinato con los enemigos de la sociedad?

Todo era posible.

Y en ese caso..., ¿tendría Nora que ver con los que habían tratado de matarlo?

¡Qué estupidez! ¿Cómo iban a estar relacionados si ni siquiera vivían en la misma ciudad? Porque la ciudad donde residía ella, por mucho que se llamase igual y tuviese más o menos los mismos edificios en los mismos lugares, no era la ciudad donde vivía él. De eso estaba totalmente seguro, aunque no supiera cómo explicar la doble existencia.

Tendría que hablar con Viktor. Era la única persona de todas las que conocía que se atrevía a pensar en cosas realmente extrañas e incluso imposibles, y que tenía una mente capaz de salvar los obstáculos impuestos por la costumbre, la religión, las leyes, y hasta la lógica.

Se levantó de un brinco, se quitó la chaqueta maravillosa con gran renuencia, se puso ropa limpia y, bien abrigado con la capa de invierno y con la peluca de diario en la cabeza y el sombrero en la mano, salió de casa hacia la universidad.

* * *

Nora salió del teatro abrazada a una enorme bolsa donde llevaba el disfraz que acababa de alquilar. Había tenido la suerte de que la temporada anterior habían puesto en escena *Così fan tutte*, la ópera de Mozart, y tenían bastantes vestidos a la moda del siglo dieciocho. Lo que le había costado un poco más había sido convencer a la sastra de que lo que ella buscaba era un modelo sencillo, lo que se hubiera puesto una chica normal de clase media para vestir de diario. La mujer había tratado de hacerle ver que para una fiesta de carnaval era mucho más adecuado un vestido como los que llevaban las sopranos en la obra: enormes faldas de seda sobre un armazón de aros de madera llamado tontillo o guardainfantes, altas pelucas blancas llenas de adornos, maquillaje blanco y contrastado. Nora había insistido en algo más cómodo y entonces la sastra le había aconsejado vestirse de criada. Al final, después de mucho tira y afloja, lo que llevaba en la bolsa era más o menos lo que quería: algo que no llamaría mucho la atención y le permitiría pasar por una señorita de clase media en esa improbable Ingolstadt del siglo dieciocho, si por fin se decidía a cometer la locura de intentar el viaje.

De camino a casa miraba el mundo de su alrededor, lo que conocía de todos los días, con ojos nuevos, tratando de fijarse en detalles que siempre se le habían pasado por alto, intentando recordar cómo era su ciudad moderna para poder contrastarla con la antigua. ¿Estaría esta misma casa en la otra ciudad, pero con la fachada más nueva y el color más vivo? ¿Se vería igual la torre, la Pfeifturm, desde esta plaza? ¿Sería más grande el Danubio, más ancho y poderoso? ¿Se daría cuenta todo el mundo, nada más verla, de que ella era una intrusa, alguien que no tenía derecho a estar allí?

Nora era una gran lectora de literatura fantástica y ciencia ficción. Había leído cientos de novelas y relatos sobre viajes en el tiempo y, por ello, había pensado mucho en la cuestión que ahora, de manera casi milagrosa, se le acababa de presentar. Sabía perfectamente que no era posible pasar desapercibida en un mundo pasado porque no había forma de conocer todas las claves necesarias. Ni siquiera la lengua y su uso eran iguales a los que conocía, y tampoco tenía tiempo para aprender. Sus únicos conocimientos en ese sentido eran los que había adquirido en películas basadas en novelas de las hermanas Brontë o de Jane Austen. Tenía bastantes recuerdos de *Orgullo y prejuicio*, había leído *Jane Eyre* y *Cumbres borrascosas*, todas obras que sucedían en Inglaterra; esperaba que la Alemania del dieciocho no fuera muy diferente.

De todas formas, lo único que podía hacer era buscar la Facultad de Medicina con la esperanza de encontrarse a Max por allí y de que fuera él quien la guiara por el pasado. Mientras tanto, él también tenía que haberse dado cuenta de lo que les había sucedido y de que aquella alacena de la casa en ruinas comunicaba dos tiempos en la misma ciudad. Max y su mundo estaban en plena

Ilustración; tenía que ser capaz de abrir su mente hasta ese punto. Al menos esa era su esperanza; y si veía que él no podía admitir la posibilidad, regresaría enseguida a su tiempo, a su vida normal, después de haber disfrutado de un paseo por el pasado. ¿Qué podía perder?

«Puede darse el caso de que, por lo que sea, se cierre el pasaje y te veas varada en pleno siglo dieciocho, con la Revolución francesa a punto de suceder, siendo mujer, sola, sin dinero y sin contactos. ¿Y entonces?»… A veces su otra voz resultaba realmente insoportable, pensó Nora con un bufido que le levantó las mechas del flequillo.

«Si no van a ser más que dos o tres horas…, un simple paseo».

«Ya. Supongo que no has oído en la vida la palabra *imponderables*, ¿verdad? Todo lo que puede suceder sin que te lo esperes, cosas que no puedes controlar. La vida está llena de imponderables, loca».

Llegó a su casa nerviosa pero decidida. Como, por suerte, ni Toby ni Heike volverían en los próximos días, al menos no tenía que disimular. Puso la mochila sobre la mesa de la cocina y empezó a pensar qué llevarse: móvil («Idiota, ¿para qué te vas a llevar un móvil a un pasado sin electricidad?»… «Para hacer fotos, listilla». «¿Y si te lo confiscan y te encierran por bruja? En el siglo dieciocho aún pasaban esas cosas, ¿sabes?». «Vale, vale, lo dejo»); carné de identidad («Ja, ja»); dinero («¿Dinero del siglo veintiuno? Si al menos fuera oro, o joyas»… «No tengo ni oro ni joyas». «Tienes los pendientes buenos de la comunión». «Los llevaré puestos, y la pulserita que me regaló la abuela por los dieciocho años»); clínex («Mejor un pañuelo de tela, ¿no crees?»).

Se quedó mirando, embobada, el contenido de la mochila esparcido sobre la mesa. Prácticamente todo lo que había allí era imposible y desconocido en el siglo al que pensaba ir. Hasta los libros y los cuadernos eran tan diferentes que no resultaban viables. Por no hablar de los bolígrafos y los *rollers* correctores que usaba.

Con un suspiro, se resignó a abandonar su casa con el bolsito de tela (una faltriquera, como lo había llamado la sastra) prácticamente vacío. Llevaba más ropa puesta de la que había llevado en la vida, pero se sentía desnuda sin su mochila al hombro cargada con todo lo fundamental: su móvil, su ordenador, su cartera, su cuaderno de notas, su libro, sus auriculares...

Volvió a introducirlo todo en la mochila y la depositó en su cuarto. Ya a punto de marcharse, le llamó la atención un papel doblado que se había sacado del bolsillo del anorak al llegar a casa. ¡Claro! Era la nota que había dejado Max y que ella se había metido en el bolsillo al salir corriendo a ver adónde iba. La abrió con un temblor interno que la hizo reírse de sí misma; estaba claro que aquel chico le importaba de verdad.

Distinguida Fräulein Nora:

Lamentablemente tengo que ausentarme; ciertos asuntos de crucial importancia requieren mi atención inmediata. Deseo expresarle mi rendida gratitud por su hospitalidad y benevolencia para conmigo. Dios mediante, volveremos a vernos.

Suyo afectísimo,

Maximilian (aún sin apellidos)

Sonrió, halagada. Nunca había recibido una nota como aquella. Como mucho, un *whatsapp* diciendo: «Gracias, lo pasé muy bien anoche contigo. ¿Nos vemos el finde?». Esto era otro nivel. Y como había quedado claro que Max quería volver a verla, ya no le daba tanta vergüenza la idea de seguirlo, de modo que metió la nota en el bolsito casi vacío y entró de nuevo en su cuarto para verse una vez más antes de salir de casa.

El vestido de seda amarilla con ribetes marrones le sentaba bien, el tontillo que llevaba debajo le estrechaba la cintura ampliándole mucho las caderas; se había recogido el pelo en un moño lo más artístico que había conseguido hacerse mirando un vídeo en YouTube y luego se había colocado el sombrero con ganchos de pelo normales y una aguja larga que le había dado la sastra del teatro. No sabía si estaría pasable en la otra época, pero, al menos, la capa que había alquilado cubría bastante su apariencia.

Por debajo, y a pesar de que la sastra la había informado de que en la época las mujeres no usaban ropa interior e incluso se consideraba indecente llevar algo, había decidido no prescindir de bragas y medias. Nadie le iba a mirar lo que llevaba debajo de la ropa y ella se sentía mejor con su ropa interior de siempre.

El corsé no la dejaba respirar con comodidad, y mover la cabeza con el sombrero resultaba pesado, pero supuso que acabaría por acostumbrarse.

Se echó una última mirada al espejo, se puso los guantes tratando de hacerlo con calma y elegancia, como había visto en las películas; se dio cuenta de que se había dejado sobre la mesa la bolsita donde llevaba el lápiz de labios, el rímel y unas pinturas, la recogió y, ya a punto de llevarla al baño, por un impulso, se la metió en la faltriquera, que así quedaba un poco mejor, no tan vacía. Cerró el piso con llave y bajó las escaleras intentando acostumbrarse al volumen del vestido y a la incomodidad del largo de las faldas.

De pronto, surgida de ninguna parte, una ola de miedo le pasó por encima dejándola débil y temblorosa.

Si no le hubiese gustado tanto Max, se habría dado la vuelta allí mismo, en la escalera de su casa, pero algo le decía que Max estaba en peligro y que era absolutamente fundamental que ella fuera a ayudarlo.

* * *

Frente al edificio de Anatomía, Max volvió a sentir el alivio de encontrarse en terreno conocido. No había ni rastro de la horrible construcción de cristal que había visto un par de horas antes y toda la calle bullía de animación con compañeros que llegaban para las clases magistrales, profesores que acudían a sus obligaciones y gente menuda que se dirigía a sus trabajos o a sus devociones. Inspiró profundamente, atravesó las altas puertas y, ya en el vestíbulo, echó una larga mirada al *hortus medicus*, que, siendo febrero, estaba apenas despertando del largo letargo invernal. ¡Cuántas horas felices había pasado allí, leyendo, discutiendo con otros condiscípulos, aspirando el perfume de todas aquellas maravillosas hierbas medicinales! Se descubrió pensando cuánto le gustaría mostrarle a Nora todo aquello, explicarle qué hierba servía para curar qué dolencia, cortar una ramita de salvia o de lavanda y ofrecérsela, para poder rozar la punta de sus dedos.

—¡Von Kürsinger! —bramó una voz muy cerca de él—. ¡Von Kürsinger! ¡Dichosos los ojos! ¡Por fin lo veo! ¿Cómo está usted, muchacho? Espero que su ausencia no se haya debido a nada malo.

Se dio la vuelta, sorprendido, dándose cuenta de golpe de tres cosas: de que aquel vozarrón pertenecía al profesor Waldmann, el catedrático de Anatomía; de que se dirigía a él, y de que lo acababa de llamar por su nombre. De un momento a otro, todo había caído en el lugar que le correspondía: él era Maximilian von Kürsinger.

—*Herr Professor.* —Max hizo una pequeña inclinación de cabeza frente a su maestro—. No ha sido nada de consideración. Unos días de cama debido a un enfriamiento. —No tenía costumbre de mentir, pero tampoco podía decirle la verdad; entre otras cosas, porque ni siquiera él sabía cuál era esa verdad.

—Me alegro, me alegro. Le hemos echado mucho de menos en clase. ¡Vamos! —dijo tomándolo amistosamente por un codo—. No perdamos tiempo. Hay un cadáver muy interesante esperándonos. Confío en que haya aprovechado el aburrido tiempo de cama para leer el libro que le presté.

—Por supuesto —mintió, esperando que no se diera cuenta de hasta qué punto le avergonzaba hacerlo—. Tengo bastantes preguntas al respecto.

—Así me gusta. A todo esto... —bajó la voz—, me alegro de que haya aparecido a tiempo. Esta noche tenemos sesión. Donde siempre, a las ocho. No falte. Y haga por traer a su condiscípulo. Últimamente le he visto muy desmejorado y, cuando le pregunté por usted, casi se desmaya. ¿Han tenido alguna disensión?

—No, *Herr Professor*, en absoluto. —Curiosamente, en cuanto el catedrático habló de él supo a quién se refería—. Seguimos siendo grandes amigos, pero cabe en lo posible que se haya contagiado al visitarme en mis habitaciones.

El hombre meneó la cabeza y estaba a punto de decir algo más, cuando entraron en el teatro médico y todos los presentes se pusieron de pie.

Algunos saludaron a Max con una sonrisa o una inclinación de cabeza que él se apresuró a devolver, pero su vista buscaba entre los rostros el de su amigo Viktor. Lo descubrió al fondo, rígido, muy pálido, mirándolo con los ojos dilatados de espanto y un temblor en el labio inferior. ¿Qué demonios le pasaba a Viktor?

Max cruzó entre los asistentes hasta acercarse a su amigo y poder hablarle al oído.

—Viktor, ¿qué te pasa? Parece que hubieras visto un fantasma.

—Max —su voz era apenas un susurro, sus ojos parecían dos agujas clavadas en él—, ¿qué haces aquí? ¿Cómo es posible?

—Luego hablaremos.

Viktor asintió y ambos trataron de concentrarse en la explicación y el escalpelo del profesor Waldmann.

* * *

Nora llegó al edificio de Anatomía casi mareada por los centenares de impresiones recibidas, a pesar de que eran apenas unas cuantas calles las que había recorrido. Se había esforzado por no mirar, pasmada, todo lo que se ofrecía a su vista, pero de vez en cuando no podía evitar pararse, echar una ojeada al mundo que la rodeaba y controlar la risa histérica que le ganaba la garganta. Era como haberse metido en el set de una película de alto presupuesto; solo que todo aquello era realidad, y si seguía pensando, cosa que trataba de no hacer, enseguida se daba cuenta de que, además de ser real, todas aquellas personas que se movían a su alrededor llevaban dos siglos muertas desde el punto de vista de su propia época. Era enloquecedor.

El edificio era de las pocas cosas que se habían conservado casi iguales en su siglo y eso la animó un poco. Quizá allí dentro no se sentiría tan extraña.

Inspiró hondo, agarró el picaporte de las altas puertas, y entró al vestíbulo. Tres chicos que estaban conversando en un rincón, cerca de las ventanas que daban al jardín de las hierbas, se volvieron a mirarla con una expresión medio alarmada medio ofendida que no supo interpretar, de modo que les dio la espalda y se dirigió a la escalera que llevaba a donde suponía que se daban las clases. Si se paseaba un rato por allí, antes o después encontraría a Max. En aquella época no había tantos estudiantes como en la de ella.

Ya estaba casi en el primer piso, cuando una voz detrás de ella la hizo volverse:

—¡Fräulein! ¡Fräulein! —Los chicos que la habían visto entrar la seguían por las escaleras—. ¿Podemos serle de ayuda, señorita? ¿Busca usted a alguien?

«Y ahora es cuando quedas como una imbécil, diciendo que sí buscas a alguien, pero que no sabes cómo se llama, y entonces te preguntan por qué lo buscas... ¿y qué les dices?».

—Bueno..., en realidad...

Los tres estudiantes, con sus pequeñas pelucas grises, la miraban, pendientes de sus palabras. Ella subió los dos escalones que le quedaban hasta el primer piso y caminó despacio hacia las ventanas que daban al jardín. Ellos la siguieron.

—En realidad busco a un familiar que estudia aquí. Él no sabe que estoy en Ingolstadt. Acabo de llegar y había pensado darle una sorpresa —terminó con una sonrisa boba que suponía propia de la época, de lo que creía que los hombres pensaban entonces de las mujeres: que eran unas descerebradas.

—Pues si nos dijera su nombre..., eso ayudaría bastante —respondió uno de ellos con un guiño.

Ella bajó la vista, llamándose idiota en su interior.

—¡Uy, claro! Maximilian. Su nombre es Maximilian. —Esperaba que no fuese un nombre muy frecuente, porque no tenía ni idea de su apellido.

—Ah... ¡Von Kürsinger! Un momento. Si no me equivoco, estará en la lección de Anatomía. Enseguida vuelvo.

Apenas un minuto más tarde, los ojos de Max se dilataban de sorpresa al encontrarse con los de Nora. Ella, disimulando su inmenso alivio, se le acercó con las manos tendidas. Él las besó.

—¡Eleonora, querida Eleonora! ¿Qué haces tú aquí? Gracias, Schneider —dijo, girando la cabeza hacia los otros estudiantes—. Con vuestro permiso, voy a sacarla de aquí; este no es lugar para una dama.

Bajaron de nuevo las escaleras y, a buen paso, se dirigieron al río. Los estudiantes con los que se cruzaban les dedicaban miradas curiosas y muchos sonreían de un modo que hacía que Nora empezara a sentirse como un pastel en un escaparate.

—¿Se puede saber qué hace usted aquí y qué ha dicho para encontrarme? Perdone —añadió enseguida viendo que le había salido demasiado brusca la pregunta—, no quería ofenderla. Es que no lo esperaba, la verdad. Y eso de entrar en la universidad con esa naturalidad...

—Soy tan estudiante de Medicina como tú. Yo entro todos los días en la universidad, y voy a clase y hago los exámenes.

—Pero aquí no.

—Sí, aquí sí. Solo que en otra época.

Max se cubrió los ojos con las dos manos en un gesto de angustia.

—Vamos, Max, los dos hemos llegado a esa conclusión, ¿no? Que, por lo que sea, hay una alacena en una casa que comunica nuestros dos tiempos. No tiene sentido negar la evidencia.

Dieron unos pasos más, sin rumbo, perdidos en sus pensamientos, viendo brillar la hermosa corriente del Danubio.

—Eso no explica su presencia aquí, Nora.

Ella carraspeó. No podía decirle: «Es que me gustas, y creo que estás en peligro, y me mataba la curiosidad, y...», así que prefirió resumirle la situación del modo más pragmático posible, evitando lo personal.

—He estado pensando en esas heridas. Eran marcas de cuchilladas. Es evidente que han tratado de matarte. Y es rarísimo que hayas sobrevivido: parecen profundas y dadas en lugares vitales. Están mal cosidas, pero no hay infección, ni siquiera están inflamadas, y eso, como tú bien sabes, es muy extraño, prácticamente imposible. Ha debido de ser un trauma importante para que hayas perdido parcialmente la memoria. —Él asentía en silencio a lo que ella iba diciendo, maravillándose del funcionamiento de su mente—. No podía quedarme en casa sin saber qué te pasaba. Tú me salvaste la vida ayer, ¿ya no te acuerdas? Ahí mismo, en ese río. ¿Has tenido tiempo de hablarlo con algún compañero?

—Iba a hacerlo ahora. Mi mejor amigo, Viktor, se ha puesto a temblar al verme aparecer. No sé qué le pasa.

—¿No estará implicado en el ataque?

—No. Imposible. Somos amigos desde hace cuatro años, desde que llegamos aquí a estudiar. Lamento tener que dejarla ahora, Fräulein, pero debo hablar con él.

—¿No puedo ir yo?

—Me gustaría, pero ¿qué excusa puedo dar para la presencia de una dama?

—Podemos decir que soy tu prima, que estoy de paso en la ciudad y quería darte una sorpresa.

—¿Mi prima? Solo tengo una y se llama Katharina.

—Eso, aquí, no lo sabe nadie. Soy tu prima Eleonora y estoy de paso hacia Múnich, donde voy a ocupar una plaza de institutriz.

—Ni pensarlo. Si fuera usted una Von Kürsinger, no sería jamás institutriz de nadie.

—Pues... voy a hacerle compañía a nuestra... ¿abuela?

—A nuestra tía abuela, la marquesa Isabelle von Hohenberg.

—¿Existe?

—Por supuesto.

Regresaron hacia la universidad y ella se quedó fuera, en la esquina de la calle, esperando a Max, que, momentos después, volvió con un chico tan alto como él, pero de pelo oscuro, mejillas hundidas y ojos profundos y muy brillantes, como si tuvieran una hoguera dentro. Era evidente que le pasaba algo y que, si no fuera por lo que lo estaba consumiendo, habría sido un chico guapo.

—Querida Eleonora, tengo el placer de presentarle a mi mejor amigo, Viktor. Viktor Frankenstein, de Ginebra.

El recién llegado se inclinó ante ella. Nora se cubrió la boca con la mano enguantada, tratando de retener la exclamación que casi se le había escapado: «¿Frankenstein? ¿Como el científico loco que crea el monstruo en la novela de Mary Shelley? De acuerdo, estamos en Ingolstadt, que es la ciudad donde, en el libro, estudia Frankenstein. ¡Pero Frankenstein no es más que un personaje de ficción!».

—*Enchantée* —fue lo que dijo ella, en lugar de todo lo que estaba pensando. En alguna parte había leído que en el siglo dieciocho lo más elegante en Europa era hablar francés, y de algo tenía que servirle lo que había aprendido en el instituto.

—¿A la taberna de Daniel? —preguntó Viktor. Se cruzó con la mirada de su amigo y se corrigió—. No, claro; no es lugar para Fräulein Eleonora. Vamos al Café de Flora.

Unos minutos más tarde, se acomodaban en un pequeño velador junto a la ventana y, sin que nadie le hubiese preguntado, Nora tenía delante una tarta de manzana de aspecto delicioso junto a una taza de chocolate. Ellos tomaban café.

—Bueno, Viktor, pues ahora vas a decirme por qué me has mirado con esa cara cuando he entrado hoy en la lección.

El muchacho observó, inquieto, a la chica.

—Puedes hablar delante de ella. Haz como si no fuera una mujer.

—¡Pero lo es! Y hay cosas que...

—Es hija de médico —improvisó Max para convencer a su amigo—. Tiene costumbre de oír y ver cosas que otra mujer no soportaría. Y fíjate también en lo que lleva colgado al cuello. —Nora, sin comprender nada, agarró fuerte el colgante del búho, que Viktor acababa de mirar con una leve inclinación de cabeza—. Habla tranquilo.

Viktor cerró los ojos unos segundos y, cuando volvió a hablar, su voz había bajado hasta hacerse casi un susurro.

—Cuando te vi en clase, amigo mío, eras un resucitado, habías vuelto de entre los muertos. No consigo creerme, ni viéndote aquí ahora, que sigas vivo. Yo te hacía muerto desde el domingo.

Nora y Max cruzaron una mirada.

—Cuéntame más.

—El domingo fuimos juntos a misa mayor, ¿te acuerdas?

Max negó con la cabeza.

—Luego yo me fui a mi laboratorio; quizá recuerdes que estoy muy metido en unos experimentos de los que todavía no te he hablado en detalle. Estuve trabajando hasta bien entrada la noche. Entonces, unos golpes en la puerta me sacaron de mi concentración, bajé a ver quién era y se trataba de un desconocido que, todo agitado, me pidió que lo acompañara a la mayor velocidad porque mi amigo Maximilian von Kürsinger había sufrido un accidente. Me envolví en mi capa, cogí el maletín con lo más necesario y caminé junto al desconocido en dirección al río. Ni se me pasó por la cabeza que pudiera ser una emboscada. Cuando llegamos a la esquina de tu calle, el hombre señaló hacia la oscuridad del jardín de tu casa, tendió la mano para recibir una propina que enseguida le di, y desapareció.

Viktor hizo una pausa, tragó saliva y continuó.

—Estabas tendido en el suelo, cosido a puñaladas, en un charco de sangre. Estabas muerto, Max.

Su amigo lo miró, perplejo.

—O eso me pareció, al menos. No había pulso, el corazón no latía, la sangre había dejado de manar. Pensé que iba a volverme loco, Maximilian; no había nada que yo pudiera hacer. Alguien había asesinado a mi mejor amigo y no podía hacer nada. —Se pasó la mano, angustiado, por los ojos, por la frente—. Me levanté de tu lado y corrí a buscar ayuda para transportar tu cuerpo al hospital, aunque, perdóname, estaba totalmente convencido de que no había nada que hacer. Y cuando regresé, apenas media hora más tarde, habías desaparecido.

Hubo un largo silencio.

—Busqué por todas partes sin éxito, no encontré ningún tipo de huellas. Fui a la universidad al día siguiente a preguntarle a todo el mundo si te habían visto. Nadie sabía nada de ti. No había noticias de tu muerte. Fui a tu casa. Tu casera tampoco te había visto. Me volví loco haciendo conjeturas. Alguien había robado tu cadáver. ¿Para qué? Y… ¿quién podía haberte atacado? ¿Por qué? Llevo días sin dormir, dándole vueltas al misterio, llorando la muerte de mi único amigo en Ingolstadt y ahora, de repente, apareces por clase como si no te hubiese pasado nada. ¿Comprendes ahora mi reacción?

Max tendió la mano a Viktor y se la apretó fuerte.

—Gracias, amigo mío.

—Cuéntame, ¿qué te ha pasado? ¿Dónde estabas? ¿Cómo es posible que estés vivo?

Max agitó lentamente la cabeza en una negativa.

—No lo sé. He perdido todos los recuerdos desde el domingo. Los otros van regresando lentamente, pero hasta esta misma mañana, hasta que el profesor Waldmann me ha llamado por mi nombre, no recordaba ni quién era yo.

—¡Dios santo!

—Pero voy mejorando. Y ahora, al ver a mi querida prima, muchas cosas han vuelto a mi memoria.

Aprovechando que Viktor había bajado de nuevo la vista hacia su taza vacía, Nora le hizo a Max un gesto en dirección a las heridas que cruzaban su pecho. Él negó con la cabeza y le dio a entender que de eso ya le hablaría más tarde.

—Esta tarde tenemos una cita importante, Viktor. El *Herr Professor* quiere vernos a los dos, a las ocho. Voy a llevar a Eleonora a mis habitaciones para que descanse un rato. Si te parece, podríamos encontrarnos dentro de una hora en la taberna de Daniel. Te contaré lo poco que recuerdo.

Se estrecharon las manos, discutieron sobre la cuenta, que ambos querían pagar, y al final dejaron a Viktor tomando otro café.

—¿Qué es eso de que me llevas a descansar? —preguntó Nora, picada.

—Es lo que hacen las damas.

—Yo no soy una dama.

—Aquí, y cuando estás conmigo, sí. —Era la primera vez que, estando solos, Max la llamaba de tú—. Además, estoy seguro de que Viktor no nos lo ha contado todo. Tengo que estar solo con él. Y tú te vas a casa.

—¿Cómo que a casa?

—Sí. A tu casa.

—No.

—Sí.

—Hay muchas cosas que tenemos que averiguar primero, Max. —Nora trató de dulcificar su tono porque notaba que estaban a un paso de pelearse en serio—. Quizá dentro de dos o tres días.

—¿Qué piensas que voy a hacer contigo aquí? —dijo él exasperado—. No puedes vivir en mis habitaciones, incluso siendo mi prima. No puedo buscarte una habitación en casa de una señora respetable porque ni siquiera tienes equipaje. Y además no sabes comportarte como lo haría una señorita. Antes o después llamarás la atención y habrá gente que empezará a hacerse preguntas.

Ya a punto de ofenderse, Nora se dio cuenta de que posiblemente Max tenía razón. Casi todo lo que a ella le parecía normal, en la época de Max no lo era. Pero no quería volver aún; había muchísimas cosas que no estaban claras. Ella también presentía que Viktor no les había contado todo lo que sabía, que quedaba mucho por averiguar, y seguía teniendo la sensación, casi la premonición, de que Max estaba en peligro, de que quien fuera que había querido matarlo iba a intentarlo de nuevo en cuanto descubriera que no lo había conseguido la primera vez. Ella no podía defenderlo, no era una especialista en ningún tipo de lucha, no podría evitar que un hombre armado con un cuchillo tratase de asesinar a Max o a ella misma, pero algo le decía que, estando ella, las tornas podían cambiar. Era algo absolutamente irracional, pero no conseguía sacudirse la sensación de que su presencia era crucial. O bien se trataba simplemente de que no quería alejarse de él, de que se encontraba bien a su lado y tenía miedo de que le pasara algo terrible y no pudieran llegar a conocerse mejor. «Hay que salvar lo que se ama», pensó de golpe, recordando una frase que le había gustado mucho en un relato que había leído.

—Puede que tengas razón —dijo Nora, modosa—. Sin embargo, tengo la sensación de que estás en peligro, Max, y quiero ayudarte. Ya sé que no puedo defenderte con un arma, y que incluso te parecerá raro que una mujer quiera protegerte y ayudarte, pero estoy en deuda contigo y soy tu amiga.

—Un hombre y una mujer no pueden ser amigos, Nora. No está en la naturaleza humana. O son algo más, mucho más..., o no son nada.

Ya a punto de ponerse a contradecirlo y a discutir con él, Nora se percató de lo que quizá estaba tratando de decir Max. ¿Le estaba proponiendo que fueran algo más? A pesar de ser una chica del siglo veintiuno, sintió que se ruborizaba y bajó la vista. Cuando levantó los ojos hacia los de él, vio que sonreía. Se había dado cuenta de que ella aceptaría, si él hacía la proposición.

—Déjame ayudarte, Max.

—Buscaremos una forma, Nora, te lo prometo. Pero ahora permíteme que te acompañe a casa. Me sentiré más seguro si sé que tú estás a salvo en tu propia ciudad. Podemos vernos mañana, si quieres. Podría ir yo a visitarte y contarte lo que Viktor me haya dicho. ¿Te parece?

Ella asintió en silencio. Él le ofreció el brazo y así, juntos, como en una estampa antigua, caminaron hacia la casa del río.

* * *

La puerta trasera, como siempre durante el día, no estaba cerrada con llave y pudieron alcanzar la escalera sin cruzarse con nadie. Delante de la puerta de la alacena se miraron y ambos bajaron la vista. Sabían que tenían que despedirse, y a los dos les costaba un esfuerzo.

55

—Hasta muy pronto, Nora —dijo él por fin.

—¿Vendrás mañana?

—Te lo prometo. Si depende de mí, mañana iré a visitarte y te contaré lo que haya sucedido.

—Lleva cuidado, por favor.

Él le tomó la mano con delicadeza y se la besó. Curiosamente, a Nora ese leve contacto, todas las veces que lo sentía, le hacía más efecto que un auténtico beso en la mejilla de los que estaba acostumbrada a dar y recibir cada vez que se despedía de uno de sus amigos.

Max le abrió la puerta de la alacena, que estaba oscura como un pozo. Ella entró, mirándolo por encima del hombro para que su imagen fuera lo último que vieran sus ojos antes de regresar. Luego él cerró y se quedó unos momentos con la espalda apoyada contra la pared, tratando de tranquilizarse, quitarse a Nora de la cabeza y concentrarse en la conversación que iba a tener enseguida con Viktor. Lo conocía bastante bien y estaba seguro de que le ocultaba algo, de que había algo importante que no le había contado y era lo que había hecho que sus mejillas se hundieran de ese modo y sus ojos se hubiesen sumido en las cuencas, entre ojeras moradas. Algo grave estaba pasando en la vida de su amigo y tenía que conseguir que se lo explicara y lo dejase ayudarlo.

Ya a punto de marcharse, unos discretos golpecitos en la puerta de la alacena lo dejaron clavado en el sitio. ¿Los había oído de verdad? Esperó unos segundos. Los golpecitos, ahora más rápidos, se repitieron.

Apoyó su peso en el picaporte y abrió con cuidado. El rostro de Nora, pálido y con los ojos brillantes de lágrimas, parecía flotar en la oscuridad del interior de la alacena.

—No hay paso —dijo en un susurro ahogado—. No hay nada ahí dentro, Max. No es más que un trastero oscuro que termina en un muro. Estoy atrapada en tu mundo.

3

Max entró en la taberna de Daniel con la cabeza dando vueltas y un ahogo en el pecho. Había dejado a Nora tumbada en su cama, después de haber hablado con la casera y haberle asegurado que por supuesto él pasaría la noche en casa de un compañero y que esperaba que su prima pudiese continuar viaje a la mañana siguiente.

Nunca en toda su vida había mentido tanto y con tanta fantasía como en las veinticuatro horas que hacía desde que había conocido a esa mujer, pero no había otro remedio.

Sentía profundamente haber tenido que abandonarla allí, con todo su mundo cayéndose a pedazos a su alrededor, pero era fundamental hablar con Frankenstein y no podían tampoco perderse la sesión a la que los había convocado el profesor, que ocupaba uno de los más altos grados de la Orden.

Confiaba en que Nora fuera tan fuerte como él pensaba y que pudiera aguantar unas horas de soledad hasta que él regresara a su lado.

Viktor estaba en una de las mesas del fondo, en un pequeño reservado que siempre procuraban ocupar cuando tenían que hablar de cosas importantes, con la frente apoyada en la mano y el codo en la mesa, el pelo revuelto y una jarra de vino casi vacía delante de él.

—Llegas tarde.

Max se sentó enfrente, en silencio, y lo miró durante unos largos segundos.

—¿Me vas a contar qué ha pasado, Viktor?

—Te lo he contado ya. El que aún no me ha contado nada eres tú, señor conde.

Él sacudió la cabeza, incrédulo.

—Ya te he dicho que he perdido muchos recuerdos.

—¡Qué práctico!

—Escucha: no recuerdo nada del ataque, ni quién, ni cuándo, ni dónde, ni, sobre todo, por qué, que es lo que más me interesaría. Solo sé que cuando volví en mí estaba tumbado en un jergón sucio en una casa en ruinas cerca del río. Curiosamente, salvo un vulgar dolor de cabeza, no me dolía nada.

—A los muertos ya no les duele nada, amigo. Es lo mejor que tiene la muerte —dijo con voz pastosa, sirviéndose lo que quedaba en la jarra.

—¡Yo no estoy muerto, maldita sea, Viktor! ¿No me ves?

—Sí. Te veo. Y no consigo creerlo.

Max se levantó, furioso por la cerrazón y la pasividad de su amigo; salió a la sala grande, encontró a uno de los mozos y pidió media jarra de tinto. Luego volvió a donde Viktor seguía trazando círculos en la mesa con las gotas de vino que habían caído al servirse; se plantó delante de él y se abrió la camisa.

—¡Mírame!

El otro muchacho alzó la vista, miró las cicatrices del pecho de Max y cerró los ojos.

—Tenía que darme prisa —dijo en tono de disculpa.

—¿Lo hiciste tú? —La sorpresa lo había dejado de piedra.

—No podía dejarte con esas heridas abiertas. No sé por qué lo hice, Maximilian, te juro que no lo sé; pero llevo desde entonces sin dormir.

—¿Hay algo que aún no me hayas contado, Viktor?

Frankenstein lo miró con tristeza y sacudió la cabeza en una negativa.

—¿Seguro? —insistió Max.

—Anda, vamos a ver qué quiere Waldmann —propuso Frankenstein tambaleándose al ponerse de pie.

—Es demasiado pronto.

—Pero yo necesito darme un paseo al aire libre antes de entrar en aquella cripta o me desmayaré delante de todo el mundo. ¿Me acompañas?

Max se levantó, ayudó a Viktor a ponerse la chaqueta y le alisó un poco la peluca antes de tendérsela.

—El muerto pareces tú —dijo, tratando de hacer un chiste.

—No sabes la razón que tienes...

Tropezando, Frankenstein salió a la calle. Max lo siguió después de pagar el gasto de los dos.

* * *

Nora se había quitado el maldito sombrero, la maldita enagua con los aros de madera, el maldito corsé y ahora, en ropa interior, se paseaba arriba y abajo del pequeño dormitorio de Max oscilando entre la depresión y la furia, llamándose idiota cada dos frases y tratando de sopesar sus opciones a la vez que intentaba entender qué había pasado, cómo era posible que un camino que estaba abierto por la mañana ya no lo estuviera por la tarde. ¿Cómo había podido ser tan imbécil de atravesar aquel pasaje sin más precauciones, sin pensar siquiera que podía cerrarse quizá para siempre? ¿Qué iba a hacer si se veía obligada a quedarse en aquella época sin posibilidad de regreso?

«Más vale que empieces a ser muy, pero muy simpática con Max porque, a menos que quiera casarse contigo, lo vas a tener realmente difícil, chica. No sabes hacer nada que tenga valor en esta época; una mujer no tiene más salida que el matrimonio, y nadie va a querer casarse con una que no tiene familia, ni dote, ni tierras, ni nada de nada».

«¿Quieres callarte de una vez, estúpida?».

«¿Estúpida yo? Mira quién habla».

Agarró la manta que cubría la cama y se la echó por encima. Hacía frío en aquella habitación y suponía que el fuego no se encendía hasta que se hacía de noche, cerca ya de la hora de dormir. Siguió paseando por el cuarto, tratando de pensar con lógica. Era posible que aquel pasaje estuviese sujeto a algún tipo de ciclos o de alteraciones; quizá dependiera del sol, o del ciclo lunar, o de cualquier otra cosa que de momento no se le ocurría... ¡Qué incómoda era aquella maldita manta, y cómo pesaba! Volvió a extenderla sobre la cama, fue al arcón y miró la ropa de Max. Quizá podría ponerse unos pantalones suyos o alguna de sus prendas menos elegantes, para estar por casa. Esperaba que la casera tuviera al menos la decencia de llamar a la puerta si decidía subir a ver cómo se encontraba, aunque lo mejor...

En dos zancadas se plantó en la puerta y dio vuelta a la llave. Así nadie podría sorprenderla y, cuando llegara Max, ya tocaría.

Lanzó una mirada alrededor sin saber qué hacer. Sobre el respaldo del sillón, junto a la chimenea, descubrió el anorak de Toby y, con un suspiro de alivio, se lo puso y lo apretó contra su cuerpo. ¡Qué caliente y qué agradable era! ¡Qué diferente de todo lo que la rodeaba! Echaba de menos su móvil, el contacto con sus amigos, su música, sus libros... y si tenía que quedarse en aquel siglo para siempre, no los volvería a tener jamás. Ni siquiera sabía exactamente en qué año estaban. Último tercio del siglo dieciocho, al parecer. Si hubiese prestado más atención en las clases de Historia, al menos podría ganarse la vida haciendo de futuróloga o adivina, o algo así. Pero lo único que se le había quedado en la memoria, como a todo el mundo, era lo más grande: la Revolución francesa, porque tenía una fecha tan fácil, 1789; la época napoleónica de después, lo que significaba que le esperaban décadas de guerra en casi toda Europa; la restauración de las monarquías... No llegaría ni siquiera a los grandes inventos del siglo diecinueve.

La primera mujer admitida en una universidad para estudiar Medicina consiguió entrar en 1900. Ella no llegaría a vivir tanto tiempo; estaban a mucho más de cien años de esa fecha.

De un momento a otro le sobrevino una crisis de llanto y, sin saber lo que hacía, se encontró tumbada de bruces en la cama, agarrada al almohadón de plumas, llorando desconsolada. Luego, poco a poco, entre hipos y sollozos, se fue quedando dormida.

* * *

Uno a uno y dos a dos fueron llegando los iniciados que, bajo el manto de la oscuridad, pasaron el control de los hermanos que custodiaban la puerta y entraron a un amplio local vacío enteramente de piedra, donde brillaban unas pocas antorchas sujetas con argollas de hierro a la pared, por el que se accedía a una escalera de caracol disimulada en una de las columnas del fondo.

Atravesando unos cortinajes de terciopelo negro se alcanzaba un salón de mediano tamaño con bancos en tres de los lados y un estrado en la pared frontera, ahora vacío, mientras que los bancos estaban ya bastante llenos de caballeros enmascarados. Todos llevaban una capa azul oscuro tachonada de estrellas amarillas o blancas. En la pared del estrado destacaba la figura del búho de Minerva posado sobre un libro abierto. Debajo, la inscripción latina:

Hic situs est Phaëthon, currus auriga paterni,
quem si non tenuit, magnis tamen excidit ausis.

A pesar de que había ya más de una docena de asistentes, la sala estaba en silencio, cada uno de ellos perdido en sus propios pensamientos. Poco a poco fueron llenándose los bancos hasta que los reunidos llegaron a ser más de veinte y, al cabo de unos minutos más, precedidos por el grave tañido de una campana, tres figuras enmascaradas y revestidas de togas escarlata hicieron su entrada en el salón, saludaron con una

63

inclinación de cabeza a los asistentes puestos en pie, y ocuparon sus lugares en el estrado.

—Caballeros, hermanos —dijo el hombre sentado en el centro—, agradezco vuestra presencia en la tenida de hoy y paso sin más dilación a consultar con vosotros el problema que nos ha hecho reunirnos con tanta urgencia. —Carraspeó, como si le costara encontrar las palabras precisas, y continuó—: Uno de nuestros hermanos ha sido infamemente agredido y muerto por esbirros pagados por una de las logias rivales. En estos momentos aún no podemos decir con seguridad de cuál de ellas se trata, pero es elemental que la elección que se nos presenta es o bien los Rosacruces, o bien los Francmasones, o quizá la Hermandad de la Rosa, que siempre han estado en contra de nuestra joven Orden. Hemos iniciado indagaciones y acercamientos, como os podéis imaginar, para averiguar la identidad de los asesinos y estar seguros de su culpabilidad antes de emprender ningún tipo de acción, pero hasta el momento no hemos conseguido poner nada en claro.

—¿Quién es el hermano muerto? —preguntó un hombre, después de haber alzado la mano y haber recibido permiso para hablar.

—Anubis. El *minerval* que esta próxima primavera habría tenido que pasar la prueba de *illuminatus minor*.

—¿Y quién tendría interés en asesinar a uno de los más jóvenes de entre nosotros, un hermano que apenas si había alcanzado el segundo grado? ¿Quién puede ganar nada con ello?

El presidente se encogió de hombros.

—Eso es precisamente lo que tenemos que averiguar.

—Esa es la pregunta crucial —dijo otro de los enmascarados—. *Cui bono?*

Antes de que Max levantara la mano, Viktor le aferró el brazo y le dijo al oído:

—Ni se te ocurra.

—Pero lo mío es similar a lo que acaba de contar el *rex*. Puede resultar útil que se sepa que a mí también han tratado de matarme.

—No es momento. Hazme caso. Escucha y calla.

Max se contuvo de mal grado. Si no podía hablar libremente en su propia logia, rodeado de hermanos que creían en las mismas verdades que él, entonces no había lugar en el mundo en el que se pudiera expresar con sinceridad. Viktor estaba realmente muy raro. ¿Era posible que hubiese sucedido algo entre ellos dos que él ahora no recordaba? Tenía que preguntárselo cuanto antes. Y hablarlo con Nora. Quizá hablando con ella se disipara la niebla que cubría su mente, como ya había sucedido con su nombre de pila.

¡Pobre Nora! Ahora estaría sufriendo y él no podía siquiera acompañarla, tranquilizarla de alguna manera. Aunque... ¿qué clase de ayuda podía ofrecerle? Si aquel pasaje se había cerrado de verdad y para siempre, no habría forma de hacer que se sintiera mejor porque eso significaba que lo habría perdido todo: su mundo, su familia, el futuro que había imaginado para sí misma..., todo.

Y nadie puede sustituirle todo a otra persona, por muy buena voluntad que ponga en ello.

Suspiró. Sus pensamientos giraban y se entrelazaban como volutas de humo en una hoguera: la pérdida de sus recuerdos, que lo preocupaba terriblemente (¿llegaría a recuperarlos alguna vez?); lo sucedido la noche anterior en el río (¿cómo era posible que hubiesen transcurrido solo veinticuatro horas desde entonces?), la niña ahogada abriendo los ojos, volviendo a la vida después de la manipulación de Nora; el lugar donde había estado..., aquella Ingolstadt diferente, llena de luces sin fuego y vehículos sin animales de tiro (¿una ciudad del futuro, como todo parecía indicar?); lo que le había contado Frankenstein: que él había estado muerto, que había sucumbido a aquellas cuchilladas y algo, misteriosamente, lo había devuelto a la vida. ¿Era un resucitado, entonces? ¿Se había convertido en un ser diferente, alguien que había conocido la muerte, la había olvidado y había regresado del otro mundo? Y ese secretismo de su amigo..., algo que le estaba ocultando y que debía de tener relación con su supuesta muerte, con su asesinato, con su ¿resurrección? Nora esperando en casa, asustada, confiando tal vez en que él tuviese una solución que ofrecerle. ¿Qué iban a hacer ahora si el pasaje se había cerrado para siempre? ¿Dónde iba a vivir, sin familia, sin otras mujeres a su alrededor, sin vestidos que ponerse? Él había pensado pasar la noche en las habitaciones de Viktor, dejarla descansar hasta el día siguiente y, a media mañana, ir a recogerla y hablar de las posibilidades; pero ahora se daba cuenta de que tenía que verla antes de retirarse. Acudiría un momento a su casa para asegurarse de que todo estaba bien y, si su casera decidía fisgar, tendría que arriesgarse a que luego fuera contándolo a las vecinas, aunque eso sería terrible para la reputación de Nora.

Los hermanos se estaban levantando a su alrededor. Los miró, atontado. No se había enterado de nada de lo que habían discutido. ¿Cuánto tiempo habría pasado? Las velas se habían consumido hasta la mitad. Frankenstein, a su lado, con la cabeza apoyada contra el alto respaldo de madera tampoco parecía muy despierto. Acabarían por pensar que los miembros más jóvenes de la logia habían perdido el interés en los asuntos de la Orden, pero no había podido evitar que sus pensamientos se desviasen por el amplio paisaje de los pasados y futuros probables e improbables.

Por suerte o por desgracia, Nora empezaba a ocupar casi toda su mente.

* * *

El aire helado de la noche los despertó al salir de la logia. No había sido una tenida muy larga, pero los dos se sentían agotados y con pocas ganas de hablar. Aun así, había algo que Max tenía que preguntarle a su amigo.

—Frankenstein, he de ir un momento a casa —comenzó—, pero después, si nuestra amistad me permite arriesgarme a abusar de tu confianza, te ruego que me dejes pasar la noche en tus habitaciones.

Su amigo lo miró, apartó la vista y empezó a morderse los labios. A la luz de la vela que, en la esquina de la calle, iluminaba una imagen de Jesús crucificado, el rostro de Frankenstein parecía una máscara tallada en madera, un rostro de mejillas hundidas, una fantasía de aristas y sombras.

—Lo siento, Von Kürsinger, esta noche no es posible. Lo siento de verdad.

Max estaba perplejo. Jamás se le habría pasado por la cabeza que su mejor amigo no quisiera dejarlo dormir en su casa.

—¿Puedo preguntar qué te lo impide?

—No, Maximilian, es mejor que no preguntes. Te lo contaré lo antes que pueda, pero aún no. Aún no. —Se pasó la mano por la cara como si quisiera borrársela.

—¿Es una mujer? —insistió Max, cayendo inmediatamente en la cuenta de lo estúpido de su pregunta. El amor no deja esas marcas, ni siquiera el amor peor correspondido del mundo.

A Viktor se le escapó una carcajada que provocó en Max un escalofrío a lo largo de la columna.

—Vete a casa, Maximilian, tú que puedes, tú que aún estás del lado de Dios. No pretendas saber más, amigo mío. —Le dio una palmada en el hombro y, sin esperar un segundo, echó a andar por la callejuela que llevaba hacia arriba, hacia la catedral, dejándolo a él atrás.

Max suspiró, dio media vuelta y, a buen paso, se dirigió a sus habitaciones, a encontrarse con Nora.

* * *

Cuando llegó frente a la casa, todo estaba oscuro y en silencio como esperaba. Visitaría a Nora y después iría a la taberna de Daniel. Allí podría dormir unas horas tumbado en un banco o quizá, a riesgo de dar más información de la que pretendía, podría tomar una habitación explicando que le había prestado su cuarto por una noche a su prima Eleonora. Eso era lo malo de una ciudad como Ingolstadt: que todo el mundo conocía a todo el mundo, especialmente los estudiantes y los taberneros, y las comidillas estaban a la orden del día.

Subió las escaleras silencioso como un gato, cuidando de evitar los peldaños que sabía que crujían con un tono particularmente desagradable, llegó a su puerta, accionó el picaporte... y se dio cuenta de que ella había cerrado con llave. Maldijo en voz baja. Ahora tendría que tocar y Frau Schatz podría despertarse.

Volvió a intentarlo con pocas esperanzas, pero esta vez la llave giró por dentro y Nora abrió la puerta frotándose un ojo. ¿Nora?

En la casi total oscuridad del cuarto, donde solo brillaba la llama casi ahogada de una vela consumida en su palmatoria, aquella silueta era la de un muchacho. ¿Quién era aquel hombre? ¿Qué hacía en su habitación? ¿Dónde estaba ella?

Debió de formular en alto alguna de aquellas preguntas antes de propinarle un buen empujón a la figura masculina, cuando oyó la voz de la muchacha desde el suelo.

—Soy yo, Max. No hay nadie más. Me he puesto ropa tuya porque hacía frío.

Max se acercó a la vela, la despabiló para aumentar su luz, y se acuclilló junto a Nora, que seguía en el suelo, a los pies de la cama, donde él la había empujado con su brusquedad.

—Perdóname. ¿Estás bien?

Ella asintió, muy seria. Se había recogido el pelo en la nuca y llevaba puesta la chaqueta que él había tomado prestada sobre las calzas más calientes que tenía, las que solía usar para salir a dar paseos por el bosque. Ya no parecía una dama. Parecía un jovencito travieso.

—¡Eso es! —dijo de pronto, dándose una palmada en la frente—. ¡Tenemos la solución!

—¿Qué solución? ¿Está abierto el pasaje?

—No. Creo que no. No he mirado. —Los ojos de Nora volvieron a perder el brillo que por unos instantes se había instalado en ellos—. Pero sé cómo arreglar tu presencia aquí en el caso de que tengas que quedarte... un tiempo.

—¿Cómo?

—¡Mírate, mírate! —Max estaba entusiasmado—. Cuando has venido esta tarde, eras mi prima Eleonora de camino hacia Múnich. A partir de mañana, si tú quieres, serás mi primo Leo, mi primo pequeño, que acaba de llegar a Ingolstadt a estudiar.

—¿A estudiar Medicina? —Una sonrisa cada vez más amplia fue adueñándose del rostro de Nora.

—Podrías estudiar lenguas orientales, por ejemplo.

Ella movió lentamente la cabeza y él supo que había perdido la partida.

—Medicina. ¡Podré ir a clase de Anatomía contigo, Max, aunque tú estés más avanzado!

—Mañana lo hablaremos. Mañana vendré a recogerte, volverás a vestirte de mujer y te despedirás de mi casera. Por la tarde te la presentaré de nuevo y entonces serás mi primo Leonhard von Kürsinger, ¿de acuerdo? Ahora tengo que irme.

—¿Adónde? —El miedo era patente en su tono de voz—. ¿A casa de Frankenstein?

—No. No quiere que vaya a su casa. Sabe Dios por qué. Pasaré la noche en la taberna de Daniel.

—¿No podrías quedarte aquí?

—No. Imposible. Tenemos que pensar en tu reputación.

Nora se mordió los labios.

—¿Y cuando sea chico?

—Ya lo veremos. Te buscaré algo cerca de aquí. ¡Buenas noches, Nora!

Cuando los pasos de Max se alejaron por la escalera, Nora volvió a dar vuelta a la llave, se apoyó contra la puerta y deseó con toda su alma regresar a casa.

4

Viktor Frankenstein llegó a su casa helado, tembloroso y con la horrible sensación de haber traicionado a su mejor amigo, pero no había podido hacerlo de otro modo. No podía permitir que Von Kürsinger viera todo lo que su laboratorio ocultaba. No quería ponerlo en la situación de tener que guardarle el secreto, ni podía arriesgarse a que sus experimentos salieran a la luz antes de tiempo.

Prendió dos gruesas velas en su habitación, se puso la bata y ya casi había decidido meterse en la cama e intentar dormir un poco, cuando, sin ser consciente de haber cambiado de opinión, cogió una de las dos velas y entró en el laboratorio.

Todo estaba como lo había dejado al salir: las redomas llenas de líquidos con cuyas mezclas aún estaba experimentando; los frascos de todas las hierbas y polvos que, con paciencia infinita, había conseguido ir reuniendo, algunos realmente extraños y difíciles de conseguir, como polvo de cuerno de rinoceronte, raíz de mandrágora, belladona índica, obsidiana molida, el extraño polvo del meteorito venido de las estrellas...; la jaula que hasta hacía unos días atrás había estado ocupada por el animal que ahora, ya vencida su violencia, descansaba con las fauces abiertas y los ojos cerrados en una de las mesas esperando a que él tuviese tiempo para empezar a despellejarlo e iniciar el costosísimo proceso de convertirlo en ungüento.

Pasó la vista por la mesa de disección, por la enorme forma que la sábana ocultaba. Reprimió un escalofrío y se giró hacia los grandes frascos de cristal donde flotaban ciertas vísceras que le iban a resultar necesarias para lo que tenía previsto.

Sacudió la cabeza, incrédulo. Debería estar satisfecho con lo conseguido. Debería estar orgulloso de sí mismo. No hacía ni cuatro días desde que allí mismo él, un simple estudiante de ciencias naturales, él, Viktor Frankenstein, había logrado vencer a la muerte. Y sin embargo, no estaba contento, ni orgulloso, ni tranquilo. Se estremeció.

Salió del laboratorio con la cabeza baja, mordiéndose los labios, que ya sabían a sangre.

* * *

Antes incluso de que los primeros rayos del sol iluminaran su cuarto, Nora, vestida otra vez de mujer, pero sin la molesta enagua, bajó cuidadosamente los escalones que la separaban de la alacena, abrió procurando no hacer ruido y se metió dentro con el corazón saltándole en el pecho después de haber cerrado tras de sí. La oscuridad era total. Extendió los brazos delante de su cuerpo y avanzó murmurando para sí misma: «Por favor, por favor, que esté abierto, por favor...». Sus manos se toparon contra la pared del fondo. No había paso. Nada indicaba que alguna vez lo hubiese habido.

Se apretó las mejillas con las dos manos para evitar que se le escaparan los gritos que le nacían de dentro. ¿Cómo podía haber pensado que aquello iba a ser divertido, que era una aventura que quería correr?

Si el tiempo pasaba igual en su propia época, ahora haría un día de su desaparición y seguramente ni Heike ni Toby habrían vuelto todavía, lo que significaba que nadie la habría echado de menos. Sin embargo, antes o después se darían cuenta y empezarían a buscarla, y llamarían a la policía. ¿Había dejado ella alguna pista en su piso sobre su paradero? No. No creía haber dejado nada que pudiese servirles de ayuda, aparte de que nadie podría imaginar algo así. Pensarían en un secuestro, o en un accidente, o en un suicidio, pero nunca en que había atravesado un pasaje que llevaba a otra época y que acababa de cerrarse en sus mismas narices.

Avisarían a sus padres, claro. Su madre estaría ocupadísima, como siempre, y pediría que la tuvieran al tanto de lo que pudiese suceder; no vería ninguna lógica en desplazarse hasta Ingolstadt para quedarse allí esperando mano sobre mano. Su padre, como siempre, estaría casi ilocalizable en algún remoto lugar y no podría moverse de allí precisamente en esos momentos. Su vida transcurría de crisis en crisis; nunca era el momento adecuado para nada que lo apartase de su trabajo.

La única que sufriría realmente sería su abuela. Ella sí que lo dejaría todo (su consultorio, sus pacientes, su trabajo en el dispensario donde atendía gratis a todos los que no se podían pagar un médico) para correr a Ingolstadt a ver si podía hacer algo. Solo que no habría nada que pudiera hacer. ¡Pobre abuela! ¡Si al menos pudiera ponerse en contacto con ella y decirle que, aunque en otro siglo, estaba bien!

Hizo una mueca. «Bien…», en el sentido de seguir viva, al menos. Por lo demás, estaba muy lejos de estar bien: sola, sin dinero, sin amigos, medio enamorada de un chico dos siglos y medio más viejo que (hablando sinceramente, ya que se hablaba a sí misma) era la causa de que ella estuviera allí. Y que, por lo que había dicho Viktor, era además un chico que había estado muerto y había vuelto a la vida, un resucitado, un zombi. Aparte de que acababa de conocer a Frankenstein en persona y ni siquiera sabía si el asunto de la novela, lo del monstruo, tenía algún apoyo en la realidad y si debería tener miedo de él. Eso de estar «bien» era realmente una pequeña exageración.

* * *

Ya a punto de entrar en su casa, Max se topó con un compañero de clase que, frente a la puerta, echaba atrás la cabeza como para mirar las ventanas superiores. Llevaba entre las manos un paquetito con un lazo azul y parecía algo inseguro. Era uno de los que el día anterior habían encontrado a Nora vagando por la facultad, junto al teatro anatómico.

—¡Buenos días, Schneider! —lo saludó—. ¿Puedo servirle de alguna ayuda?

—¡Von Kürsinger! ¡Buenos días! —sonrió y le tendió la mano para estrecharla—. Pues realmente... creo que sí. Según he oído, su bella prima ha pasado la noche aquí en sus habitaciones, ¿no es cierto?

Max lanzó un suspiro de alivio, agradecido por haber sido visto llegando a su casa por la mañana, no saliendo de ella.

—Pues sí. Me pareció lo más adecuado, y más considerando que Eleonora tiene que seguir viaje hoy mismo. Nuestra tía abuela la espera con impaciencia en Múnich. ¿Deseaba usted algo?

—Me gustaría despedirme de ella. Le he traído un detallito para el viaje —mostró la caja con el lazo—: los mejores bombones de la confitería francesa.

Max tendió la mano.

—Yo se los daré.

Schneider siguió sonriendo, pero no hizo amago de entregárselos.

—Preferiría hacerlo en persona —bajó la voz y se acercó un poco—: pienso pedirle también que me permita escribirle.

—Sinceramente, no creo que lo haga. Mi prima está prometida desde hace dos años.

La expresión de Schneider cambió en un instante.

—En ese caso... le ruego que me perdone, Von Kürsinger. Debí haberle pedido permiso a usted primero.

—No, por Dios, no soy más que su primo segundo, pero me alegro de haber llegado a tiempo de evitarle tanto a usted como a ella una situación incómoda.

—Por favor, déselos usted de mi parte, con mis mejores deseos.

—Así lo haré.

Lo vio marcharse, alicaído, y no pudo evitar sonreír. No le gustaba decir mentiras, pero en el amor y en la guerra...

¿En el amor? ¿Había pensado «en el amor»?

Subió las escaleras de dos en dos, deseando encontrarse con ella y dándole vueltas a lo que acababa de formular para sí mismo. ¿Estaba enamorado de Nora? Esa manera de latirle el corazón... ¿era porque estaba a punto de volver a verla o porque había subido a la carrera?

Sacudió la cabeza, impaciente. ¿Qué más daba? Ya lo pensaría en otro momento. Ahora lo importante era salir con bien de aquel embrollo. ¿Tendría que ayudarla a vestirse? Él nunca había visto vestirse a una mujer y no tenía mucha idea de qué había que hacer, pero no podía ser tan difícil si cualquier muchachita de pueblo metida a sirvienta era capaz de hacerlo.

No era muy correcto, pero tampoco tenía otra opción.

Esperó unos segundos hasta que se le regularizó la respiración y llamó con los nudillos procurando no hacer demasiado ruido para no atraer a Frau Schatz. Medio segundo después, Nora, totalmente vestida, le franqueaba la entrada.

—¿Cómo te has vestido? —preguntó, sorprendido, sin saludar siquiera.

—Como llevo haciéndolo desde los tres o cuatro años: una manga, otra manga... —sonrió, traviesa. A pesar del miedo que seguía sintiendo por la situación en la que se encontraba, ver a Max la hacía sentirse bien.

—¿Y la parte de detrás?

Ella se giró de espaldas.

—Para eso están las cremalleras.

Max se acercó a investigar. Aquello era un prodigio. Alguien había tenido una excelente idea al inventar aquel sistema. Nora venía de un mundo que apenas si podía imaginar y que debía de ser maravilloso; el mundo con el que sus maestros ilustrados soñaban, ese mundo en el que los hombres por fin habrían comprendido que la ciencia y la técnica son la clave del progreso, que los seres humanos son buenos por naturaleza y, si se les da la posibilidad de acceder a una formación, de aprender a leer y a escribir, y con ello a pensar con lógica, la sociedad llega necesariamente a una convivencia pacífica y feliz.

—Lo que no me ha salido muy bien —continuó Nora sin darse cuenta de que Max seguía reflexionando— es lo del pelo. Nunca he sido yo muy buena haciéndome peinados. ¿Puedo dejarme el pelo suelto o no es correcto aquí?

—Te ayudaré a ponerte el sombrero, y la parte de atrás del cabello puedes llevarla suelta. Aún eres soltera, ¿no?

—¡Pues claro!

—Mira, a todo esto, te ha salido un ferviente admirador —dijo, tendiéndole la cajita de los bombones—. Le he asegurado que estás comprometida, y de paso podemos desayunar.

Ella se echó a reír y empezó a tironear del lazo.

—¿De quién son?

—De uno de los jóvenes que estaban ayer junto al teatro anatómico. De Schneider. Le he comentado que te vas hoy mismo a Múnich.

—¿Sabes ya cómo lo vamos a hacer?

Max se echó un bombón a la boca, abrió el arcón y empezó a buscar entre su ropa. Seleccionó un par de prendas y las metió en una bolsa de cuero como las que llevaban los médicos de las películas del Oeste, pero más grande. Luego empezó a acomodarle el sombrero y lo sujetó por fin con una larga aguja.

—Ahora te despides de mi casera, nos paseamos por el centro de Ingolstadt para que todo el mundo nos vea con la bolsa y después nos dirigimos hacia donde salen los carruajes.

—¿Y luego?

—Improvisaremos. —De pronto se dio una palmada en la frente, buscó por la bolsa, sacó una prenda, se la tendió y se volvió de espaldas a ella—. Ponte esto debajo de las faldas. Así al menos ya llevas algo puesto si tienes que cambiarte en algún lugar un poco expuesto, aunque procuraremos encontrar algo discreto.

Eran una especie de pantalones que llegaban solo hasta la rodilla. Bajo la falda no abultaban demasiado, pero era muy incómodo meterlos por debajo de los aros de madera de las enaguas. Cuando terminó, tenía las mejillas calientes por el esfuerzo.

—¿Se ve algo?

Max se giró hacia ella, sacudiendo la cabeza.

—No. Te está perfecto.

Nora tenía la cara sonrosada, los ojos le brillaban como estrellas de ámbar, el sombrero se inclinaba graciosamente sobre su ceja izquierda y el escote, sobre el que destacaba el búho de Minerva, dejaba ver el suave comienzo de los pechos. Sintió que se quedaba sin aliento.

—¿Qué? —preguntó, nerviosa, al ver que Max se había quedado mirándola embobado, con una sonrisa rara en el rostro—. ¿Qué pasa? —repitió—. ¿No estoy bien?

—Nada. Nada, Nora. Estás... perfecta. —Tragó saliva sin dejar de mirarla. Luego apartó la vista con cierta dificultad y le abrió la puerta—. Anda, vamos.

Mientras daba la vuelta a la llave y Nora bajaba con cuidado sujetándose la falda que no tenía costumbre de llevar, Max se dio cuenta de que le temblaban las manos y el corazón le latía como si hubiera hecho un gran esfuerzo. Esperaba que ella no se hubiese dado cuenta.

5

Los dos hombres llegaron a la taberna donde los habían citado, a unas pocas leguas de Ingolstadt en el camino de Landshut, ataron los caballos a la entrada y, bastante preocupados, entraron después de cruzar una mirada oscura.

El interior no estaba demasiado concurrido, pero tuvieron que sortear varias mesas y a algunos borrachos hasta dar con la persona que los había convocado. Por el camino se habían puesto de acuerdo en que lo mejor sería decir la pura verdad, sin intentar inventarse nada, aunque la pura verdad sonara bastante más increíble que cualquier mentira que hubiesen conseguido montar.

—Excelencia —comenzó, después de quitarse el sombrero, el más viejo de los dos hombres en cuanto estuvieron frente al que los esperaba.

—Déjate de títulos, imbécil —siseó el interpelado—. No pretenderás que todo el mundo se entere de quién soy, ¿verdad? Sentaos.

Ambos tomaron asiento frente a él y aceptaron, agradecidos, el vaso de tinto que les puso delante. Estaban en uno de los pequeños reservados de madera al fondo de la sala y la sombra de la cabeza de un lobo montada en la pared lateral caía sobre el hombre, oscureciendo sus facciones. Por el contrario, sus manos blancas y finas, manos de alguien que jamás había necesitado usarlas para ningún trabajo, casi brillaban en la penumbra. Llevaba en el anular un grueso anillo de oro con un granate de color rojo sangre que lanzaba destellos por todo el local.

—Ahora, amigos míos —su voz era suave y cultivada pero, de algún modo difícil de precisar, daba escalofríos, como si esa suavidad fuera intencionada, una manera de cubrir un rugido de fiera antes de que se le escapara de la garganta—, me vais a explicar en detalle cómo es posible que hayáis tenido la osadía de mentirme diciéndome que el hombre de quien debíais ocuparos había muerto.

—Porque es verdad. Ese hombre murió, Ex... Murió, señor —comenzó de nuevo el más viejo de los dos recién llegados.

—¿Y por qué me han llegado noticias de que sigue vivo y asistiendo a sus estúpidas clases de Anatomía?

Los dos asesinos se miraron.

—No hay explicación, señor. Nosotros lo dejamos en el suelo, muy cerca de su casa, en un charco de sangre.

—Más de diez puñaladas —añadió el segundo hombre—. De las malas, además. No hay forma humana de que siga vivo.

—Pues si no es humana, será diabólica —dijo el hombre del anillo, fastidiado. El más joven agachó la cabeza y, tratando de que los otros no se dieran cuenta, se persignó a toda velocidad—. Pero así es. Y, como os podéis imaginar, no pienso pagar por un trabajo que no se ha llevado a cabo.

—Nosotros hemos hecho nuestro trabajo.

—No. Os pagué, y pensaba entregaros ahora el resto por matar a ese hombre, no por hacerle una vulgar sangría como si fuerais barberos. Quien me dijo que podía confiar en vosotros me mintió. ¿Pensabais de verdad que iba a conformarme después de haberos pagado la mitad de un trabajo que habéis dejado sin hacer?

—Dadnos otra oportunidad, señor. Esta vez nos aseguraremos bien antes de darlo por muerto.

La mano del anillo acarició varias veces el basto cristal de la copa que tenía delante hasta que la llevó de nuevo hacia los labios. Luego se los secó con un pañuelo lleno de puntillas.

—Esta vez, si decido daros una oportunidad, tendréis que traerme su cabeza.

Los dos asesinos se miraron unos instantes.

—Eso no sería... —replicó el mayor de ellos. Quería decir «aconsejable», pero la palabra no acababa de acudirle a la mente y sabía que no podía decir «inteligente» porque sonaría a insulto, de modo que decidió decirlo de otra manera—. Traería muchos problemas, señor.

—Ilústrame.

—Si aparece un estudiante cosido a puñaladas en la calle puede ser cualquier cosa: un robo, una venganza, un asunto de faldas...

—Ya lo he entendido. Sigue.

—Pero si aparece descabezado, entonces está claro que ha sido un encargo y que la persona que lo ha ordenado no se fía y necesita una prueba. Eso da muchas posibilidades de investigar a quien tenga interés, y últimamente, desde que nos llegan tantas modas francesas, los magistrados están empezando a hacer muchas preguntas. Así que eso de la cabeza no nos conviene a nadie. Aparte de que estamos hablando de un aristócrata, no de un cualquiera. Si nos apresan, es la horca, señor.

—Por eso os pago lo que os pago.

Guardaron silencio unos minutos mientras los vasos iban vaciándose y el hombre del anillo reflexionaba.

—Está bien —dijo por fin—. He decidido arriesgarme de nuevo. Me gusta la gente que piensa. No habrá cabeza, pero, si esta vez me defraudáis, la horca será el menor de vuestros problemas. Podéis iros.

—¿Cuándo queréis que quede listo el encargo, señor?

—Lo antes posible. ¡Ah! Dejad una rosa sobre su cadáver.

—¿Una rosa? ¿Qué clase de rosa? ¿De qué color?

—No importa. Una rosa, sin más.

Los dos asesinos inclinaron la cabeza frente al hombre del anillo y salieron de la taberna preguntándose dónde iban a conseguir una rosa en pleno mes de febrero.

* * *

—Frau Schatz me va a matar cuando aparezca ahora con un primo justo cuando apenas he despedido a mi prima —dijo Max casi para sí mismo mientras caminaba de vuelta a casa con Nora a su lado vestida ahora de Leo.

A ella no se le había pasado por la cabeza que ese pudiera ser un problema. Estaba más concentrada en intentar mirarse en alguna parte para ver qué pinta tenía vestida «de chico». Sin embargo, en la Ingolstadt del siglo dieciocho los espejos no abundaban precisamente y los cristales de las ventanas no eran tan transparentes y reflectantes como los que ella conocía. No tendría más remedio que preguntarle a Max, pero le daba mucha vergüenza y optó por empezar por el otro tema.

—¿A ella qué más le da? ¿No le pagas el piso? Pues haces lo que quieres en él.

—No es tan sencillo, Nora. ¡Ajjjj..., Leo! A ver si aún voy a equivocarme delante de la patrona...

—A todo esto, Max..., ¿qué tal estoy? ¿Tú crees que doy el pego?

—No entiendo la pregunta, lo siento.

—¿Parezco un hombre?

Max se detuvo en mitad de la calle, se giró hacia ella y se quedó mirándola con una sonrisa que se le escapaba por las comisuras de los labios, aunque intentaba mantenerse serio.

—¿Un hombre? No. Un chico tal vez, un chico muy joven... Pienso decir que tienes quince años y que tu padre, mi tío, te ha mandado a estudiar aquí a pesar de que aún no tienes ni barba, para no arriesgarte al contagio de unas fiebres que se han desatado en tu región. Al fin y al cabo, eres su único hijo varón, su heredero. ¿De dónde decimos que eres, a todo esto? Tiene que ser un sitio que conozcas.

—¿De Innsbruck vale?

—Sí. No está tan lejos de Salzburgo. Pero nos viene bien porque explica por qué nos conocemos tan poco. La última vez que te vi eras un niño de diez años.

Cuando llegaron a la casa, tuvieron una suerte inaudita porque Frau Schatz, muy angustiada, sin fijarse siquiera en su acompañante, le preguntó a Max si alguno de sus compañeros de estudios podría necesitar alojamiento, ya que el oficial de encuadernador que había estado ocupando la habitación pequeña del primer piso se acababa de despedir al haber pasado su examen de maestro y regresaba a su tierra. Ella no podía permitirse tener un cuarto vacío, siendo viuda y con dos hijos pequeños.

Momentos más tarde, con la alegría pintada en el rostro, la mujer le enseñaba a Leo sus nuevos dominios: una cama de cuerpo, un arcón para la ropa, una palangana con espejo, una silla, y una mesa diminuta pegada a la ventana que, con mucha voluntad, podría hacer de escritorio.

—Sé que es muy modesto para una persona de calidad, señor Von Kürsinger, pero tiene la ventaja de que aquí estaréis muy cerca de vuestro primo y, al menos en los primeros tiempos, tendréis a una persona de confianza en la misma casa. Además de que son dos pasos hasta la facultad. Si hace falta algo más, haré todo lo posible por conseguirlo, señores.

Frau Schatz salió del cuarto después de haberles hecho una reverencia que estuvo a punto de darle a Nora la risa floja.

—¡Cuánto tendrían que aprender las patronas de mi época! Nos ha llamado «señores», a pesar de que no somos más que estudiantes de principio de carrera.

—Y aristócratas —puntualizó Max, que no sabía dónde estaba lo gracioso de la situación—. He tardado años en que me llame solo «señor» y no «Excelencia». Pero tú no olvides que eres noble.

—¿Y qué más da eso?

—Que, aunque mis hermanos y yo trabajamos por la igualdad entre los hombres, hoy por hoy ser aristócrata es algo que te hace diferente a los demás.

—¿Por qué?

—Porque somos de otra clase, corre por nuestras venas sangre diferente, sangre noble.

—¡Venga ya! Los nobles son simplemente hijos de familias a las que hace un par de siglos el rey concedió privilegios a cambio de su ayuda en la batalla. Eran gente absolutamente normal, solo que muchos de ellos eran más salvajes en la lucha, o más crueles con los enemigos, o más avaros en el reparto del botín y por eso consiguieron imponerse a otros más débiles, pero eso no les da derecho a creerse superiores.

Max se quedó con la boca abierta. Algunas de esas ideas, que a ella le parecían tan naturales, empezaban a insinuarse en algunos libros prohibidos que venían de Francia y de Inglaterra, pero él nunca las había oído pronunciar en voz alta. Por una parte, le fascinaba la forma de pensar de aquella muchacha y, por otra, le repelía profundamente que una mujer, y plebeya además, dijera ese tipo de cosas delante de él sin avergonzarse.

—Si me permites, *primo* —dijo enfatizando la palabra—, voy a retirarme. Ha sido un día muy largo. Mañana te recogeré para acompañarte a clase y presentarte al catedrático.

—¿No cenamos?

—No tengo apetito. No obstante, ahora eres un hombre, un estudiante, un aristócrata te guste o no. Puedes salir cuando quieras y volver cuando te parezca. Hay varias tabernas en la ciudad.

De un modo incomprensible para ella, Max se había envarado y estaba claramente molesto. ¿Es que no tenía costumbre de discutir? ¿O era que todo el mundo le bailaba el agua y le daba la razón porque era noble? ¿O el problema era que ella le había llevado la contraria siendo mujer? No entendía nada, pero sabía que era fundamental arreglar aquello. Solo que se negaba a pedirle perdón por algo de lo que no se arrepentía y no se le ocurría qué decir, de modo que siguió en silencio mientras Max se dirigía a la puerta sin otra mirada en su dirección.

—Maximilian —dijo cuando él ya estaba a punto de cerrar la puerta tras de sí—. No sé qué te he hecho, pero te aseguro que no trataba de herirte. —No podía permitirse pelearse ahora con él. Dependía de Max por completo y había miles de cosas que no controlaba. No podía arriesgarlo todo por tener razón en un asunto teórico. Si hubiese estado en su época, en su mundo, y hubiese tenido su bolso, su dinero y su tarjeta, lo habría mandado a paseo y se habría ido ella sola a comerse una hamburguesa, o habría llamado a una amiga para poder contarle lo que le había pasado mientras comían juntas; pero no tenía nada y eso la ponía en la odiosa situación de tener que contemporizar—. Dicen que el ayuno es bueno para el cuerpo y para el alma —continuó, tratando de que su voz no sonase alterada—, de modo que esperaré a que vuelvas a tener apetito y comeremos juntos, si te parece. ¿Quizá en el desayuno?

Max, en el quicio de la puerta y con la mano en el picaporte, vio sus ojos chispeantes y su sonrisa de pilluela y estuvo a punto de abrazarla, pero se contuvo. Por una parte, porque aún estaba enfadado y no quería ceder con tanta facilidad. Por otra..., porque no podía permitirse esas familiaridades que podrían dar paso a otras peores. Durante un par de segundos se limitaron a mirarse, luego ella le alargó la mano y él, antes de darse cuenta de lo que hacía, se la besó. Un instante después se llevó la mano a la boca, asustado, y empezó a apretarse la barbilla y la nariz de pura consternación.

—Si esto sigue así, vamos a tener un disgusto, Nora... ¡Eres Leo! Eres Leonhard, eres un hombre, por el amor de Dios... No me tiendas la mano porque yo, por pura educación, sin pensar en lo que hago, te la besaré y todo el mundo se dará cuenta del engaño.

—Lo siento, Max. Tienes razón. Discúlpame. Anda, vete. Trataré de acostumbrarme a ser un chico, pero hay muchas cosas que no sé y que tendrás que explicarme. Vete a descansar. Buenas noches.

Max se dio la vuelta con un bufido. La puerta se cerró suavemente y Nora se lanzó al pequeño espejo que había sobre la palangana para ver por sí misma qué aspecto tenía.

Para ella era evidente que estaba disfrazada, que era una chica vestida de chico del siglo dieciocho, con su peluca gris perla con dos tirabuzones enrollados sobre las orejas y un sombrero de tres picos que ahora reposaba sobre la cama. Parecía una caricatura de Mozart.

Por fortuna, como no disponía de pinzas de depilar, pronto tendría unas cejas más espesas. Lo de la barba sí era irremediable. No tenía ni barba ni bigote, ni los tendría jamás. No se explicaba que la patrona no se hubiese dado cuenta de inmediato de que era una mujer, pero suponía que en esa época, si ibas vestida de hombre, eras hombre. Sin más. A nadie se le habría pasado por la cabeza vestirse de algo distinto a lo que era. Si no recordaba mal, Heike le había contado que, en un seminario sobre *cross-dressing* en el Barroco, la profesora les había dicho que habían existido algunas mujeres vestidas de hombre que incluso habían llegado a ser soldados, marinos y médicos. Y que el castigo cuando se descubría el engaño era cárcel y azotes. Horroroso pensar que ahora ella estaba en un mundo donde podían azotarte y meterte en prisión por vestirte con ropas propias del otro sexo. Claro que, en su propia época, también hacía poco tiempo que las cosas habían cambiado y aún quedaban países donde seguían aplicando castigos terribles por cuestiones de vestimenta y comportamiento público.

Suspiró y empezó a desnudarse, aunque hacía mucho frío. Estaba muerta de hambre, pero si se metía en la cama y conseguía dormir, el sueño la ayudaría durante unas horas.

Sonaron unos golpes discretos en la puerta. Abrió. El pasillo estaba a oscuras y no había nadie frente a su cuarto. Estaba ya a punto de cerrar cuando se dio cuenta de que en el suelo había un plato tapado con una servilleta. Cuando lo destapó, dos rebanadas de pan con mantequilla y un rábano rojo le sonreían.

Nora les devolvió la sonrisa y se lanzó sobre la comida como un lobo sobre una oveja.

* * *

Frankenstein se dejó caer, agotado, en el sillón de su estudio, cerró los ojos mientras las lágrimas resbalaban por sus mejillas y se sujetó la cabeza con las dos manos en un vano intento de detener los golpes que sentía dentro. La falta de sueño lo estaba volviendo loco, pero el experimento que estaba a punto de culminar exigía una rapidez extrema.

Con Maximilian había tenido suerte porque, cuando él lo recogió de la calle, cosido a puñaladas y en un charco de su propia sangre, la muerte estaba aún muy reciente. Su cuerpo estaba todavía caliente y dúctil. No se había iniciado el *rigor mortis* ni había comenzado la lividez. Una vez suturadas las heridas para evitar que la sangre siguiera manando, el proceso había funcionado con alarmante suavidad.

Recordaba con tanta claridad que llegaba a hacerle daño el momento en que su difunto amigo había abierto los ojos sin que en ellos se perfilara ningún tipo de reconocimiento. Luego los volvió a cerrar, su pulso se detuvo de nuevo y él salió corriendo a la calle para no tener que soportar la visión del cuerpo mal cosido de su mejor amigo enfriándose sobre la mesa de disección.

Unas horas más tarde, cuando hubo regresado a casa borracho y aterido de frío, el cadáver de Maximilian se había esfumado sin dejar rastro y no lo había vuelto a ver hasta que se había encontrado con él, vivo y sano, en el teatro anatómico.

Eso tendría que haberle hecho sentirse como el mayor científico del universo, el único capaz de descubrir un modo de devolver la vida a los muertos y, sin embargo, lo único que sentía era disgusto, agotamiento, miedo y un asco impreciso por lo que estaba haciendo. Pero había de intentarlo una vez más. Y debía asegurarse de la validez de su procedimiento tratando de dar vida a un cadáver auténtico, a alguien que llevase varios días muerto; si bien, no tantos como para que el proceso de descomposición hubiese comenzado.

No era fácil hacerse con un cadáver para experimentar. Hasta el profesor Waldmann tenía graves problemas con las autoridades para que le autorizaran a quedarse con los cuerpos de los suicidas y de algunos malhechores que habían sido ejecutados en la plaza pública.

Él llevaba años, desde que se había instalado en Ingolstadt, cultivando la relación con el verdugo y con el sepulturero del municipio, hombres sin honor, rechazados por todos, que se alegraban de que un joven adinerado les pagara los vinos en la taberna. Y recientemente había tenido la suerte de que se había llevado a cabo una ejecución y Hannes, el verdugo, había mentido en la facultad diciendo que la familia del criminal había reclamado el cuerpo. Aunque no se le podía dar cristiana sepultura porque el muchacho ahorcado había muerto sin arrepentirse de sus pecados, insistiendo en su inocencia, podía ser enterrado junto a la tapia del cementerio si sus familiares se hacían cargo de los gastos.

Ese era el cadáver que ahora reposaba sobre su mesa de mármol. Pero, como sucedía tantas veces, la Magistratura había ordenado que no se le descolgara de la horca en un plazo no inferior a cuarenta y ocho horas para escarmiento de los ciudadanos, y eso significaba que durante dos noches el cuerpo había estado a merced de los ladrones de cadáveres, que, pagados por brujas y hechiceros de distinta calaña, habían ido robando órganos y miembros con los que fabricar distintos ungüentos y bebedizos mágicos. De manera que al cadáver con el que él estaba experimentando le faltaban algunas piezas que había tardado tres días en sustituir sustrayéndolas él mismo de los cadáveres que se guardaban en el teatro anatómico, con lo que el aspecto de su objeto de estudio era, cuanto menos, curioso.

Tenía un ojo de cada color y de distinto tamaño, una mano de hombre (la propia) y una de mujer, le faltaban una oreja y dos falanges en dos dedos del pie izquierdo. Aparte de eso, su aspecto podía pasar por normal, salvo que era muy alto y tenía unos hombros extraordinariamente anchos, lo que podía indicar que había sido descargador o estibador en el río cuando aún estaba vivo. Había muerto a los veinte o veintipocos años. Un chico de su edad perfectamente sano a quien habían colgado por el cuello hasta morir acusado de robarle una joya a una dama de alta alcurnia. Y que, probablemente, era inocente del robo, como no se había cansado de asegurar incluso bajo tortura. ¡Qué injusticia!

Frankenstein se puso en pie para evitar que el sueño lo venciera antes de terminar lo que se había propuesto.

No tenía sentido entregarse a ese tipo de pensamientos. Él iba a ser médico y lo único que debía preocuparle era aprender a devolver la salud a sus pacientes y, con la ayuda de Dios, incluso la vida. Aunque... ¿no entraba eso en conflicto con los designios divinos?

Sacudió la cabeza, lo que intensificó su jaqueca hasta el punto de que no pudo evitar que se le escapara un gemido.

No. Si Dios le había concedido la inteligencia y le había proporcionado los medios necesarios para lograr ese aparente milagro, Él sabría por qué. No es posible ir contra lo que Dios ha dispuesto, de manera que todo su aparente atrevimiento debía de tener un origen divino. Solo Dios puede dar la vida. Ni siquiera el diablo es capaz de tamaña empresa.

Envuelto aún en la manta, tambaleante, entró en el laboratorio, encendió tres lámparas más con el cabo de vela que había traído de su estudio y, con decisión, retiró la sábana que cubría al cadáver.

Su palidez era extrema. Sus pestañas, negras, destacaban sobre su piel como patas de araña entre ojeras moradas. Su pelo, también negro y largo, liso, caía a los lados de su rostro anguloso y sus mejillas hundidas. Era horroroso. Un auténtico engendro.

Sin embargo, era lo único que tenía y habría de conformarse con él para probar su procedimiento, el procedimiento que había conseguido perfeccionar después de cuatro años de intentos y que había funcionado con Maximilian, aunque, al parecer, el olvido era el precio que los sujetos debían pagar, ya que su amigo no recordaba absolutamente nada. Un consuelo, la verdad.

Por un instante pensó olvidarse de todo, pedir ayuda a Max para llevar el cadáver al cementerio en una carretilla y enterrarlo allí, incluso a riesgo de que los descubrieran por las calles de la ciudad; pero ya había aventurado mucho para llegar al momento cumbre en el que ahora se encontraba. El cadáver no iba a estar más muerto ya por mucho que esperase y, gracias a los fluidos conservadores que él mismo había ideado, la putrefacción no había comenzado en su cuerpo. Ni siquiera habían acudido las moscas que, normalmente, se presentan a poner sus huevos ya en las primeras horas después de una defunción. Todo daba a entender que había conseguido hasta ese momento burlar el proceso natural del término de la vida, de manera que no tenía más remedio que seguir adelante, por mucho horror que le produjese la situación a la que había llegado.

Había estado estudiando el fenómeno recién descubierto y conocido como «electricidad» e incluso haciendo experimentos con animales inferiores, pero al final había decidido prescindir de ella porque no había forma de controlarla y, sobre todo, no era posible convocarla a voluntad. Podía esperar a que en el transcurso de una tormenta un rayo le proporcionara la chispa que podría desencadenar el proceso, pero sería demasiado aleatorio y arriesgado; quizá tendría que conservar aquel cadáver en su laboratorio durante semanas o meses hasta que hubiese una tempestad de la magnitud necesaria, y el riesgo era demasiado alto. Por eso había optado por una solución química, y la prueba que, para su mortificación, había hecho con Max, lo había convencido.

Lo más difícil había sido encontrar una forma de inocular el fluido resucitador en un cuerpo inerte que no era capaz de beber ni de tragar. Por fortuna, había caído en sus manos un artículo de un médico francés, Charles Gabriel Pravaz, en el que describía un aparato parecido a un pistón y equipado con una aguja hueca que permitía inyectar líquidos tanto en los músculos como en el torrente sanguíneo de los enfermos. Él había diseñado y mandado hacer una herramienta similar, había cargado el cilindro con la mezcla que le había llevado cuatro años de experimentos conseguir y, nada más terminar de coser las terribles heridas de su amigo Maximilian, se la había inyectado en cuatro puntos. El resultado era evidente, y ahora estaba muy cerca de repetirlo con alguien que llevaba varios días muerto y reunía en su cuerpo pedazos de otros cadáveres. Si eso funcionaba, no quería ni pensar en la magnitud de su descubrimiento. Tenía que saber con toda seguridad si había hallado una forma de vencer a la muerte o no.

Recorrido por escalofríos, se acercó a la losa donde reposaba el triste engendro. En una mano sostenía el farol que mayor luz daba de todos los que poseía; en la otra llevaba la enorme jeringa cargada.

Dejó el farol en la mesa de detrás del cadáver, a la altura de su coronilla, y, antes de ponerse a trabajar, se limpió con el antebrazo el sudor que perlaba su frente y que amenazaba con caerle dentro de los ojos. Esta vez necesitaría más de cuatro pinchazos.

Con la mano izquierda levantó uno tras otro los dos párpados. Los ojos estaban muertos, sin expresión, las pupilas fuertemente dilatadas hasta el punto de que los iris del ejecutado parecían negros. Hizo dos pequeñas punciones debajo del lóbulo de la oreja hacia arriba en dirección al cerebro. Luego descubrió el pecho e inyectó casi un cuarto del fluido en el corazón de la criatura. A continuación, pinchó dos veces en las ingles, tratando de alcanzar la *arteria femoralis*.

Cuando el aparato de inyección quedó vacío, Frankenstein pareció vaciarse también. Lo dejó sobre la mesa, se pasó las manos por los ojos y, lentamente, se quitó el delantal sin dejar de observar la forma masculina desnuda y recosida en varias partes que yacía frente a él. Sus sentimientos oscilaban entre el deseo de que todo hubiese resultado un fracaso y aquel engendro nunca saliera de su estado cadavérico, y la necesidad de tener razón, de que sus esfuerzos hubiesen servido para dar la vida a aquella extraña criatura.

Le habría gustado tener a Maximilian a su lado, poder comentar con su amigo aquel terrible proceso que le estaba robando la salud y la cordura, pero no podía hacerle eso, especialmente desde que él mismo había sido traído de nuevo a la vida, arrancado de las garras de la muerte. El silencio, los secretos, el no tener con quién hablar lo estaban volviendo loco y ahora, poco a poco, se iba dando cuenta de que tanto si salía bien el experimento como si fracasaba los problemas no habrían hecho más que empezar.

Si aquel cadáver seguía siéndolo, tendría que sacarlo de su laboratorio entero o en pedazos para ir enterrándolo de manera secreta donde fuera pudiendo, con el riesgo de que algún alguacil lo encontrase en una calleja oscura y lo denunciase como ladrón de cadáveres.

Si por el contrario tenía éxito, ¿qué iba a hacer con aquel engendro espantoso que no se limitaría a quedarse tumbado en la losa de su laboratorio, sino que de un momento a otro empezaría a moverse y a reclamar... qué? ¿Cariño, como el recién nacido que era? Alimento en cualquier caso. Se le escapó una risa histérica cuando su mente formuló el pensamiento «¿qué come un cadáver?».

Un ligero movimiento a la altura de los ojos de la criatura le hizo dar un salto hacia atrás. ¿Había parpadeado? ¿Era aquello que se apreciaba en su pecho un intento de respiración? Esos dedos femeninos que reposaban en el lado derecho junto a su rodilla… ¿se habían movido?

Sintió que se le cortaba el aliento y que la boca y la garganta quedaban convertidas en un paisaje desértico.

De la cavidad bucal de la criatura, ahora entreabierta, manaba una saliva espesa y una especie de rugido profundo y lejano llegaba a sus oídos.

Sin poder creerse lo que estaba viendo, descubrió con espanto que el miembro del engendro, hasta ese instante flácido y arrugado, empezaba a sufrir pequeños espasmos y a hincharse poco a poco de sangre como si se preparase para una erección.

Apartó la vista con disgusto. ¿Qué iba a hacer si aquel monstruo resultaba capaz de engendrar vida o si, con su altura y su fuerza, llegaba a violar a una mujer o a una dama?

Nunca se había dado cuenta real de lo horrible que era aquel ser, de la enfermiza palidez de su piel, de lo moradas que eran las ojeras que tenía bajo los ojos, del abultamiento de su frente, que lo hacía parecer una criatura simiesca. ¡Y estaba empezando a despertar! Por su culpa estaba a punto de volver a la vida.

No esperó a ver más.

Sin poder evitarlo, presa total del pánico, Viktor Frankenstein salió corriendo hacia las escaleras, cerrando el laboratorio con dos vueltas de llave. No sabía adónde iba. Lo realmente importante era alejarse de allí. Lo más deprisa posible. Lo más lejos posible.

6

La mañana en la universidad pasó muy deprisa y, aunque Nora estuvo todo el tiempo temiendo que el engaño se descubriese de inmediato, nadie llegó a dudar ni por un momento de que el primo de Maximilian fuera otra cosa que lo que él había dicho: un muchacho joven, noble y adinerado que había sido expedido a Ingolstadt para tenerlo lejos del posible contagio y para que fuera formándose como químico o médico, lo que más de su gusto resultase.

Los mismos jóvenes que dos días antes habían observado con interés a Eleonora pasaron la mirada por encima de Leonhard sin dedicarle más que una sonrisa vaga y un ligero cabeceo a modo de saludo. Nora empezaba a tener la impresión de que en aquella época la gente no contemplaba las cosas con sus propios ojos, sino que se contentaban simplemente con la pura apariencia: si vas vestida de chica eres chica, si llevas el pelo suelto eres soltera, si llevas una tela barata eres pobre... Como ahora iba vestida de hombre y llevaba buenos tejidos, además del dinero que Max le había pasado en una bolsita de cuero para que pudiese disponer de algo, era un señorito rico al que había que tratar bien. Punto. Nadie quería ver más allá, lo que para ella era una gran suerte.

Los dos primos fueron a comer junto con otros dos estudiantes a una fonda bastante cutre que se hallaba justo al lado del café donde ella había estado con Max y con Viktor cuando todavía era una señorita. Solo que ahora le resultó mucho más cómodo porque a nadie se le ocurrió elegir por ella lo que iba a tomar, y pudo pedir una cerveza como hicieron los otros sin que nadie se escandalizara. Tampoco es que hubiese mucho que elegir: la patrona se limitó a poner delante de cada uno de ellos un guiso de nabos y zanahorias con algún pellejo ocasional que debía de ser la carne que le daba el poco sabor que tenía. Al menos estaba caliente, pero Nora pensó que, si tenía que quedarse allí toda su vida, acabaría soñando con los tomates que aún no habían conseguido hacerse un hueco en la cocina europea. Quizá en la mediterránea lo hubieran logrado ya, pero desde luego en Centroeuropa no. Ni pasta, ni *pizza*, ni ensalada de tomates y aguacates, ni un miserable sofrito para darle sabor a los guisos...

—¿Alguno de vosotros ha visto por casualidad a Frankenstein hoy? —estaba preguntando Max.

Los otros dos estudiantes negaron con la cabeza porque tenían la boca llena.

La muchacha que estaba colocando en la mesa las jarras de cerveza de la segunda ronda intervino en la conversación sin reparar en la mirada ofendida de Maximilian.

—A mí me ha parecido verlo esta mañana muy temprano subiéndose al primer coche de posta.

—¿Hacia dónde? —interrogó, perplejo.

—Pues supongo que hacia el sur. Él es suizo, ¿no?

101

—Si ha recibido carta de casa y alguien está enfermo..., su padre, o su madre... —añadió Nora.

—Viktor no tiene madre. Y su padre aún es joven. Además, me lo habría dicho antes de marcharse.

—Es que últimamente está muy raro —intervino uno de los estudiantes—. Yo creo que está enfermo y no nos quiere decir qué le pasa. Tiene los ojos amarillos, toda la piel le ha cambiado de color, ha perdido muchísimo peso... O tiene una enfermedad consuntiva...

—O una enfermedad mental —completó el otro—. Posee mirada de loco, ¿no lo habéis notado?

—No os consiento que habléis así de Viktor Frankenstein —reprochó Max, muy serio.

—Nos limitamos a hacer observaciones científicas, Von Kürsinger. No estamos difamando a nadie.

—Tenéis razón —admitió en voz baja, abatido—. Os pido disculpas. Es que se trata de mi mejor amigo, ya lo sabéis, y me preocupa.

Salieron de la fonda y se separaron. Hacía un día frío y húmedo que no presagiaba nada bueno. Se envolvieron bien en las capas, se ajustaron los sombreros y ya iban a ponerse en marcha hacia la biblioteca, cuando desde el callejón que se abría a su izquierda oyeron un chistido que los hizo volverse.

Era una chica jovencita de ojos asustados que apretaba contra su pecho un fardo de tela.

—Excelencia —le dijo a Max, haciendo una pequeña reverencia doblando las rodillas—. Por favor, una pregunta.

Max miró por encima del hombro, inquieto sin que Nora pudiera saber por qué.

—Habla.

—Ayer vi que Su Excelencia iba acompañado de su señorita prima y estaba pensando si no sería posible que necesitase una doncella particular.

—¿Tú no trabajabas de camarera en la fonda de Gretl?

La chica bajó la vista y dos gruesas lágrimas se deslizaron por sus mejillas.

—Me han echado —confesó en una voz tan baja que casi tuvieron que imaginarse lo que había contestado.

—¿Quieres que hable con ellos? Tú eres una buena chica; estoy seguro de que no has robado nada; tiene que haber sido un enfado tonto de la patrona.

La muchacha sacudió enérgicamente la cabeza y se puso colorada.

La expresión de Max cambió en un instante y se hizo severa.

—¿No será que...? ¿Es eso? ¿Estás encinta?

La chica asintió entre sollozos que trataba de reprimir metiéndose el puño en la boca.

—Entonces no puedo hacer nada por ti. Tú te lo has buscado.

Ya iba a darse la vuelta dejándola en el callejón, cuando Nora le puso la mano en el brazo a Max y lo miró implorante.

—¿Qué quieres? —dijo él exasperado—. No podemos hacer nada, no es asunto nuestro y la culpa es suya.

—Suya y del hombre que la haya puesto en esa situación, ¿no?

—Es ella quien tiene el problema.

—Exactamente. Esa es la injusticia y por eso hay que ayudarla. Está claro que el tipo o no la quiere ayudar, o ella ni siquiera se ha atrevido a pedírselo.

—Haz lo que quieras, primo. Yo no pienso rebajarme a tratar con una..., con una cualquiera.

Estaban hablando a unos pasos de la muchacha, que seguía apretando el fardo con sus pocas pertenencias y lloraba bajito mirando al suelo de adoquines que relucían de humedad.

—¿Tú cómo sabes que es una cualquiera? Hace un minuto has dicho que era una buena chica.

—Eso era antes de saber lo que había hecho.

—Ha hecho lo mismo que él.

—No puedes hablar en serio.

Notando que estaban otra vez a punto de meterse en una discusión de base que no beneficiaría en absoluto a la muchacha, Nora decidió cambiar de táctica y dejar la teoría para otro momento.

—Piénsalo, Max. ¿Adónde va a ir? ¿Qué va a ser de ese niño?

—Si hubiera sabido guardar su castidad y su cuerpo, no estaría en esa situación.

—Así que la culpa es suya, ¿no?

—Por supuesto.

—¿Y el hombre?

—Los hombres lo intentan siempre. Son las mujeres las que tienen que protegerse y negarse.

—¿Y si no lo consiguen?

Max se encogió de hombros.

—Así es la vida. Siempre puede dejar al bebé en un convento cuando nazca.

—¿Y hasta entonces, de qué va a vivir?

—No es asunto nuestro. Es una pecadora.

Eso le dio una idea.

—¿Tú no eres cristiano? —Era el último recurso que se le ocurría—. Cristo perdonó a María Magdalena.

—Sí, pero yo no soy Cristo.

—Él dijo: «Lo que a otros les hacéis, a Mí me lo hacéis». Si ayudamos a esta chica, estamos ayudando a Nuestro Señor. ¿Vas a despreciarla y dejarla tirada?

—Nuestra prima se marchó ayer de Ingolstadt. Aunque quisiera, no podría colocarla con ella.

—¿Y nuestra patrona? Tiene dos niños y una casa muy grande; estoy segura de que necesita ayuda. Si le pagamos nosotros...

—Ninguna mujer decente tendría en su casa a una mujer caída.

—Bueno, de momento no se le nota nada. Más adelante ya pensaremos otra solución. De momento, solo de momento, por favor...

—Esta noche lo sabrá ya toda la ciudad. Si nuestra patrona la acepta en su casa, se pondrá en contra a todo el mundo por una desconocida.

Nora soltó un bufido. Era todo complicadísimo en esa maldita época.

—Pues entonces tienes que ir a hablar con el culpable y pedirle que le dé dinero a la chica para que pueda mantenerse hasta que nazca el niño. —Empezó a recordar vagamente algo que había leído en una novela—. Podemos llevarla a alguna granja de los alrededores y, si tiene algo de dinero para pagar su estancia, seguro que la acogen bien durante unos meses.

—Y que piensen que el padre soy yo...

—No. Lo haré yo. A mí me da igual que piensen que el niño es mío.

Se midieron con los ojos durante unos segundos.

—Tú consigues ese dinero y yo la llevo a donde sea —insistió Nora, al notar que Max parecía haberse ablandado un poco.

—El dinero no es problema. Tengo más que de sobra.

—Pero si lo pones tú es casi una confesión de culpabilidad..., ya lo comprendo.

—Espera. Tengo que preguntarle algo.

Volvieron a acercarse a la chica, que los recibió con un brillo ilusionado en los ojos.

—¿De quién es ese hijo? —preguntó Max con una mueca como si estuviera mordiendo un limón—. Y no me digas que no lo sabes, porque te dejamos aquí en este mismo instante.

—Es... un estudiante. Ferdinand Schneider. Me prometió matrimonio. Me dio esto. —Les mostró un hilito plateado que rodeaba su dedo anular—. Es un estudiante pobre, no tenía nada mejor, pero me prometió que, cuando sea médico, se casará conmigo.

—¿Has hablado con él?

Ella volvió a sollozar.

—Sí. Me ha echado. Me ha dicho que cómo pude creerme que un futuro médico se iba a casar con una..., con una como yo, que a él no le gustan las tontas..., que cómo se iba a casar con la camarera de una fonda... —terminó con un tremendo sollozo que le salió del fondo del pecho—. Yo lo quería de verdad... Lo quiero de verdad...

Nora estaba deseando abrazarla y acariciarle el pelo hasta que se fuera calmando, pero en esa realidad ella era hombre y un hombre no abraza a una mujer desconocida, y menos en público.

—Ven —dijo con suavidad, en lugar de tocarla—. Ven con nosotros a ver si te conseguimos algún lugar donde puedas quedarte. ¿Eres de por aquí cerca?

—A dos jornadas de aquí. Pero si llego así a mi aldea, me echarán, y caerá la vergüenza sobre toda mi familia. Para siempre.

Nora estaba desesperada. ¡En su mundo habría tantas posibilidades de arreglar una situación como esa! Lo primero, en su mundo podría llevársela a casa, hacerle un chocolate caliente y dejarla dormir en el sofá hasta que, juntas, decidieran cuál era la mejor solución. Sin embargo, aquí... Ella se sentía inútil, absurda, dependiendo para todo de lo que Max pudiera pensar o decidir. Aunque... ahora ella también era un hombre.

—Si es necesario, diré que es mi amante y le buscaré una cama en algún lugar. Estoy segura de que a nadie le va a parecer raro que un aristócrata joven tenga una amiguita escondida en alguna parte. ¿Acaso me equivoco? —preguntó a Max, desafiante.

—No es algo que yo querría hacer o que me parezca bien, pero es posible, sí. Mi primo Johannes, por ejemplo, ya ha tenido a varias en esas circunstancias, pero me parece despreciable.

—Pues me temo que no hay más remedio. ¿Tú me prestarías el dinero necesario? Te lo devolveré en cuanto pueda trabajar.

—No es responsabilidad nuestra.

—Sí lo es. Es un ser humano necesitado de nuestra ayuda. Si no la ayudas ahora, no eres mejor que Schneider ni que tu primo Johannes.

Max apretó los dientes.

—Llévatela a dar una vuelta por el río. Tengo que pensar, a ver si se me ocurre qué se puede hacer.

Nora estuvo a punto de saltarle al cuello de pura alegría, pero se limitó a ofrecerle la mano de hombre a hombre para estrecharla. Durante los segundos en que sus manos se encontraron, los dos sintieron la necesidad de abrazarse, de que sus labios se encontraran como sus ojos, pero estaban en mitad de la calle y delante de un testigo, de modo que ambos inspiraron profundamente y, con renuencia, se separaron y echaron a andar en direcciones opuestas.

Desde el quicio de una puerta en la parte opuesta de la calle, un par de ojos no perdía de vista a los jóvenes que acababan de separarse, uno seguido de cerca por la criada de la fonda. El hombre esperó a que Von Kürsinger doblara la siguiente esquina y, con fingida displicencia, fue tras él.

* * *

Poco después del mediodía, el coche de posta hizo una pausa para cambiar los caballos y para que los señores viajeros pudieran estirar las piernas y comer algo en la posada antes de seguir viaje.

Frankenstein, que había permanecido durante horas en la misma posición, junto a la ventanilla, con los ojos cerrados fingiendo dormir para evitar la conversación y las preguntas de sus compañeros de camino (dos comerciantes que se dirigían a Múnich para asuntos de negocios, una señora mayor que había estado la mayor parte del tiempo pasando las cuentas de su rosario o hablando en voz baja con un sacerdote que leía en su breviario cuando no charlaba con ella), abrió los ojos al notar que ya habían bajado todos.

No tenía hambre, pero, como no sabía cuándo harían la próxima parada, decidió bajar a comprar algo que pudiera guardar para más tarde y, a ser posible, una botella de vino o de aguardiente. Llevaba muchas semanas usando el alcohol como única medicina para caer dormido ya que, si intentaba dormir estando sobrio, se pasaba las horas dando vueltas en la cama y, cuando por fin lograba dormirse, las pesadillas eran tan espantosas que casi prefería seguir despierto.

Ni siquiera tenía muy claro adónde se dirigía, salvo que había en su corazón una vaga nostalgia que lo llevaba hacia el sur, hacia su querida tierra de las montañas y los lagos, donde vivían las personas que más amaba en el mundo: su padre y sus hermanos. Lo que más lo angustiaba era qué iba a decirles si aparecía por Ginebra a mitad del curso académico después de cuatro años sin verlos y sin haberles avisado al menos por carta. ¿Qué podía decirles? ¿Que se encontraba enfermo y necesitaba su amor y su compañía? ¿Que acababa de dar vida a un horrible monstruo y no soportaba el miedo de quedarse en Ingolstadt y exponerse a lo que pudiera suceder?

Le daba vergüenza no haberse tomado siquiera el tiempo de despedirse de Maximilian, de explicarle, aunque solo hubiese sido muy por encima, qué le había sucedido en los últimos meses... Pero la vergüenza y el miedo habían sido superiores a él. Ya le escribiría una carta al llegar.

Regresó al coche con un trozo de pastel de venado envuelto en papel de estraza y una botella de un vino tan oscuro y espeso como la sangre. Arrancó el corcho con los dientes y dio un largo trago antes de volver a arrebujarse en su capa de viaje, apoyar la cabeza contra el marco de la ventanilla y cerrar los ojos de nuevo, unas horas más lejos del terrible engendro que había creado.

* * *

En un rincón del laboratorio, encogido y con los brazos rodeando sus rodillas, la criatura recién nacida temblaba de frío y de miedo. Se había despertado cuando la luz del sol había empezado a lamer como un perro la losa donde yacía. El calor del sol había sido un bálsamo para él y por un tiempo se había dejado llevar por la dulce sensación de la calidez sobre su piel sin preguntarse quién era ni dónde estaba. Luego, poco a poco, el frío fue sustituyendo al calorcillo y su estómago empezó a rugir de hambre, lanzando espasmos por todo su cuerpo. Sin darse cuenta comenzó a producir sonidos, una especie de vagido de animal indefenso reclamando calor y alimento. No acudió nadie a su necesidad. Fue pasando el tiempo, el frío y el hambre se acrecentaron y la soledad fue haciéndose cada vez más terrible.

Flexionó las piernas, los brazos, movió los dedos, se pasó la mano por el estómago, por la cara, por los genitales, por las rodillas... sintiendo que estaba vivo, aunque no supiera nada de sí mismo, ni quién era, ni dónde estaba, ni qué había pasado...

Se sentó en la losa y miró embobado los restos de sangre, de fluidos, de fármacos... y poco a poco fue pasando la vista por todo aquel lugar atestado de objetos incomprensibles, frascos en cuyo interior danzaban extraños cuerpos, vísceras o animales, manojos de hierbas secas suspendidas de las altas vigas, aparatos cuyo uso no era capaz de imaginar. «Brujería», se formó de golpe en su mente. Aquello parecía la cueva de una bruja o de un hechicero. ¿Qué hacía él allí? ¿Qué querían hacerle?

Levantó las dos manos frente a sus ojos y el terror estuvo a punto de arrancarle un grito. Una de sus manos, la derecha, no era suya. Alguien le había cortado una mano y la había sustituido por la de una mujer, mucho más pequeña y fina que la propia. A la altura de la muñeca, un costurón dejaba bien claro que se la habían cosido a su cuerpo.

Movió los dedos con cuidado. Funcionaban.

Se tocó las yemas de los dedos unas contra otras. Salvo por la cuestión del tamaño, las sentía todas, aunque era como si su propia mano (la izquierda) estuviera tocando la de otra persona. Por fortuna, siempre había sido zurdo y su mano más útil era la que le había quedado. Se preguntó qué habrían hecho con la otra y si podría recuperarla.

Tenía más costurones en el pecho y, por lo que pudo discernir al tacto, también en la cara. Le faltaban unos

111

pedazos de los dedos de los pies y una oreja. Le dolían los ojos, pero su visión era buena.

Con sumo cuidado, comenzó a explorarse todo el cuerpo, tocando alternativamente con las dos manos, hasta asegurarse de que no le faltaba nada más y tenía sensibilidad en todas partes. Lo malo era que seguía sin recordar su nombre ni saber cómo había llegado hasta allí.

El frío y el hambre eran cada vez más intensos. Se levantó y, vacilante, sobre unas piernas que parecían de pastel de gelatina de vaca, fue inspeccionando la habitación. Encontró un delantal sucio y se lo echó por encima, a modo de capa, pero no había nada comestible.

Se acercó a una de las pequeñas ventanas de aquel enorme desván y, a través del cristal, pudo reconocer la torre de la catedral de Nuestra Señora la Bella, lo que le arrancó un suspiro de felicidad. Al menos estaba en casa, y sabía que aquella era su iglesia, aunque ahora no recordase el nombre de su ciudad.

Estaba seguro de que pronto vendría alguien a socorrerlo o a explicarle qué era aquello. Le darían de comer, le dirían qué había pasado, por qué tenía partes que no eran suyas, cómo era posible que después de hacerle esas cosas siguiera vivo y no tuviera grandes dolores, ni fiebre ni nada más que hambre y sed.

Al menos agua sí que había: un cántaro mediado que se bebió casi sin respirar.

No tenía más remedio que esperar. Ya llegaría alguien.

* * *

Llevaban ya más de una hora paseando arriba y abajo por la orilla del río esperando a que Maximilian regresara de lo que fuera que había ido a hacer. El día estaba ya llegando a su fin porque, aunque aún no eran las cuatro, al ser un día nublado de febrero la oscuridad empezaba a adueñarse del paisaje. No había un alma por los alrededores y Nora sintió un escalofrío que no se debía a la temperatura, sino a imaginar qué podría pasarles a dos chicas solas en un paraje tan agreste al caer la noche. De golpe se dio cuenta de que, para cualquiera que pudiera verlas al pasar, eran un hombre y una mujer y eso ya era suficiente para que las dejaran en paz, a menos que quisieran robarle la bolsa, aunque por su ropa estaba claro que era un estudiante y los estudiantes no son precisamente famosos por sus riquezas, de modo que intentó relajarse y esperar con paciencia.

La criada, que se llamaba Sanne (una abreviatura de Susanne), ya le había dado las gracias diez mil veces llamándolo «Excelencia» hasta la náusea y le había ofrecido servirlo a él, a su mujer y a sus hijos hasta el resto de sus días. Por lo demás, se había limitado a llorar, a suspirar y, de vez en cuando, a ofrecerle una tímida sonrisa llena de esperanza cuando le decía que todo se arreglaría y que pronto regresaría el señor conde con buenas noticias.

Por fin vieron acercarse a Max y el corazón de Nora dio un salto en su pecho. Simplemente verlo ya la ponía de buen humor.

Le indicó con una seña que se acercara dejando a la chica al margen, y Sanne, obediente, se dio la vuelta y se quedó mirando al río mientras los caballeros hablaban entre sí.

—¿Qué noticias traes?

—Se me ha ocurrido algo, al menos provisionalmente.

—Cuenta, cuenta.

—Si es cierto que Frankenstein se ha marchado esta mañana en el coche de posta, eso significa que durante unos días, o un par de semanas o más, su laboratorio estará vacío, igual que sus aposentos. Él los tiene pagados hasta el final del curso académico y, si hace falta más, puedo pagarlos yo. La muchacha...

—Se llama Sanne —le interrumpió Nora.

—La muchacha..., que no me importa en estos momentos cómo se llama, puede quedarse allí. Yo hablaré con la patrona de Viktor y le diré...

—Que es mi... amante o como prefieras llamarla.

—Sí. Me temo que tendré que hacer algo así. Si le digo que es amante mía, arruinaré mi reputación.

Aunque Nora había sugerido ella misma esa solución, le molestó que él antepusiera su propia reputación a la de ella.

—Así solo arruinamos la mía, claro.

—Así es —sonrió—. Pero eso da igual, porque Leonhard von Kürsinger no existe. Nos lo hemos inventado nosotros, ¿ya no te acuerdas? Y porque, con la ayuda de Dios, el pasaje volverá a quedar libre y tú podrás regresar a tu mundo y a tu vida, Nora —terminó, inclinándose hacia ella, en una voz tan suave que su aliento le hizo cosquillas en la oreja, unas deliciosas cosquillas que le habría gustado continuar hasta que se transformaran en otra cosa.

—Gracias, Max. Es una idea genial.

Él le ofreció una sonrisa aún más amplia.

—A veces, pensando, doy con soluciones útiles. Así ella estará sola y tranquila. Tú y yo tenemos cada uno nuestras habitaciones y podemos controlar el pasaje todos los días. Si Viktor regresa, ya lo arreglaremos con él. Si no vuelve hasta el nacimiento de la criatura, pensaremos después dónde la entregamos, ¿te parece?

Con una mirada por encima del hombro para cerciorarse de que Sanne siguiera de espaldas a ellos, Nora se abalanzó sobre Max y lo abrazó con todas sus fuerzas.

El cuerpo de él se envaró al sentirla tan cerca, pero muy pronto se dejó llevar por la calidez y la dulzura de tenerla en sus brazos. Era ya casi de noche. Solo una luz malva se reflejaba en la corriente del río y no había un alma en los alrededores. Max inclinó la cabeza hacia ella, Nora la alzó buscando sus labios y un segundo después se estaban besando desesperadamente.

* * *

Desde el amparo de la fila de casas que daban al río, el asesino miraba la escena con una sonrisa torcida. A pesar de que era ya casi de noche, se veía lo suficiente como para darse cuenta de lo que estaba pasando.

Unos minutos antes, cuando el joven conde se dirigía hacia el río caminando solo por calles cada vez menos concurridas, habría podido cumplir con su encargo; pero él solía dejarse llevar por sus instintos y había tenido la corazonada de que no era el mejor momento, de que debía esperar aún para clavarle en el corazón el fino estilete que había elegido esta vez como arma.

115

Su instinto le había dado la razón porque acababa de ocurrírsele una idea digna del mejor de los cerebros y quería exponérsela a Su Excelencia antes de dar ningún paso en esa dirección. Lo único que lo detenía era que, al no ser él mismo la mano ejecutora, el señorón no quisiera pagarle lo convenido y su idea se pusiera en marcha sin que él sacase tajada del asunto. Eso no le convenía en absoluto y tendría que pensarlo bien antes de hacerlo, de modo que, dándoles la espalda a los tres jóvenes, se perdió por el laberinto de callejuelas. Ya los buscaría al día siguiente cuando hubiese madurado su plan.

* * *

Llegaron a la casa de Frankenstein cuando las campanas de Nuestra Señora la Bella daban las cinco y las calles se habían quedado desiertas. Max eligió una larga llave de varias que llevaba en un aro y la insertó en la cerradura.

—¿Tienes llave de casa de tu amigo?

—Sí y no. Los dos decidimos hace tiempo dejar una copia de las llaves de nuestras casas en un lugar secreto para cualquier eventualidad. Lógicamente, nuestras patronas no lo saben y nunca hasta ahora había sido necesario usarlas.

Subieron sigilosos como gatos hasta el desván; no había más luz que la que daba una lamparilla de aceite frente a una imagen de la Virgen en el primer rellano. Max abría la marcha. Sanne iba rezando entre dientes agarrada a la capa de Nora/Leo.

Al final de la escalera llegaron a una puerta maciza de madera y herrajes que apenas si podían ver. Al cabo de un rato de forcejear con la cerradura, Max consiguió abrirla, entraron con rapidez y volvieron a cerrar tras ellos para no delatar su presencia.

—Pues ya estamos. Buscaré algo para hacer luz. Lo que he traído no durará mucho.

Sacó un yesquero, golpeó hasta hacer una buena chispa y la aplicó al cabo de una vela corta y gruesa que también llevaba en la bolsa y que de un instante a otro pareció florecer, iluminando un círculo a su alrededor en el que, de repente, se perfilaron extraños aparatos, brillos de vidrios y líquidos, herramientas cortantes y punzantes dispuestas en fila en una mesa con superficie de piedra.

Max conocía el laboratorio de Viktor, pero las dos chicas se acercaron más la una a la otra y Sanne lo miraba todo con ojos dilatados por el miedo.

—A ver si encontramos algún farol o algún candil por aquí…

Tuvieron suerte y poco después Max prendió una vela grande que enseguida colocó dentro de un farol con paredes de cristal.

Nora estaba desesperada. Nunca se había dado cuenta de la angustia y la impotencia que puede llegar a sentirse cuando no hay forma de hacer luz en el momento en que la necesitas, cuando no hay interruptor que anime la lámpara del techo, cuando no hay móvil con función linterna, cuando no tienes a mano ni una miserable linterna de pilas barata. Tenía la sensación de haberse quedado casi ciega porque aquella luz que,

117

al parecer, a los otros dos les parecía bien a ella le daba ganas de gritar de agobio.

—Bueno, a ver si consigo saber por qué se ha marchado Frankenstein.

Sanne le tiró de la capa a Nora para llamar su atención antes de hablar.

—¿Sí?

—No me tendré que quedar aquí yo sola a pasar la noche, ¿verdad?

Se notaba que estaba auténticamente aterrorizada.

—No, tranquila —sonrió Max—. Los aposentos de Frankenstein están en el piso de abajo: un dormitorio y un pequeño estudio. Ahora bajaremos y podrás acostarte si quieres.

En ese momento, procedente de las profundidades del laboratorio, del rincón más oscuro, percibieron una especie de gruñido sordo que los hizo acercarse unos a otros. Max se colocó delante de las dos chicas y, con toda naturalidad, agarró uno de los cuchillos que reposaban en la mesa de piedra.

—¿Quién anda ahí? —preguntó.

Él sabía que su amigo, como todos ellos, realizaba de vez en cuando experimentos con animales, pero no solían ser más terribles que ratas y gatos o perros callejeros, aunque si Viktor había dejado allí a un gato famélico podía resultar realmente peligroso enfrentarse a él.

Desde el fondo les llegó un movimiento, el frote de una tela quizá, una especie de vagido inarticulado. Se estremecieron. Forzaron la vista al máximo tratando de discernir qué era aquello. Luego, surgiendo de la oscuridad, empezaron a percibir unos pasos arrastrados que se acercaban a ellos.

—¿Frankenstein? ¿Viktor? ¿Amigo mío, eres tú?

No hubo respuesta. Los pasos siguieron acercándose y poco a poco una figura alta y encorvada se fue destacando contra la pálida luminosidad de la ventana del fondo.

Otro vagido, un carraspeo y después un intento de habla.

—Aaa-yuuu-daaa... —les pareció comprender.

Las manos extendidas de una extraña criatura penetraron en el círculo de luz, una grande, basta y morena, otra más débil y más pálida. Poco a poco, los anchos hombros desnudos, el cuerpo cruzado de costurones, la cabeza más pequeña de lo que cabría esperar en un ser tan alto, los dos ojos de diferente color y tamaño sobre unas ojeras moradas, la boca implorante que seguía repitiendo «ayuda», «ayuda».

Al ver que aquel ser estaba desnudo y que era evidentemente un hombre, Max se quitó la capa y se la puso por encima para cubrir sus vergüenzas frente a las dos mujeres que lo contemplaban con la boca abierta. El ser se arrebujó en la capa, agradecido por el calor, y se quedó donde estaba, temblando, y sin apartar la vista de ellos.

—¿Quién eres? —preguntó Max, en una voz menos firme de lo que le habría gustado.

—No sé —contestó la criatura después de pensarlo un momento—. No recuerdo.

La voz era rasposa pero comprensible, a pesar de que estaba claro que le costaba un gran esfuerzo articular las palabras.

—¿Dónde está Frankenstein?

—No sé. Yo... estoy solo. Hambre.

—Tendrás que esperar un poco. No llevamos nada. Ven. Siéntate.

Max y Nora se miraron. Aquello recordaba mucho al momento en que ellos se habían conocido, cuando Max, totalmente desorientado, no conseguía recordar ni siquiera su nombre. ¿Era otro de los experimentos de Frankenstein?

—Yo tengo algo —dijo Sanne con timidez—. Cuando me echaron, en lugar de pagarme, me dieron un pan y lo he guardado para cuando tenga hambre de verdad. —Sacó una pequeña hogaza del fardo, partió un buen pedazo y se lo alargó al extraño ser que ahora, envuelto en la capa de Max, se había sentado en un escabel cerca de la gran chimenea apagada. La criatura lo agarró con avidez y se puso a mordisquearlo.

—Necesitamos entrar en calor. Aquí hace un frío horroroso. Y tenemos que saber qué ha pasado. ¡Muchacha! ¡Haznos un buen fuego! —exigió Max.

Sanne se quitó de inmediato la raída capa que la cubría y se precipitó a la chimenea a ver qué materiales había. Para Nora, quedó claro que Sanne estaba acostumbradísima a que le ordenaran hacer cosas y ni se le había pasado por la cabeza no hacer lo que le había mandado Max. Y también que, para este, ordenarle a Sanne que hiciera fuego era tan normal como para un chico de su propia época apretar el interruptor de una estufa. Debía de haberse criado con docenas de sirvientes que lo hacían todo por él. Ni siquiera se había molestado en decir «por favor».

Al cabo de un momento, las llamas empezaban a prender en los troncos que Sanne había arreglado con una gracia increíble en la chimenea. Todos se acercaron al fuego, atraídos por la luz y el calor, y hasta el extraño rostro de la criatura se iluminó con una sonrisa.

La campana de la catedral dio la media.

—Nuestra Señora —musitó el hombre.

—¿Sabes dónde estamos? —preguntó Max.

Él asintió con la cabeza.

—En casa.

La simplificación hizo que Max sonriera.

—¿Recuerdas cómo se llama la ciudad?

—Ingolstadt.

—Bien. ¿Y tú quién eres?

—No recuerdo.

—¿Sabes algo de Frankenstein?

—No. ¿Quién es?

«Un irresponsable», fue lo primero que pensó Max, aunque no lo dijo.

—El..., el inquilino de estos aposentos.

La criatura mantuvo la vista fija en Max durante unos segundos, como esforzándose por recordar; luego bajó los ojos y siguió comiendo.

—Sanne —la llamó entonces alargándole unas monedas—, ve a traer algo de comer para todos. Tenemos mucho en que pensar y mucho que decidir, y no podemos hacerlo con el estómago vacío.

La chica se guardó las monedas en la faltriquera y se echó la capa por los hombros.

—Voy con ella —se ofreció Nora.

—Ni pensarlo. Tú te quedas.

—No puedes darme órdenes.

—No es una orden. Tengo que determinar cómo seguimos. Esto empieza a resultar demasiado complicado, y te doy la posibilidad de que me ayudes a tomar las siguientes decisiones. Aunque, si prefieres que lo resuelva yo solo...

Nora se quedó entre Max y Sanne, indecisa sobre qué hacer. Le parecía mal que una chica embarazada y a la que acababa de caérsele el mundo encima tuviese que irse a buscar comida para todos, pero Max hablaba con sensatez y ella quería tomar parte en esa búsqueda de posibles soluciones.

—De acuerdo. Me quedo.

—Deja la puerta de abajo entornada y vuelve tan rápido como puedas —pidió Max a la muchacha, que dobló las rodillas en una breve reverencia.

Sanne se marchó en silencio. La extraña criatura seguía royendo el mendrugo de pan con la vista fija en las llamas. Max y Nora se acercaron a la ventana del fondo para poder hablar con un poco de intimidad.

—Parece que Frankenstein ha enloquecido —dijo Max en voz baja en un tono que denotaba una profunda tristeza—. Es evidente que ha seguido adelante con esos experimentos de los que solo me había hablado con medias palabras, y ha tenido éxito. Ese... ser..., aparte de lo que me ha sucedido a mí mismo, es buena prueba de ello.

—¿Tú crees que de verdad ha conseguido reanimar a un cadáver? —Nora se sentía como metida en una película o una novela antiguas. Todo aquello se parecía demasiado a *Frankenstein*, la novela de Mary Shelley que ella siempre había creído una ficción.

—Más que eso. Te habrás dado cuenta de que se trata de diferentes pedazos de cadáveres. Las manos son diferentes, la cabeza no corresponde al cuerpo.

—Pero... ¿cómo? ¿Con estos medios? —Hizo un gesto circular englobando todo el laboratorio.

—Luego investigaré con detenimiento para tratar de saber cómo. Ahora lo que más importa es saber qué ha sido de él y qué podemos hacer nosotros. Por lo pronto, vamos a bajar a sus aposentos. Quizá se haya quedado dormido allí después del esfuerzo.

Ninguno de los dos mencionó la información que les había dado la camarera de la taberna: que había visto a Frankenstein tomando el coche de posta que partía hacia el sur.

Max se acercó a la chimenea.

—Volvemos muy pronto. Vamos al piso de abajo.

El monstruo asintió con la cabeza. Nora tuvo la sensación de que sus ojos estaban más claros y su mirada parecía más inteligente.

Tanto el dormitorio como el pequeño estudio de Viktor estaban desiertos. A la luz del farol, Max comprobó que no debía de haberse llevado ningún equipaje y que no había dejado ninguna nota, ningún mensaje para él, ni para nadie.

—¡Ha huido! —dijo, incrédulo, sentándose sobre la cama de su amigo—. Ha abandonado a su creación y se ha marchado sin más. Tiene que haberse vuelto loco...

—Supongo que devolver la vida a un muerto recosido es algo que puede tener ese efecto, sí. —Nora

123

esperaba una sonrisa por parte de Max, pero su rostro permaneció serio—. Seguramente está aterrorizado y no ha pensado en lo que puede pasar...

—Pero..., pero es su responsabilidad... ¿Cómo puedes dejar abandonado a su suerte a un ser que no sabe quién es él mismo, que no recuerda nada, que es grande como un castillo y no sabemos siquiera si es un asesino?

Nora se encogió de hombros. A ella también le parecía demencial, pero en la base era como un chico de su época que atropella a alguien con el coche y, en lugar de bajar a ver qué ha pasado y llamar a la ambulancia, sale corriendo para que nadie sepa que la culpa ha sido suya. Puro terror. Pura irresponsabilidad.

—No me esperaba eso de él.

—Pensará que tú te ocuparás... Empiezo a sospechar que es lo que has hecho siempre.

—Me temo que no voy a tener más remedio. Además, es el deber de la amistad.

—¿Y qué hacemos?

Max apoyó los codos en las rodillas y la frente en las manos. En los últimos días había pasado de ser un feliz estudiante de Medicina a ser un hombre atormentado por más obligaciones de las que nunca hubiese creído posible. Estaba acostumbrado a despachar dos veces al año con su tío Franz y con el apoderado que se ocupaba de sus tierras mientras él terminaba sus estudios en Ingolstadt; sabía cómo tomar decisiones que afectaban a los sirvientes o a la resolución de pequeños problemas domésticos de su casa y sus fincas en Salzburgo, pero nunca había tenido que solucionar la situación de una muchacha que venía del futuro y de la que, además, se estaba enamorando, ni resolver la existencia de un ser que hasta unas horas atrás era simplemente un amasijo de partes de cadáveres.

Se sentía profundamente dolido de que su mejor amigo lo hubiese dejado en esa situación sin avisarlo siquiera, sin haberlo informado del tipo de experimentos que estaba llevando a cabo.

—¿Qué podemos hacer con él, Max? —insistió Nora, alzando los ojos significativamente hacia el techo, hacia el desván donde, frente al fuego, esperaba la creación de Frankenstein—. Hace un rato pensaba que solucionar el problema de Sanne iba a ser difícil, pero en estos momentos ya no me parece tan terrible comparado con el otro problema. —Se sentó en la cama a su lado en la casi total oscuridad, solo aliviada por el farol que habían traído y que reposaba en el suelo a sus pies, y, después de unos segundos de duda, le apretó la mano. Él, agradecido, le devolvió el apretón.

—Me temo que tendremos que marcharnos de aquí. Ir a mis tierras, a Hohenfels. Allí soy yo el señor; podemos colocar a Sanne como tu doncella y decir que es una joven viuda, que su marido, que era pescador en el Danubio, ha muerto en un accidente. Y tú vuelves a ser Eleonora.

—¿Tu prima?

Él la miró a los ojos, dos pozos de sombra a la luz del farol.

—No, Nora; eso es imposible. Allí me conocen todos. Todos saben que mi única prima es Katharina, la hija de mi tío Franz.

—¿Entonces? —Nora empezaba a estar realmente asustada. ¿Y si ahora debía hacer de criada y permitir que todo el mundo le ordenara lo que tenía que hacer?

—Habrás de ser mi prometida —lo dijo con una voz cauta, neutra, que no dejaba claro si le alegraba o le asustaba, o era realmente solo una excusa para el futuro próximo.

Ella se levantó de la cama y dio dos pasos hacia la puerta, sin contestarle, sin saber qué decir, aterrorizada de pronto por todo lo que le estaba sucediendo y todo lo que implicaba aquello.

—¿Y qué hacemos con..., con ese pobre...? —preguntó para desviar la respuesta que Max seguramente estaba esperando.

—Confío en que sea capaz de trabajar en algo y podamos emplearlo en lo que sea, a ser posible donde no lo vea nadie y no empiecen a preguntarse por qué es tan raro, y tan feo, y por qué está lleno de cicatrices.

—¡Qué generoso eres, Max! —dijo Nora a media voz desde la puerta.

—No me has contestado, Nora.

Ella carraspeó para ganar tiempo.

—Es que..., es que si nos vamos de aquí..., ¿qué pasará con el pasaje? ¿Cómo sabremos si se abre?

Transcurrieron unos segundos. Nora casi podía oír cómo el cerebro de Max rumiaba los pensamientos contrapuestos que daban vueltas en su mente.

—Tienes razón. Habrá que buscar otra forma.

Algo en su voz le hizo pensar que su respuesta le había hecho daño pero que era demasiado orgulloso o demasiado caballero para decirlo, pero antes de poder tratar de aclararlo ambos oyeron los pasos cautelosos de Sanne, que volvía del recado. Se reunieron con ella en el rellano y subieron juntos a encontrarse con el monstruo.

* * *

Desde la ventana de su alojamiento, una miserable fonda en las afueras de Ingolstadt que, sin embargo, era lo mejor que se podía encontrar sin cruzar las puertas de la ciudad, Johannes von Kürsinger vio marcharse al asesino que acababa de abandonar sus habitaciones después de haberle esbozado un plan que, debía reconocerlo, era realmente ingenioso.

Había despedido a los dos patanes que habían fracasado en el primer intento y se alegraba de haber dado con este, a quien llamaban Wolf. El Lobo.

Era un hombre alto y fuerte, rápido de reflejos y hábil con toda clase de armas. Algo en su porte resultaba más elegante de lo que sería esperable en alguien de su calaña; se le ocurrió que, bien vestido, casi podría pasar por un caballero. Y eso podría resultarle útil. Quizá, si salían bien las cosas y él llegaba a convertirse en conde de Hohenfels, podría quedárselo como *garde du corps* y hombre para todo. Con su compañía ya no tendría que preocuparse de evitar según qué lugares y qué ambientes que tenía mucho interés en visitar, pero no eran recomendables para alguien que quisiera conservar tanto la bolsa como la vida.

El plan del Lobo era arriesgado, pero bueno. No solo destruiría a su primo, sino también su reputación para siempre, y nadie podría probar jamás que él hubiese intervenido en nada. Habían quedado en que lo sopesaría hasta el día siguiente y después se pondrían en marcha. Le había pagado ya la mitad de lo convenido, y no pensaba pagar más. Al fin y al cabo, el Lobo solo le había suministrado una idea, una simple idea que también habría podido ocurrírsele a él mismo. Y si luego le ofrecía quedarse a su servicio, con eso estaría más que pagado. Entrar en la casa del conde de Hohenfels era algo que muy pocos estaban en posición de conseguir.

Sin poder evitarlo, como tantas veces, volvió al tema que no le dejaba reposo: la maldita sucesión del título. Su padre había sido el segundo hijo de Friedrich von Kürsinger, conde de Hohenfels, y él, aunque era el primogénito de su padre, no tenía ningún derecho ni al título ni a las propiedades porque el padre de Maximilian, como primer hijo de Friedrich, era el heredero de todo. Muerto su padre, Maximilian había heredado todo lo que existía y él, que era mayor, más inteligente, más valiente y más apuesto, no era más que un segundón y lo seguiría siendo mientras su primo siguiera vivo.

Podría intentar casarse con la hija de uno de los pequeños nobles vieneses o, mejor aún, con la de alguno de los comerciantes enriquecidos con las guerras contra los turcos y el comercio con Oriente; pero eso solo le daría fortuna, cosa que, si bien no era de despreciar, no le proporcionaría el prestigio y el honor de uno de los grandes títulos nobiliarios.

Era absolutamente necesario que Maximilian desapareciera y el título de la familia, con su castillo, sus tierras y sus campesinos, pasara a sus manos.

Además, ahora, con lo que le acababa de contar el Lobo, incluso los escrúpulos morales habían sido eliminados. Era justo, necesario y conveniente que Maximilian pagara por sus pecados. Solo con sangre podía limpiarse la terrible mancha que había caído sobre el honor de los Von Kürsinger, sobre el condado de Hohenfels.

Se apartó de la ventana después de haber seguido a Wolf con la vista hasta que él y su caballo se perdieron en el camino que llevaba a Ingolstadt, se sirvió una copa de vino y empezó a concretar sus planes.

La verdad era que cada vez le daba más asco su primo, y la idea le parecía realmente deliciosa. Soltó una carcajada y se acabó el vino de un solo sorbo.

* * *

—Te acompaño a casa, Leo. —Max se puso en pie después de la cena que habían tomado en el laboratorio sentados en la alfombra frente al fuego: pan, jamón y queso, regados con una botella de vino tinto.

—Yo también voy —dijo Sanne, nerviosa. Le daba terror la idea de quedarse sola con aquel hombre tan raro.

—No. Tú te quedas. Ahora te abro el dormitorio de Frankenstein y te tumbas hasta mañana. Yo acompaño a mi primo y vuelvo aquí a pasar la noche, a ver si mientras tanto nuestro amigo ha recordado algo y decidimos qué hacer.

El ser, que había estado dormitando con la cabeza apoyada contra la chimenea, abrió los ojos y los miró a todos, uno por uno.

—Sigo sin recordar mi nombre —esta vez su dicción era distinta: más clara, más articulada—, pero quiero daros las gracias por vuestra compasión y generosidad al ayudarme en tan terribles circunstancias.

Los tres se miraron, perplejos. Aquel monstruo hablaba como un caballero.

—No sé de qué modo puedo contribuir a vuestro bienestar, pero, si algo puedo hacer, será un honor para mí. Me gustaría haber podido deciros esto vestido decentemente, apoyado en mis dos piernas, y haber hecho una reverencia al terminar; por desgracia, las piernas aún no me sostienen y no estoy seguro de poder inclinar la cabeza sin marearme irremisiblemente.

—Para nosotros es un deber de humanidad, caballero —contestó Max, y estuvo a punto de morderse la lengua al darse cuenta de que acababa de llamar «caballero» a un engendro construido por Frankenstein a base de pedazos humanos, a un ser monstruoso que no había nacido de madre como cualquier cristiano.

—Soy consciente de que mi aspecto debe de ser monstruoso —dijo con parsimonia como si le hubiese leído el pensamiento—. Nunca fui un hombre apuesto, pero ahora que, por procedimientos que ignoro y que casi me atrevería a llamar diabólicos, he vuelto a la vida convertido en esto que veis, sé que lo normal sería que retrocedierais espantados ante mí. Os agradezco vuestra elegancia al no hacerlo.

—¿Cómo sabéis que no erais apuesto? —preguntó Max, fascinado.

—Porque, aunque no recuerde mi nombre, tengo recuerdo de mí mismo y, mucho peor, tengo un recuerdo muy claro de mi muerte.

—¿Muerte? —Nora tenía los ojos muy abiertos al preguntar.

—Sí, joven, soy consciente de que morí, aunque no sé cuándo, en mi propia cama, empapado en sudor, ardiendo de fiebre. Recuerdo la mirada de pesadumbre del médico que me atendía, su movimiento negativo de cabeza hacia mi patrona, que lloraba desconsolada mientras se secaba las lágrimas con el delantal. Recuerdo que pensé entonces qué sería de mis libros, de mis escritos, ya que nunca tuve hijos ni me quedaba familia a quien dejárselos. Pensé que quizá serían repartidos entre mis estudiantes... Luego, no recuerdo nada más.

—¿Estudiantes? ¿Sois profesor?

—Lo era. Profesor de lenguas vivas. El inglés era mi especialidad. Acababa de regresar de un largo viaje que me había llevado desde Inglaterra hasta el Nuevo Mundo, y estaba entusiasmado pensando en todos los conocimientos que podría impartir a mis estudiantes cuando, de repente, contraje unas fiebres que resultaron mortales. Lo supe cuando vino el párroco de Nuestra Señora a darme la extremaunción. Me puse en paz con Dios, cerré los ojos y, al abrirlos de nuevo, me encontré en un cuerpo que no era el mío, sino mucho más joven y fuerte, con una mano que parece de mujer, a falta de una oreja y... un aspecto que, a juzgar por mis muchas cicatrices, imagino horrible. Me temo, amigos y salvadores míos, que me he convertido en un monstruo. ¿Podéis decirme algo de cómo he llegado a ello?

Max se pasó la mano por la frente, por los ojos, se quitó la peluca y la dejó, después de alisarla cuidadosamente, sobre la losa donde había estado tendido el engendro que ahora les preguntaba.

—Mi nombre es Maximilian von Kürsinger, conde de Hohenfels y estudiante de Medicina en esta universidad. Mi condiscípulo Viktor Frankenstein, en el curso de unos experimentos que no ha tenido a bien compartir con ninguno de nosotros, ni estudiantes ni profesores, ha conseguido, al parecer, encontrar un método para devolver la vida a la materia muerta. —Se llevó la mano al cuello, deshizo con calma el nudo de la camisa, abrió los botones y mostró los costurones que cruzaban su pecho—. Yo soy la primera prueba; vos, la segunda, aunque en mi caso parece ser que la muerte se había producido poco antes, y en el vuestro la situación fue ya mucho más complicada.

—¿Y dónde está Frankenstein?

—Debo confesar, para mi vergüenza y la suya, que todo parece indicar que ha huido al darse cuenta de su atrevimiento.

El monstruo no dijo nada, aunque se notaba en su expresión el desagrado que le producía la cobardía de su creador.

—¿Qué edad tiene? —preguntó por fin.

—Veintidós.

—Joven, pero ya un hombre hecho —dejó pasar unos instantes—. Por desgracia, la madurez científica no siempre va aparejada con la madurez emocional. No es extraño que se haya asustado de un milagro, pero su obligación habría sido aceptar su responsabilidad y cargar con las consecuencias de sus actos.

Hubo un largo silencio. Max pensaba lo mismo, pero no quería tener que darle la razón a un desconocido, insultando con ello a su mejor amigo, de modo que eligió callar. Al cabo de un minuto, volvió a decir:

—Vamos, Leo.

Esta vez Nora no dijo nada. Se despidieron del profesor, dejaron a Sanne en la habitación de Frankenstein advirtiéndole que corriese el cerrojo hasta que ellos volvieran a buscarla, y bajaron las escaleras con la cabeza gacha, cada uno perdido en sus pensamientos.

Las calles estaban desiertas y húmedas. Los adoquines, mojados por el relente de la noche, brillaban en las esquinas donde titilaba la débil luz de una lamparilla de aceite encendida frente a una imagen. No había ningún sonido, como si estuvieran cruzando una ciudad fantasmal.

Nora trató de entrelazar su mano con la de Max, pero este se apartó como si quemara mientras susurraba:

—En público, jamás.

Ella soltó una risita histérica.

—¿Tú a esto lo llamas estar en público? Nunca, pero nunca en toda mi vida he estado en una ciudad tan muerta, te lo juro.

Él no contestó.

—¿Estás ofendido? —preguntó ella por fin cuando ya estaban a la vista de la casa.

—¿Por qué habría de estarlo? Eres muy libre de rechazar mi oferta.

—¿Qué oferta?

—¿Crees que para mí es fácil? —se encaró con ella en mitad de la calle, tratando de mantener bajo control la voz que amenazaba con subir de tono—. ¿Crees que va a ser coser y cantar presentarme en mi casa, en mis tierras, con una prometida sacada de no se sabe dónde, una mujer que no tiene familia, ni se comporta con decoro, que va vestida de cualquier manera y contradice a los hombres en público y tiene opinión sobre todo lo opinable y no respeta a su prometido? ¿No te das cuenta de lo que significa para mí hacerte una oferta tal? Y tú ni siquiera has respondido...

Nora se quedó perpleja por la violencia verbal de lo que acababa de decir Max. Suponía que tenía razón y era verdad todo lo que había dicho, pero a ella tener su propia opinión y comportarse libremente le parecía lo normal. Nunca se adaptaría a que la considerasen un ser de segunda solo por ser mujer.

—Vamos a echar una mirada a la alacena —dijo, tragándose la rabia que empezaba a sentir—. Si está abierto el pasaje, me marcho y te libro de un problema.

Entraron en silencio, en medio de una tensión casi tangible.

La puerta de la alacena se abrió sin ruido. Dentro no había más que oscuridad; de todas formas, Nora entró con los brazos extendidos hasta que sus manos tocaron la pared del fondo.

Entonces apoyó los codos en la barrera que la separaba de su mundo y de su vida, y se echó a llorar desconsolada.

* * *

Al día siguiente después de las clases de la mañana, Max volvió a casa de Frankenstein, habló con su patrona para explicarle que su amigo había tenido que marcharse precipitadamente por un asunto familiar de suma gravedad y que, hasta su regreso, él se haría cargo del laboratorio, donde ya había instalado a un criado de confianza para que le sirviese de fámulo, y alojaría en sus aposentos a una sirvienta que se encargaría de su ropa y de la de su primo Leonhard, así como de varios otros menesteres.

A la mujer no le hizo ninguna gracia; estaba claro que suponía que aquella criada era una de esas mujeres que los caballeros llaman *protégées*, aunque no son otra cosa que prostitutas, y temía por la reputación de su casa. Max consiguió que aceptase de buen grado el nuevo arreglo tras subir un poco la cantidad que Viktor había acordado con ella. Le resultaba repugnante que todo pudiera solucionarse con dinero, pero así era como siempre había funcionado el mundo. Por eso le gustaba la logia a la que pertenecía: porque todos compartían el sueño de que en un futuro el mundo fuese un lugar regido por la buena voluntad entre los seres humanos, libres e iguales, una fraternidad en la que todos pudiesen aspirar a su felicidad y a la paz del universo.

Después de despedirse de la patrona, pasó a buscar a Sanne y la envió a hacer otra pequeña compra que les permitiera comer y cenar en el laboratorio a salvo de miradas indiscretas. Luego abrió el armario y el arcón de Frankenstein y, con menos escrúpulos de los que habría creído posibles, fue depositando prendas

135

de ropa sobre la cama hasta que consiguió encontrar lo más adecuado para intentar vestir al pobre ser que lo esperaba envuelto todavía en su capa más cálida. Por su culpa había pasado frío toda la mañana. Por su culpa y por la de Nora, que tenía su segunda capa y que no se había dignado aparecer por la universidad.

Cuando llegó a la puerta del laboratorio, tocó con los nudillos y entró sin esperar respuesta. Tampoco era cosa de extremar la cortesía con un monstruo.

El hombre esperaba ya de pie y, aunque seguía siendo horrible, sus rasgos habían mejorado porque la inteligencia animaba sus facciones, a pesar de que uno de sus ojos era tan azul como un cielo de verano y el otro profundamente negro.

—He recordado quién soy —dijo, orgulloso—. Soy el doctor Samuel Plankke, o más bien lo fui. Para serviros, señor conde.

Max le entregó la ropa que le había traído y unas botas de Viktor muy desgastadas, lo que quizá permitiría que fuesen lo bastante anchas como para que pudiera andar con ellas. Mientras el doctor se vestía y él, de espaldas, miraba por la ventana, le fue contando su conversación con la patrona.

—Lamento haber tenido que convertiros en criado mío, pero no se me ocurría otra solución de momento. Me temo que volver a vuestra casa, vuestra cátedra y vuestra vida ya no resultará posible por mucho que la cabeza, con su inteligencia y sus conocimientos, siga siendo la misma.

—Eso mismo pienso yo, efectivamente. Creo que tendré que acostumbrarme a mi nuevo aspecto y al hecho de que, de repente, soy veinte o treinta años más joven de lo que era al morir.

—¿Cómo sabéis vuestra edad? O, más bien, la edad de vuestro nuevo cuerpo.

La sonrisa en el horrible rostro de donde aún no habían desaparecido las ojeras moradas fue casi un *shock* para Max.

—Por un proceso muy natural en los varones que puede observarse al despertar y que a mis cincuenta años ya no me sucedía con tanta frecuencia.

Ahora fue Max quien sonrió. Al parecer, no todo eran desventajas.

—¿Tenéis algún proyecto en el que os pueda ayudar? —preguntó el doctor después de haberse vestido.

—No. La verdad es que nunca he aspirado a otra cosa que a terminar mis estudios, ejercer como médico y tratar de paliar en la medida de mis posibilidades el dolor y la miseria de mis congéneres.

—Hermoso proyecto de vida.

—¿Y qué pensáis hacer vos, profesor Plankke?

—Lo ignoro. Si no lo tomáis a mal, os rogaría que me concedieseis la gracia de quedarme aquí un tiempo para reflexionar sobre el futuro.

—Por supuesto. Los aposentos os pertenecen hasta el final del curso académico. Solo os ruego que, hacia el exterior, os comportéis como si fuerais mi fámulo. Aquí os dejo algo de dinero para pequeños gastos. Hoy mismo escribiré a Frankenstein para hacerle saber el resultado de su experimento y exigirle que asuma su responsabilidad para con vos.

—He pensado sobre ello, y no creo que la haya.

—¿Responsabilidad?

—Al fin y al cabo, yo ya estaba muerto. Y supongo que las otras personas que me constituyen también lo estaban.

—Pero el resultado es un ser vivo que no tiene existencia legal en este mundo ni un padre que se ocupe de él.

—Por fortuna, mi cerebro funciona y mi alma sigue conmigo. Podré volver a ganarme la vida de uno u otro modo. No tengo edad de tener padre ni necesito para nada a ese muchacho cobarde.

—Ese muchacho es vuestro creador.

—Mi creador es Dios, igual que el vuestro. No hay otro creador.

Max guardó silencio. No podía rebatirle algo tan evidente y, sin embargo, también era cierto que, en contra de los designios divinos que habían llevado a la muerte tanto al profesor Plankke como al joven cuyo cuerpo habitaba, la criatura que tenía delante había sido, si no «creada», al menos «construida» por Frankenstein, y eso lo hacía responsable de su existencia.

—Le escribiré de todos modos.

—Estáis en vuestro derecho.

—Esta noche volveré y cenaremos juntos, si os parece.

—Aquí me encontraréis. Tengo mucho que pensar. Gracias de nuevo.

Max se marchó angustiado y molesto. Podía lidiar con un ser desgraciado, torpe y abandonado, pero le resultaba mucho más difícil relacionarse con un hombre que unos días antes había ocupado una cátedra en su universidad, que razonaba y hablaba como él mismo, que tenía libre albedrío y estaba en perfecto uso de sus capacidades mentales, aparte de ser casi treinta años más viejo que él y ser profesor universitario.

Pero estaba claro que no se había mirado aún en un espejo. Si salía de casa, los niños lo perseguirían a pedradas, los perros le ladrarían hasta desgañitarse y las mujeres se desmayarían a su paso. ¿Dónde podría encontrar un espejo lo bastante grande como para que pudiera verse de cuerpo entero y convencerse de que sus posibilidades de llevar una vida independiente eran muy reducidas, por inteligente que fuera?

Su tía Charlotte tenía uno, regalo del tío Franz por su veinticinco aniversario de boda; hasta él poseía un espejo grande, pero estaba en Salzburgo, a varias jornadas de viaje. Tendría que preguntarle a Sanne; las mujeres sabían ese tipo de cosas.

Pensar en mujeres le llevó a pensar en Nora y en cómo la había oído sollozar en su cuarto durante toda la noche. Había tenido mil veces el impulso de bajar a consolarla, pero tenía miedo de lo que pudiese pasar entre ellos si volvían a abrazarse como lo habían hecho a la orilla del río, y además estaba realmente ofendido por la falta de respuesta de ella a su generosa oferta. No le había parecido tan mal dejarla sufrir unas horas; era una manera adecuada de aprender. A él le había pasado muchas noches.

Muchas muchas veces, sobre todo después de la muerte de su madre, se había dormido pasada la medianoche, agotado de llorar sin que nadie fuese a consolarlo, ni el aya, ni mucho menos su padre, que (luego lo supo) también se encerraba a llorar en la biblioteca. Habrían podido hacerse compañía y ser uno el consuelo del otro, pero no había sucedido así. Por la mañana ambos tenían los ojos secos, aunque enrojecidos, y los cabellos convenientemente peinados.

Nora también tenía que aprender. Era fundamental, sobre todo si el pasaje se negaba a abrirse de nuevo y ella quedaba condenada a permanecer en su mundo, en su tiempo, en el año del Señor de 1781, sin poder alcanzar jamás lo que hasta muy poco antes era su vida de todos los días.

Repetiría su oferta. Le explicaría que su única posibilidad real era aceptar ese compromiso. Y a lo mejor le decía también que la quería, aunque eso eran consideraciones secundarias. Ahora lo importante era resolver los problemas que se les acababan de plantear. Ya habría tiempo para las emociones.

7

El profesor Plankke salió a la calle sin haber podido comprobar realmente que su aspecto con esas ropas prestadas fuera más o menos aceptable. Nunca había sido un hombre elegante, pero, salvo en sus viajes por los lugares más salvajes, tampoco se había vestido jamás con tan poco gusto y con prendas que no casaran realmente o que no fueran de su talla. Sin embargo, de momento no podía elegir. Por fortuna, si todo iba bien, pronto podría ir a encargarse un modesto vestuario nuevo y sus hermanos lo ayudarían a encontrar donde vivir y un trabajo que le permitiera salir adelante.

Lo había meditado mucho y había llegado a la conclusión de que no podía seguir escondido en aquel laboratorio a merced de la caridad de aquellos jóvenes aristócratas. Sabía que no iba a ser fácil, pero al fin y al cabo él era miembro de pleno derecho de la Hermandad de la Rosa y todos los hermanos se habían juramentado para ayudarse entre sí en caso de necesidad, con total independencia de los motivos que los hubiesen llevado a esa situación. El gran maestre de su logia, que para todos los demás habitantes de la ciudad no era más que maese Gruber, el maestro encuadernador, vivía casi enfrente de la catedral en el piso de encima de su taller. Primero había pensado ir por la noche al lugar donde se celebraban las sesiones, pero al final había creído mejor ir a visitarlo en privado y hablar con él en la trastienda. Cuando el gran maestre hubiese decidido qué era lo mejor para su caso, ya lo comunicaría a los demás.

Nada más salir a la calle, y a pesar de que iba bien envuelto en una capa raída, pero cálida, notó las miradas espantadas de sus conciudadanos; incluso alguno se persignó a su paso, lo que le hizo bajar más el sombrero sobre los ojos y embozarse mejor en la capa. Por fortuna, el sombrero era un modelo antiguo, de ala ancha, y no uno de esos coquetos tricornios que se habían puesto de moda recientemente y que no le hubiese permitido ocultar su rostro.

El cuerpo que tenía ahora era bastante más alto y delgado, mucho más fuerte también, y le resultaba extraño usarlo, como cuando te acostumbras a manejar un pesado carro tirado por una mula vieja y de repente tienes que llevar uno ligero, con un caballo joven y nervioso. Así se sentía exactamente: nervioso. La inquietud se extendía por su interior como las raíces de una planta. Por suerte, pronto estaría en la cálida trastienda de su hermano y podría contarle su problema.

Le costaría creerlo, mas la prueba estaba a la vista y, si conseguían localizar a ese Frankenstein, podrían arrebatarle el secreto de la vida, con lo que la Hermandad de la Rosa se convertiría en la Orden más poderosa del mundo porque sus miembros no morirían jamás, y podrían lograr cualquier meta o favor a cambio de resucitar a algún difunto que fuera importante para la persona que ostentara el poder.

No solo tenía ahora un cuerpo joven, sino que estaba a punto de entregar a sus hermanos el secreto más importante que hubiesen visto ojos humanos, mucho más que cualquiera de las pequeñas conquistas de la alquimia.

Sonó una campanilla al abrir la puerta y el profesor se quedó quieto, frente al mostrador, esperando que saliera el maestro. No había nadie; ni siquiera un aprendiz. Se abrió la cortina que separaba la tienda del taller y maese Gruber apareció con cara de pocos amigos.

—¿Qué se te ofrece? —preguntó sin siquiera saludar.

La descortesía del recibimiento lo golpeó con una fuerza casi física. ¡Ni le había deseado los buenos días! ¡Y le acababa de hablar de tú!

—Maese Gruber, creo que sería mejor que habláramos en la trastienda. Lo que tengo que deciros es secreto.

—Puedes decirme aquí mismo lo que sea.

El profesor se acercó al mostrador y, discretamente, pero para que el encuadernador lo viera, colocó los dedos de la mano izquierda, la propia, en la posición que servía a los hermanos para reconocerse entre sí en lugares públicos. El maestro no reaccionó, aunque estaba claro que lo había visto.

—Hermano... —susurró el profesor Plankke.

—No sé de qué me hablas.

—Excelencia...

—Soy maestro encuadernador. No tengo título de Excelencia. ¡Vete de mi taller y no vuelvas, engendro!

—Por favor, maestro. Soy miembro de la Orden, casi desde su fundación. Me llamo Plankke, Osiris en la logia —hablaba en voz bajísima mientras se inclinaba hacia el otro por encima del mostrador.

—¿De dónde has salido, escoria? No sé cómo has podido inventarte tantas necedades. Eso demuestra lo escaso de tu cerebro. ¡Déjame en paz o te denunciaré a los gendarmes!

—Maestro..., hemos jurado ayudarnos en los momentos de necesidad. Tengo algo que entregar a la Orden, algo muy importante. Pero necesito ayuda.

De debajo del mostrador, maese Gruber sacó una pistola y le apuntó con ella.

—Vete de aquí y no vuelvas, ¿me has oído? Nunca. No vuelvas nunca.

Plankke salió de la tienda tambaleándose, como si estuviera borracho. De todos los escenarios posibles, el único que no se le había ocurrido era aquel. ¿Cómo era posible que lo hubiese tratado tan mal, a él, a un miembro de la Orden a la que había servido más de diez años?

Se quedó paralizado en mitad de la plaza, mirando sin ver a su alrededor. Unos días atrás, él era un respetado miembro del Collegium Academicum, un profesor apreciado por sus estudiantes, un hombre de mundo que había visto maravillas en lugares tan bellos y lejanos que parecían sacados de la imaginación. Después habían llegado la enfermedad y la muerte, pero, en lugar de descansar y ser llamado más tarde por la trompeta del arcángel el día del Juicio Final para ocupar su puesto en la vida perdurable, se había despertado en un laboratorio maloliente y todo lo que alguna vez había sido y tenido le había sido arrancado sin piedad y para siempre.

Las puertas de Nuestra Señora parecían llamarlo con dulzura. Entró en la iglesia. No tenía otro sitio adonde ir. Se cruzó con dos mujeres que salían y la expresión de terror en sus rostros lo dejó perplejo. ¿Tan horrible era? ¿Tan importante era el aspecto exterior de las personas? Ambas se santiguaron y una, incluso, le hizo una higa, el antiguo gesto para espantar al diablo que él no había visto desde su lejana infancia.

Caminó despacio hacia el altar y se arrodilló en la primera fila, anonadado. Quería rezar, pero no conseguía calmarse lo suficiente; sus pensamientos daban vueltas y vueltas en su cabeza, y las palabras del padrenuestro se confundían con imágenes en las que se veía agarrando con las dos manos la cabeza de maese Gruber y machacándola contra una piedra hasta que todo se llenaba de sangre.

Él siempre había sido un hombre pacífico, y sin embargo ahora sentía que el odio llenaba su corazón y que no podía hacer nada para cambiarlo.

Oyó unos pasos lentos que se acercaban al banco donde estaba arrodillado. No quiso levantar la vista para ver quién era, sino que se agachó más el sombrero sobre los ojos y rezó porque se alejara. No tuvo suerte.

—Debes descubrirte en la casa de Dios —dijo una voz profunda.

Sintió vergüenza por no haberlo hecho y se quitó el sombrero. Oyó con claridad la inspiración del hombre que evidenciaba su sorpresa, o su miedo. Alzó la vista hacia él y tuvo la confirmación inmediata. El sacerdote dio dos pasos atrás.

—Está a punto de empezar la santa misa. Te ruego que te marches.

Otro que lo tuteaba, como si lo conociera de siempre o fuera un niño, un sirviente o un menestral.

—¿Por qué tendría que marcharme de esta santa casa? Estoy bautizado y soy creyente.

—A esta hora vienen muchas mujeres y damas que podrían asustarse de tu presencia. Será mejor que, si quieres asistir a misa, vuelvas esta tarde, después de las seis.

—Nadie tiene por qué asustarse de mí. Soy buen cristiano.

—¡Haz lo que te digo o enviaré a alguien que no te tratará con tanta simpatía! ¿Es una enfermedad contagiosa eso que tienes?

La pregunta lo dejó de piedra. ¡Por eso le tenían miedo! Negó con la cabeza.

—He sufrido un accidente.

—Vete, hijo, vete. Dios está en todas partes. Rézale donde estés, que Él te prestará oído.

Se puso en pie, mareado. Nunca, ni en los países más lejanos y salvajes, había sufrido un trato igual. La humillación hacía que la sangre siseara en sus oídos y el corazón le latiera en la garganta.

Salió a la calle sin saber qué hacer ni adónde ir, con un vago deseo de destrucción que no se calmó cuando, al cruzarse un perro en su camino, le propinó un puntapié que lo mandó aullando al otro lado de la calle.

* * *

Después de casi veinticuatro horas sin verse ni hablarse, ya que Nora no había acudido al laboratorio para la comida del mediodía, Max estaba desesperado; igual que ella, que había estado dando vueltas y haciendo tiempo para no ponérselo fácil, pero había acabado por confesarse a sí misma que aquello era una estupidez y que tenían que encontrarse, aclarar las cosas y buscar la mejor solución para todos.

Coincidieron en la escalera de su casa cuando ella bajaba a toda velocidad para ir al laboratorio y él subía por enésima vez a ver si ella estaba en su cuarto. Se tropezaron al volver la curva que daba al descansillo y, por instinto de supervivencia, para no caer, se agarraron el uno al otro.

Durante un instante ninguno dijo nada. Se limitaron a disfrutar del contacto del cuerpo del otro, de su olor, que para Nora era en general demasiado fuerte porque las duchas brillaban por su ausencia, pero que en el caso de Max le resultaba maravilloso: un olor a él mismo, mezclado con olor a libros, a cuero y a café.

Él metió la cabeza en su cuello e inspiró hondo, como si quisiera bebérsela, mientras aumentaba la presión de sus brazos. Al cabo de unos segundos, dándose cuenta de la situación real, aflojó y se separó de ella.

—¿Adónde ibas? —preguntó.

—Al laboratorio, a buscarte. ¿Y tú?

Max sonrió.

—A tus habitaciones. A buscarte.

Nunca en toda su vida había hablado así de claro con una mujer, pero a ella no parecía hacerle ningún efecto, como si fuera lo más normal del mundo. Eso lo confundía de un modo terrible.

—Pues vamos para allá. Me muero de hambre.

Por otro lado, era facilísimo, comodísimo, poder tratarla como a un hombre, a un compañero de estudios, sin darle mil vueltas a todo ni pensar qué palabras podía usar ni cómo formular las cosas para que no se ofendiera, de modo que se encogió de hombros y la puso al día de lo que el monstruo le había contado sobre sí mismo.

—¡Vaya, ahora resulta que la criatura es mayor que nosotros, que no nos necesita para nada y que, además, es profesor! ¡Menudo monstruo nos ha salido! Oye, Max, hay algo que aún no te he contado, porque hasta ahora no había habido ocasión —captó la mirada de alarma en los ojos del chico y añadió—: nada grave, no te preocupes. Es solo que, en mi mundo, en mi tiempo, Frankenstein es muy conocido...

—¿Viktor? ¿Es conocido como científico dos siglos después?

Ella sacudió la cabeza.

—¿Científico? No, para nada. Es un personaje de una novela y de muchas películas.

—¿Qué son películas?

Nora se mordió el labio inferior con los dientes de arriba mientras pensaba cómo explicárselo.

—Como una obra de teatro, digamos. A ver... —pensó rápido qué personaje de teatro podría ser conocido por Max en el siglo dieciocho—, Frankenstein sería como..., como Fausto, por ejemplo —vio la mirada de incomprensión—, de Goethe, Johann Wolfgang von Goethe, ¿no te suena?

Max negó con la cabeza. Nora supuso que lo mismo se había equivocado de época; a ella le parecía viejísimo, pero igual era contemporáneo de Max, un joven poeta que aún no había escrito nada de importancia y al que no conocía nadie. Iba a darle entonces el ejemplo de Hamlet, o Romeo y Julieta, pero se figuró que las obras de Shakespeare seguramente tampoco le sonarían porque eran extranjeras.

—Edipo —se le ocurrió—. Antígona. Medea. —Los clásicos griegos eran casi igual de antiguos para ella que para él.

—Sí. Esos sí.

—Pues Frankenstein es algo así. Todo el mundo lo conoce, o al menos les suena. Yo he leído la novela, hace mucho tiempo, y a Heike, mi compañera de piso, le encanta. Debió de escribirse por ahora, por esta época, quiero decir, o un poco después. Es la historia de un estudiante de Medicina, Viktor Frankenstein, que crea un monstruo con pedazos de cadáveres y le da vida de un modo que no queda demasiado claro en el libro. Luego se asusta de que sea tan horrible, se da cuenta de lo que ha hecho, y sale huyendo dejándolo abandonado a su suerte. El pobre monstruo, que es bueno de nacimiento, se va haciendo cada vez más malo al sentirse abandonado y rechazado por todos, empezando por quien lo ha creado. Frankenstein no llega ni a darle un nombre, imagínate. Poco a poco empieza a aprender a hablar, a pensar..., a todo..., pero la gente se asusta de él y una vez que salva a una niña hay un malentendido, piensan que quería matarla y le disparan. Él averigua quién ha sido su creador y va a buscarlo. Cuando este lo rechaza, el monstruo mata al hermanito de Viktor y la violencia va aumentando... En fin, no me acuerdo de todo, pero sí de que la novela habla de que no debemos creernos Dios y, sobre todo, no podemos eludir las consecuencias de nuestros actos.

Cuando acabó de hablar, inspiró con ruido, como sorbiéndose la mucosidad que se le había acumulado en la nariz. Al mirarla, Max se dio cuenta de que tenía los ojos llenos de lágrimas.

Le habría gustado abrazarla, pero estaban cruzando la plaza del mercado; para todo el que los viera eran dos hombres, y había demasiada gente alrededor.

—Eso es lo que me ha pasado a mí, Max —dijo Nora en voz baja y quebrada por los sollozos que trataba de controlar—. Crucé ese pasaje pensando que sería divertido y ya ves... las consecuencias... Nunca podré volver a casa... No pensé en lo que podía suceder.

—Yo tampoco —susurró él—. Perdóname.

—¿Por qué tengo que perdonarte? Fui yo la imbécil, la que lo dejó todo para seguirte y ver qué pasaba.

—Pero yo soy el hombre. Yo debería haber calculado los peligros; no debí permitir que vinieras aquí.

—Mira, Max, no me lo hagas más difícil, ¿quieres? Deja ya lo de hombre y mujer y otras estupideces. Somos seres humanos y en paz.

—De acuerdo. Pero los seres humanos se equivocan a veces. *Errare humanum est.*

—¡Qué razón tienes! En resumen, los dos metimos la pata y ahora no nos queda otra que apechugar.

Caminaron unos metros en silencio, esquivando a la gente, que parecía empeñada en caminar en la dirección opuesta a la que llevaban ellos.

—¿Y cómo acaba esa novela?

—No me acuerdo. Creo que mal. Supongo que mueren todos. Y en las películas, esas obras de teatro que te decía..., es casi peor, porque presentan al monstruo como un ser horrible, sanguinario, puro peligro. Son películas de terror, ¿sabes? Hechas para asustar a la gente que va a verlas. A lo mejor me he tomado la cosa hasta ahora con tanta naturalidad porque me parecía estar dentro de un libro o de una película, como si lo que estaba pasando no tuviera nada que ver conmigo, ¿comprendes?

Max asintió, aunque no entendía del todo lo que Nora trataba de decirle. Para él aquello era muy real y uno de los peores embrollos en los que se había metido en su vida, que hasta el momento, y salvo la muerte de su querida madre, siempre había sido muy sencilla y convencional.

—¿Sabes? —comenzó a decir casi en la puerta de Frankenstein, aunque sabía que no le iba a dar tiempo a explicarle lo que tenía en la cabeza—. He estado pensando que tal vez, solo tal vez...

—¿Qué? Venga, hombre, no me tengas en ascuas.

—Que tal vez Frankenstein no haya huido como creemos.

—¿No?

—¿Te acuerdas de que a mí me apuñalaron y me dejaron por muerto en mitad de la calle? Pues quizá a Viktor le haya pasado igual. Quizá estemos culpándolo de falta de responsabilidad por su criatura y ahora esté muerto, mal enterrado en algún lugar.

—¿Por qué iba a estarlo?

Max se encogió de hombros.

—No se nos ocurrió ningún motivo por el que querrían matarme a mí cuando hablé con él sobre mi apuñalamiento. Pero quizá alguien quiere vernos muertos a los...

—¿A los qué?

Max cerró los ojos unos instantes. Había jurado guardar el más absoluto secreto sobre la existencia de los Illuminati a los que pertenecía desde el año anterior.

—Si ese colgante que llevas al cuello significa algo para ti, sabrás que no puedo hablar de ello —dijo muy serio—. Lo siento.

Ella lo miró, exasperada. No tenía ni idea de qué hablaba. Se llevó la mano al colgante. Era un búho de lo más normal que se había comprado en un centro comercial porque al principio del curso se habían puesto de moda y le había parecido bonito. El que simbolizara la inteligencia y fuese el animal de Atenea, la diosa griega, también le había parecido un punto positivo, pero para ella no significaba nada especial como él parecía creer.

—Bien, bien, pues nada, secreto absoluto. Si un día de estos te encuentro apuñalado en la calle, no se lo diré a nadie. ¡Déjalo! ¡No quiero saberlo! Vamos a subir, estoy muerta de hambre. Ahora nos espera una maravillosa cena con un monstruo tipo zombi y una muchacha deshonrada, por no hablar de una extraña que va disfrazada de hombre y no tiene adónde volver y un joven conde lleno de secretos y misterios y que, como es hombre, y aristócrata, lo sabe todo, y bastante mejor que los demás.

Con un bufido, dio un empujón a la puerta que Max acababa de abrir con llave y, dejándolo atrás, subió los peldaños de dos en dos sin preocuparse de no hacer ruido. Al fin y al cabo, ella ahora también era un hombre y podía hacer lo que le diera la gana.

* * *

Cuando llegaron arriba se encontraron con dos sorpresas: una agradable y una desagradable. La buena era que Sanne había hecho un guiso de cuchara que olía maravillosamente. La mala, que el monstruo había desaparecido sin dejar siquiera una nota.

—Cuando yo he llegado, ya no estaba —les explicó la chica—. ¡Menos mal! Porque la verdad es que me da un poco de miedo, a pesar de lo bien que habla y de que se nota que antes fue un caballero.

—Los que más miedo deberían darte son los caballeros, Sanne —dijo Nora, aún picada con Max—. Parece mentira que todavía no te hayas dado cuenta. Sobre todo los que son guapos y parecen príncipes.

La muchacha se mordió los labios, sorbió por la nariz y se acuclilló de espaldas a ellos para remover el guiso que había colgado de unas trébedes sobre el fuego.

—¿Y ahora qué hacemos? —preguntó Max en voz alta, aunque lo más probable era que hablase solo para sí mismo. Curiosamente, no se había dado por aludido con lo de los chicos guapos.

—Nada —contestó Nora—. Cenar y luego irnos a dormir. Si no vuelve, nos hemos librado de un problema.

—Yo tengo que asistir a una reunión a las ocho. Te acompañaré a casa a menos cuarto, si no te importa.

153

—Te lo agradezco, pero no necesito compañía de nadie, querido primo —contestó Nora con sorna—. Sé muy bien cómo llegar a nuestros aposentos y ya me voy familiarizando con la ciudad.

Ya con la boca abierta para contestarle, Max la volvió a cerrar porque la cabeza no le daba para más. Aquella mujer lo estaba volviendo loco. La mayor parte de las veces se comportaba como un hombre: hablaba cuando le apetecía, daba opiniones a diestro y siniestro, hacía lo que le daba la gana, no parecía tener miedo de caminar sola por las calles, miraba a los ojos, ponía la mano donde quería con total confianza y libertad, igual le palmeaba un hombro, que se apoyaba en él, que se le agarraba del brazo sin mirar dónde estaban; y lo peor era que a él le gustaba, que si estuviera solo con ella y no los viera nadie, le parecería maravilloso tener una compañera que se sentía totalmente cómoda llevando calzas como él y que no parecía encontrar necesario empolvarse la cara ni desmayarse de vez en cuando ni dar gritos de alarma al cruzarse con un perro callejero.

Y sin embargo..., a la vez..., le angustiaba que fuera tan poco femenina, que no le bastara con ser tratada con cortesía y caballerosidad como a él le habían enseñado que hay que tratar a las mujeres. Ella quería que le dispensaran el mismo respeto que se debe a un hombre, a un caballero, y eso, que bien mirado tenía su fundamento en el sentido de que los seres humanos poseen una dignidad igual y fueron creados por Dios, a él le resultaba dificilísimo de hacer porque, por maravillosa que fuera, Nora no era más que una mujer y jamás podría ser igual a un hombre.

154

Sanne sirvió dos platos, puso dos vasos de vino sobre la losa donde hasta hacía poco había yacido el engendro y se retiró a un rincón.

—¿Tú no comes? —preguntó Nora.

La chica la miró, espantada, y pasó la vista a Max, que ni siquiera se dio cuenta.

—Después, Excelencia —dijo al cabo de unos segundos en voz muy baja.

—Venga, por Dios, sírvete un plato y vete al rincón a comértelo si estás más cómoda, pero come, mujer.

Max levantó la vista justo cuando Sanne, obedeciendo la orden de su «primo Leo», se había retirado al fondo con un plato de guisado. Ahora Nora, no contenta con comportarse como un hombre, parecía haber decidido que tampoco era necesario respetar la tajante y necesaria separación entre amos y criados. Tendría que hablar con ella y explicarle que, si quería vivir allí, había ciertas normas de conducta que era necesario seguir a rajatabla.

Durante un rato no se oyó más ruido que las cucharas tintineando contra la loza y el crepitar del fuego. En el exterior había comenzado a nevar y la nieve se había tragado todos los ruidos de la ciudad.

—Leo —comenzó Max, tanteando el humor de Nora—, ¿tú crees en la fraternidad universal?

—Yo creo en la igualdad, y en la equidad entre hombres y mujeres, entre pobres y ricos, entre gente de todas las razas y todas las religiones. En cuanto a lo de la fraternidad..., habría que añadir también la sororidad.

—¿Cómo?

—Lo mismo, pero con las mujeres.

—Entre sí, supongo.

—No. Eso sería un convento de monjas. Fraternidad y sororidad para que todos seamos iguales frente a la ley y en nuestro trato cotidiano.

—¿Y lo de las razas y las religiones? ¿No pretenderás decir que no crees que nuestra raza es superior a la negra, por poner un ejemplo, y que nuestra religión no es superior al paganismo de otros lugares?

—Pues sí. Es justo eso lo que quiero decir. No creo que los blancos ni los cristianos seamos superiores.

Max tragó saliva ostensiblemente.

—Eso es más incluso de lo que cree mi maestro.

—Yo estoy algo adelantado a mi tiempo... —dijo ella, y un segundo después estaba riéndose casi histérica, primero por haber caído en controlarse y no soltar «yo vengo del futuro», y segundo por haberse acordado de usar el masculino al hablar de sí misma. Empezaba a pensar que acabaría por volverse loca.

—¿Te gustaría venir esta noche a una reunión de caballeros donde se discute este tipo de cuestiones?

Nora se quedó mirándolo sin poder creer lo que le decía. La risa se le cortó de un instante a otro. ¿La estaba invitando de verdad a compartir su secreto? ¿Era eso? Quizá lo había entendido mal, pero tenía que arriesgarse y aceptar su propuesta, aunque la hubiera llamado «caballero» y la llevase a la reunión bajo un nombre y un género falso.

—Será un gran honor, Maximilian —contestó con total seriedad, mirándolo a los ojos, tratando de poner su agradecimiento en esa mirada sin que Sanne se diera cuenta de nada; pero la sirvienta estaba de pie, obser-

156

vando por la ventana mientras comía de su cuenco, y por suerte no se enteró cuando Nora le regaló a Max una sonrisa que le calentó el corazón.

* * *

En una taberna de pescadores junto al río, el hombre que había sido el profesor Plankke había consumido ya su segunda jarra de vino y empezaba a sentirse agradablemente distante de todo, tanto de la realidad que lo rodeaba como de sus propios problemas, que eran muchos, demasiados.

Se había dirigido primero a la fonda que solía frecuentar cuando aún era un reputado miembro de la universidad, pero lo habían echado de malos modos. Por un momento no había sabido qué hacer, solo, humillado, temblando bajo la nieve; pero enseguida, de un modo casi milagroso, algo lo había encaminado a donde estaba ahora, un tugurio que no conocía, donde nadie había tenido inconveniente en aceptar sus monedas a cambio de una jarra de tinto. Era seguramente el hombre más feo del local, a juzgar por las miradas que le habían lanzado hasta que se habían cansado de observarlo, pero había unos cuantos más que podrían haberle disputado el título: viejos decrépitos, hombres de todas las edades con terribles cicatrices en la cara a consecuencia de algún accidente, amputados que habían sobrevivido a la operación, uno al que le faltaba un ojo y llevaba un sucio parche encima, otro que se apoyaba en una muleta de madera y en una pata de palo, alguno con la piel arrugada como una piel de cabra quemada por el fuego..., escoria humana. Sin embargo, al menos entre esa escoria había sido bien recibido, mientras que en la fonda donde se reunían los caballeros cristianos de buena reputación lo habían echado a patadas a pesar de su impecable formulación y de llevar dinero en el bolsillo.

Durante un tiempo, hasta que el vino empezó a hacerle efecto, sintió que el odio y la impotencia amenazaban con ahogarlo. Deseaba probar la fuerza de su brazo, de su puño, que nunca había sido tan fuerte como el que tenía ahora. Entre los vapores del alcohol pensó que sería bueno iniciar una pelea con alguien para ver si, con su nuevo cuerpo, era capaz de luchar y, por una vez, ganar.

Pasó la vista por la apestosa sala solo iluminada por unos cuantos candiles de sebo que daban un humo grasiento, de los que se enganchaban en la garganta y hacían toser. Un joven, sentado con otros a la mesa junto a la ventana, lo miraba embobado. El hombre que había sido Plankke se levantó trastabillando y se le plantó delante con ganas de destrozarle la cara a puñetazos.

—¿Qué diablos miras?

El chico sacudió la cabeza en una negativa.

—Nada. Es que así, al fondo donde estabas..., me habías parecido un amigo que tuve; pero no puede ser.

—¿Por qué no puede ser?

Se esforzaba por usar pocas palabras para que nadie se diera cuenta de que, a pesar de las apariencias, no era de su clase.

—Porque está muerto. —Dio un largo trago a su vaso, hasta que se acabó.

158

—Te pago uno y me lo cuentas.

Con una seña, el tabernero depositó otra jarra sobre la mesa pringosa. Plankke alcanzó un taburete y se sentó. Los otros se movieron arrastrándose por el banco de madera hasta amontonarse en la mesa de al lado. El joven se apresuró a llenarse el vaso antes de que quien lo invitaba cambiase de parecer.

—Se llamaba Michl. Era de mi edad..., sobre los dieciocho. Pescador, como yo, hasta que un señor le ofreció un trabajo de jardinero en su casa y dejó el río. Nunca le había gustado. Al cabo de un tiempo, la esposa del señor, que era joven y se aburría, empezó a perseguirlo, pero Michl no era tonto y sabía cómo acaban esas cosas, así que le dijo que no. Con toda la educación del mundo, no te creas..., aunque no le sirvió de nada. Ella le dijo al marido que Michl le había robado una joya; la encontraron en su petate, en el establo donde dormía, y lo ahorcaron. No le sirvió de nada protestar y decir que era mentira. Lo mataron. Si al menos se la hubiese tirado..., se habría llevado algo al otro mundo.

—¿Y por qué no quiso?

—Porque era tonto, ya te digo. Porque decía que, si lo pillaban, lo matarían, que es verdad, claro... A ningún señorón le gusta que su mujer le ponga los cuernos..., y por otro lado... porque le gustaba una zagala de aquí. No se atrevía a hablar con ella y sufría mucho cuando ella tonteaba con los estudiantes. Ahora ya da lo mismo. Está muerto, el pobre.

Plankke le rellenó el vaso y se sirvió otro. El chico siguió hablando.

—Pues al verte ahí al fondo..., no sé..., tu forma de moverte, tu anchura de hombros..., no sé..., me has recordado mucho a él. Ahora de cerca, no. ¿Qué te ha pasado? —Señaló vagamente hacia las cicatrices que cruzaban su rostro.

—Un accidente. En la mina. Quedé sepultado por un derrumbe.

El joven chasqueó la lengua.

—Mala suerte. ¿Y lo de los ojos?

—Nací así. Uno de cada color. —Había estado escondiendo la mano derecha para que no le preguntara por ella; por suerte era zurdo y podía servir el vino con la izquierda con toda comodidad—. ¿Cómo te llamas?

—Heinz. ¿Y tú?

—Samuel.

Los dos bebieron sin brindar, sin darse la mano ni hacerse ningún tipo de reverencia. La vulgaridad también tenía ciertas ventajas, pensó Plankke.

—No eres de aquí, ¿verdad? —preguntó Heinz—. Siendo minero...

—No. Estoy de paso. Voy hacia el sur, a ver si encuentro algo que me permita ganarme la vida. Puede que en las minas de plata del Tirol haga falta gente.

Curiosamente se sentía a gusto con aquel joven pescador, como si lo conociera de antiguo, y poco a poco el ambiente iba dejando de desagradarle; aquella taberna cada vez era más acogedora, con sus mesas oscuras y pringosas, su olor y su humo, como si todo aquello le trajese recuerdos de una vida que no era la suya.

Se levantó apoyándose en la mesa y se dio cuenta de que Heinz se había quedado dormido con la cabeza contra la pared de troncos. Le sirvió en su vaso lo último que quedaba en la jarra y salió al exterior, a un paisaje nevado tan puro que, iluminado por la luna creciente, casi hacía daño a la vista.

Desde el quicio de la puerta, el Lobo, que había ido tras él desde que por la mañana lo había visto salir de los aposentos de Frankenstein, lo siguió con la vista hasta que se perdió en la callejuela que llevaba hacia arriba. Era evidente que ya no iba a encontrarse con nadie ni iba a hacer nada de interés para su misión.

Se preguntó, como tantas veces a lo largo del día, de dónde habrían sacado a aquel engendro. No se trataba solo de que fuera espantosamente feo, que lo era, sino de que había algo en él que resultaba repugnante, ofensivo, torcido. Si él hubiese sido creyente, habría dicho que algo en ese ser era diabólico, pero como solo creía en su inteligencia, su fuerza, sus reflejos y la bolsa de dinero que llevaba bien metida en el coleto de cuero de búfalo, tachó mentalmente aquello de «diabólico» y lo sustituyó por «extraño». Muy extraño.

* * *

La reunión a la que la había invitado Max no era nada secreto ni misterioso, como ella suponía, sino un grupo de estudiantes de varias carreras, más o menos de su edad, que se veían periódicamente en una taberna llamada El Oso Gris para debatir sobre las nuevas ideas que, con ciertas dificultades, iban llegando sobre todo de Francia, también de Inglaterra e incluso del Nuevo Mundo, de los ahora llamados Trece Estados Unidos

161

de América, que hacía apenas cinco años se habían independizado del Reino de Gran Bretaña y estaban trabajando para proclamar una constitución. Max se lo explicó mientras iban hacia allá, a la luminosidad blanquecina de la luna, pisando nieve recién caída que sonaba como si caminaran sobre galletas crujientes. Hacía frío, pero Nora se sentía como inmersa en un paisaje mágico, como si estuvieran los dos metidos en un pisapapeles de cristal. Le habría apetecido mucho más seguir paseando solos, de la mano, besarse otra vez, en lugar de ir a discutir cosas que para ella serían evidentes pero que le costaría un mundo que ellos aceptaran; aparte de que tenía miedo de que Max, que ahora estaba radiante, volviera a molestarse por alguna de sus opiniones o porque no había formulado lo dicho con el debido respeto. Se hizo el firme propósito de hablar lo menos posible. Ver, oír y callar, aunque se conocía lo bastante como para saber que eso de callar dependería mucho de las tonterías que tuviese que aguantar.

Al cabo de una hora y dos jarras de vino compartidas entre seis, a Nora/Leo empezó a olvidársele lo que se había prometido a sí misma; además, a Max no parecía importarle que expresara sus ideas frente a sus amigos, y eso la animó a ir participando con alguna que otra opinión.

Franz estaba diciendo que los «americanos» (las comillas eran claramente audibles cuando pronunciaba la palabra) debían de estar locos de atar, porque había oído comentar que pensaban que los hombres tenían derecho a ser felices y así se lo habían escrito al rey de Inglaterra en su Declaración de Independencia.

—¿Cómo va a ser un derecho la felicidad? —preguntaba, claramente sin esperar respuesta—. Las Sagradas Escrituras dicen bien claro que este mundo es un valle de lágrimas. Los hombres tenemos que ganarnos el pan con el sudor de nuestra frente y las mujeres deben parir con dolor. La felicidad, si existe, es el premio que tendremos en el Cielo.

—A mí también me parece una estupidez o, mucho peor, una imperdonable frivolidad —dijo Ferdinand, que era suizo como Frankenstein.

—Lo más probable es que no sea cierto que hayan escrito una cosa semejante en la Declaración de Independencia —intervino Max—. La gente inventa toda clase de despropósitos.

—Sí que es cierto —replicó Nora, casi mordiéndose la lengua al darse cuenta de que ya había hablado y los otros cinco la miraban. Notó que era necesario dar algún tipo de explicación y continuó, improvisando a lo loco—. El mejor amigo de mi padre es jurista y los oí hace poco comentar la Declaración de Independencia de los Trece Estados. Si queréis, puedo citaros el texto.

—¿De memoria? —preguntó Friedrich, que estudiaba jurisprudencia—. ¡Bravo! ¡Te escuchamos!

Para Nora la cosa era muy fácil porque, al ser su padre estadounidense y haber vivido en Nueva York durante la mayor parte de su adolescencia, se sabía de memoria la frase concreta que Lincoln pronunció en su discurso de Gettysburg, aunque eso fue casi un siglo más tarde. Esperaba que no le hicieran muchas preguntas, pero con no nombrar a Lincoln, listo. Si

163

le pedían más detalles, aún recordaba que el mayor impulsor de la independencia fue Thomas Jefferson.

Se aclaró la garganta, recordó la frase completa y la fue traduciendo del inglés original:

—«Sostenemos como evidentes estas verdades: que los hombres son creados iguales; que han sido dotados por su Creador de ciertos derechos inalienables; que entre estos están la vida, la libertad y la búsqueda de la felicidad». Así que, como veis, por una parte es cierto, pero no están locos, porque lo que postulan es que los seres humanos tenemos derecho no a ser felices, eso sería efectivamente una estupidez, pero sí a buscar nuestra felicidad y a luchar por ella. A mí eso me parece perfectamente razonable.

—¿Los «seres humanos» has dicho, Leo?

—Claro. ¿O piensas que solo los hombres tienen derechos? —A pesar de que sabía que se estaba metiendo en un terreno peligroso, Nora se dejó llevar.

—¿Te refieres a que los hombres y las mujeres deberían tener los mismos?

—Evidentemente.

Paseó la vista por todos los rostros masculinos, que la miraban sin expresión.

—¿Qué es lo que os extraña tanto? —preguntó por fin.

—Nada, nada... —fueron contestando.

Franz se levantó de la mesa y se perdió hacia el fondo; Friedrich fue a buscar al patrón para pedir más vino; Ferdinand empezó a preguntarle a Max y a Simon si sabían algo de las nuevas bulas que habían sido autorizadas por Roma para comer carne durante la Cuaresma y que resultaban más asequibles que hasta la fecha.

Nora estuvo a punto de levantarse para ir al lavabo, cuando se dio cuenta de que era imposible. No había lavabo. En aquella taberna solo entraban hombres y, cuando tenían una necesidad, iban al patio y orinaban de pie, contra una de las paredes; ya lo había advertido la última vez que habían ido Max y ella a comer en una fonda. Tendría que aguantar hasta que volvieran a casa. No era plan salir, bajarse los pantalones y acuclillarse sobre la nieve temiendo todo el tiempo que apareciese alguien y descubriera que era mujer.

Después de otra ronda en la que dejó hablar a los chicos y no entró al trapo cuando se debatió el término de «igualdad» como la concebían en los escritos franceses que les habían llegado recientemente, salieron a la calle bastante tocados por el vino que habían consumido. Simon y Ferdinand caminaron con ellos durante un par de calles y luego se separaron a la altura de la Moritzkirche.

—Lo siento —dijo Nora antes de que Max empezara a reprocharle su intervención—. Me he dejado llevar, pero me revienta esa superioridad masculina, como si hombres y mujeres fuéramos dos tipos distintos de animales.

—La verdad es que has estado muy bien, Leo. Lo de saberte de memoria ese párrafo me ha impresionado. No sé cómo puedes saber tantas cosas.

—Ya te irás dando cuenta... —bromeó ella.

—¿Sabes? No dejo de darle vueltas a cómo es posible que Frankenstein se haya convertido en tu época en un personaje conocido, y no por sus logros científicos sino por su desgraciada actuación con ese pobre ser.

—¿Quieres que te cuente lo que sé sobre quien escribió su historia?

—Con gran placer.

Las calles estaban desiertas, la nieve iluminada por la luna hacía brillar la ciudad, se oían a lo lejos los golpes que el sereno daba con su bastón contra las esquinas, la campana de Nuestra Señora la Bella dio las once.

Nora trató de reunir todos los datos que tenía, que no eran pocos, porque Heike era una gran admiradora de *Frankenstein* y, como precisamente en 2018 se cumplían doscientos años de la publicación de la novela, iba a participar en un festival con música y disfraces que se estaba organizando para el verano. Le había contado mil cosas y ella ahora tan solo tenía que resumirlas para Max.

—Verás..., hace más de doscientos años, en el verano de 1816 —el muchacho dio un respingo al darse cuenta de que lo que ella le contaba como si fuese un pasado remoto estaba aún en el futuro para él—, varios poetas ingleses se fueron de vacaciones al lago de Ginebra, en Suiza.

—¿Qué son vacaciones?

—Tiempo de ocio —dijo ella sin inmutarse; ya empezaba a acostumbrarse a que las cosas más normales fueran desconocidas para Max—. Dos de ellos ya eran famosos en su época —prosiguió—, y ahora se les considera entre los grandes poetas ingleses de todos los tiempos: Lord Byron y Percy Bysshe Shelley.

—Y seguramente ni siquiera han nacido todavía, por eso no me suenan de nada —añadió él, pensativo.

—Eran cinco en el grupo, si mal no recuerdo: estos dos poetas; el secretario de Lord Byron, que se llamaba Polidori; y dos chicas que eran hermanastras, Claire Clermont y Mary Godwin.

—¿Sus esposas? ¿También poetas? —preguntó, sorprendido.

—No. Las dos escribían, pero más bien cuentos y novelas; y en aquellos momentos las dos eran amantes de los dos hombres: Claire, que estaba embarazada de Byron, y Mary, que se había fugado con Shelley; luego, cuando la mujer de este se suicidó, se casaron.

—Nora, te lo ruego, no me cuentes más de esas despreciables personas. No quiero saberlo. No me extraña nada que mi amigo haya sido calumniado de ese modo por una gente sin principios ni moral.

—Puedes estar tranquilo —dijo Nora, tratando de ocultar su sonrisa. Le resultaba entre ridícula y tierna la mojigatería de Max, pero no quería que él lo notara—. Cuando Mary escribió su novela, ya se había casado, era una mujer respetable y se llamaba Mary Shelley. Se inventó esa historia porque aquel verano hizo un tiempo horrible; resulta que al otro lado del mundo, en el océano Pacífico, explotó una isla volcánica y durante un año toda la atmósfera del planeta estuvo cubierta de una fina capa de ceniza que ocultó el sol y provocó fríos y lluvias. A 1816 se le llama «el año sin verano». El caso es que estaban siempre metidos en casa porque no se podía salir a la montaña, ni pasear en barca por el lago, ni hacer meriendas campestres. Se dedicaron a leer y a contarse historias —estuvo a punto de decirle que también a tomar láudano, que era una droga derivada del opio muy consumida en esa época, y a todo tipo de diversiones sexuales, pero decidió callárselo para no escandalizar a Max—, y una noche a Byron se le ocurrió que podrían escribir una historia de terror cada uno de ellos para luego leerlas en voz alta y dar un premio a la mejor. Al final, los únicos que escribieron algo fueron Polidori y Mary. Ella escribió *Frankenstein o El moderno Prometeo*, la novela que se publicó en 1818 y que hoy en día, bueno, quiero decir en mi época, en 2018, se sigue leyendo todavía. Sin embargo, nadie sabe que Frankenstein fue una persona real.

—No puede ser casualidad que la señora Shelley haya escrito algo que se parece tanto a la realidad de mi amigo Viktor.

—¿Quién sabe? Quizá ese verano de 1816 le presentaran al Viktor Frankenstein real y él le insinuara algo de su historia.

—Dentro de treinta y cinco años.

Los dos se sintieron sacudidos por un escalofrío. Para esa fecha, ambos tendrían más de cincuenta años. «Si aún estamos vivos», pensó Max, recordando a sus padres, que no habían llegado a vivir tanto.

Nora sacó la llave y entraron, cuidando de no hacer ruido. A Max le resultaba increíble lo rápido que se había acostumbrado a estar con ella, llegar a casa juntos, charlando de todo lo humano y lo divino, lo bonito que era tener una compañera a quien confiarle todo lo que pasaba por su mente y por su corazón. Hacía tiempo que no se sentía tan feliz. De hecho, nunca en la vida había experimentado esa sensación que tenía ahora de estar completo cuando se hallaba junto a ella.

Al no tener hermanos y por causa de su carácter retraído y libresco, siempre había estado solo y había aprendido a disfrutar de su soledad. Sin embargo ahora..., cuando pensaba en tener que prescindir de la compañía de Nora, algo dentro de su alma se retorcía de puro dolor y estaría dispuesto a cualquier cosa por evitarlo.

—¿Te importa que pruebe otra vez? —susurró ella al pasar por delante de la alacena.

Intuía que todo seguiría igual, pero no podía dejar de intentarlo, de modo que se escurrió por delante de Max, entró en el cuarto y, con los brazos extendidos, dio el par de pasos que la llevaron a la pared del fondo. Se dio la vuelta y regresó, esta vez sin llorar.

—¿Nada?

—Nada.

En la casi total oscuridad, él la abrazó.

—Me alegro —le musitó al oído—. No soportaría quedarme sin ti.

Se besaron con dulzura. Una vez, y otra, y otra.

—Anda —dijo ella, separándose un poco de Max—. Vamos arriba.

Algo en su voz le dejó claro que Nora no hablaba de separarse al llegar al primer piso para que cada uno se retirase a su aposento.

—¿Estás segura?

—Sí. Claro que sí.

Subieron en un silencio total, de la mano, notando los latidos del corazón.

—Espera. —Al llegar al descansillo del primer piso, Max volvió a abrazarla, apenas un instante;

luego dobló una rodilla, le tomó la mano y, aunque apenas podía verla, le dijo en voz baja—: ¿Me harás el honor de concederme tu mano? ¿Serás mi esposa, Eleonora?

Nora sabía que aquello era una locura, pero no podía evitarlo porque, aunque era absurdo haberse enamorado de un chico doscientos años más viejo y tener que vivir en una época en la que las mujeres eran prácticamente propiedad de los hombres, tenía que confesarse a sí misma que así era. Se había enamorado como nunca en su vida y no podía imaginarse nada mejor que estar con Max para siempre.

—Sí —susurró—. Me casaré contigo; pero que quede claro que jamás te juraré obediencia. Lo demás sí; obediencia no.

Él se puso en pie, volvió a abrazarla y la besó delicadamente en los labios, pero antes de que pudiese decir nada la puerta del cuarto de Nora/Leo se abrió violentamente y la luz de un farol les hirió los ojos, a la vez que el inconfundible sonido de una espada saliendo de la vaina hizo que Max abrazara más fuerte a Nora y tratase de protegerla con su cuerpo.

En cuanto se acostumbraron a la luz, lo que vieron los dejó desconcertados: dos alguaciles del retén, un sacerdote y un tipo alto y fuerte, de pelo y barba grises y sonrisa de lobo los contemplaban con diferentes expresiones de asco.

—¡Daos presos en nombre del rey y de la Santa Madre Iglesia! —casi gritó uno de los dos alguaciles.

—¿Acusados de qué? —preguntó Max con enorme frialdad.

—¿No os parece evidente? De sodomía —contestó el sacerdote con una mueca de desprecio—. Todos los aquí presentes hemos sido testigos de vuestro pecado. ¡Dos hombres abrazados en la oscuridad y a punto de entrar en un dormitorio!

—Hay una explicación —intervino Nora, soltándose de Max.

—¡No, Leo! ¡Calla, te lo ruego! ¡Déjame hablar a mí! —Luego se enfrentó a sus captores—. Soy el conde de Hohenfels y no sufriré que ni yo ni mi primo seamos tratados como villanos. Exijo la presencia del profesor Weishaupt. Él hablará por nosotros.

El nombre del famoso catedrático de Derecho Canónico hizo que volviese un ligero respeto a los rostros de los alguaciles y del sacerdote, no así al del cabello gris, que continuaba con la sonrisa lobuna con que los había recibido mientras acariciaba la empuñadura de la daga que llevaba al cinto, una daga y un gesto de buscavidas, igual que el coleto de cuero que le cubría el torso y el sombrero de ala ancha que ocultaba gran parte de su rostro.

—Por el momento, pasaréis la noche en el retén de guardia —dijo el sacerdote—. Mañana temprano los alguaciles irán a hablar con el profesor. Después ya se verá. ¡Andando!

—¿No pensáis darme ninguna recompensa por haber señalado el pecado nefando en nuestra misma ciudad? —preguntó el buscavidas.

—Vuestro premio es la satisfacción de haber obrado bien, hijo mío. Id con Dios.

El hombre se inclinó frente al sacerdote, barriendo el suelo con el ala de su sombrero, pero tanto Nora como Max vieron que su expresión no era precisamente sumisa. Volvió a colocarse el sombrero, se envolvió en su capa y salió antes que ellos, lanzándoles una mirada que los dejó confusos, mezcla de diversión y peligro.

Cuando bajaban las escaleras, Max aprovechó para susurrarle a Nora:

—No digas la verdad, Leo. En ningún caso. No soportarías el castigo. Confía en mí.

Un gruñido por parte del alguacil puso fin a sus palabras.

Luego salieron a la calle, al frío y a la nieve que ya empezaba a endurecerse.

8

El Lobo desmontó delante de la taberna donde lo esperaba el hombre que lo había contratado. Era un tugurio pegado a la muralla de la ciudad donde solo acudía escoria y gente que se llevaba asuntos entre manos que no eran precisamente limpios. No obstante, tenía la ventaja de que aún estaba intramuros y no era necesario ni sobornar a la guardia para poder acudir a la fonda de fuera de la ciudad donde se alojaba aquel señoritingo, ni esperar al día siguiente para darle noticia de lo sucedido. El hombre tenía mucha prisa por saber qué había pasado; Wolf esperaba que se diera la misma prisa en pagarle. Así podría largarse enseguida y poner rumbo a Italia. Llevaba demasiado tiempo ya en la zona de Baviera y empezaba a resultar conocido, lo que no le convenía en absoluto, porque la fuerza de alguien de su profesión estribaba, entre otras cosas, en ser lo más discreto posible.

El interior apestaba a humanidad, a humo y a grasa, y la mayor parte de los candiles se había consumido ya sin que nadie pensara en rellenarlos porque estaban a punto de cerrar. No había más que cuatro o cinco borrachos dormitando en los bancos de madera y un hombre de manos blancas con un buen abrigo. La capucha ribeteada de piel de zorro le cubría el rostro casi por completo, pero era evidente que se trataba del mismo que le había dado el encargo.

Se sentó enfrente de él sin esperar su señal, lo que hizo que los labios del hombre se contrajeran en un rictus de enojo.

—Misión cumplida —dijo sin saludar siquiera—. Los dos pajarillos se encuentran en la jaula en estos mismos momentos.

—Bien. ¿Y ahora?

—Ahora ya no está en nuestras manos. Con suerte, es la hoguera. Con menos suerte, flagelamiento público. De todas formas quedará deshonrado y, por ende, será desposeído de sus títulos y privilegios. Si lo que pretendéis es destruirlo, lo habéis conseguido.

—Estaría más tranquilo si estuviese muerto.

—Se puede arreglar. La elección es vuestra.

—Hummm... —El hombre quedó pensativo, con la barbilla apoyada en los nudillos de la mano en la que destellaba una gran piedra preciosa.

—Por el momento —continuó el Lobo— quiero cobrar mis servicios mientras pensáis si vais a necesitar alguna otra cosa.

—¿Cobrar? —El hombre parecía genuinamente sorprendido—. ¿En qué concepto? Eres un simple asesino y no has matado a nadie, que yo sepa. ¿Por qué tendría que pagarte?

Wolf sacó la daga con naturalidad, como si le molestara al inclinarse, la puso sobre la mesa y lo miró.

—Yo os sugerí cómo quitaros de encima a ese muchacho sin correr el peligro de ser acusado de asesinato de un familiar. Os avisé de que tenía un precio.

174

—No lo recuerdo. —Se acabó de un trago el vino que le quedaba en el vaso—. Te avisaré si por fin decido que necesito tus servicios. Ahora voy a retirarme.

Se puso en pie, sacó un par de piezas de cobre de la bolsa y las dejó sobre la mesa, mirando retadoramente al Lobo, que no había cambiado de expresión.

En cuanto dio el primer paso para alejarse de la mesa, el asesino, rápido como un relámpago, atravesó con su daga el manto del hombre y la clavó en la madera del banco, lo que lo hizo tropezar, le arrancó el abrigo de los hombros y lo dejó de rodillas en el suelo, con una expresión de perplejidad que resultaba casi cómica. Luego, le pasó el brazo por el cuello y tiró hacia atrás, acercándolo hacia su cuerpo.

—Mi dinero —dijo Wolf a su oído en voz baja, casi suave—. Si no me pagas, no saldrás vivo de aquí.

El hombre echó un vistazo a su alrededor: los borrachos roncaban, el patrón no estaba, los candiles se estaban apagando. Mordiéndose los labios, empezó a tironear de los cordones de la bolsa, metió la mano dentro y sacó una moneda de plata. El Lobo sonrió. Con total fluidez, de un solo gesto, le arrebató la bolsa de cuero y se la guardó debajo del coleto.

—Ahora ya podéis retiraros, gran señor. La cuenta está saldada.

Sacó la daga de la madera y, sin dejar de sonreír, rasgó la tela hasta el mismo borde de piel.

—Vuestro manto. ¡Vaya! Tendréis que hacerlo arreglar, aunque estoy seguro de que dispondréis de hábiles costureras a vuestro servicio a las que tampoco estaréis pagando el salario justo.

A punto de explotar de rabia, pero sabiendo que no podía enfrentarse a un asesino profesional, el hombre se echó el manto por los hombros en silencio.

—Y no me busquéis para el siguiente encargo. Acabo de decidir que mi daga ya no está a vuestro servicio.

* * *

En el calabozo donde los habían encerrado, Max y Nora estaban encadenados al muro, uno al lado del otro, pero lo bastante lejos entre sí como para que no pudieran tocarse.

El nombre del profesor Weishaupt y el título esgrimido por Max no habían sido suficientes para evitarles las cadenas, pero sí para permitirles disponer de un banquito de madera que, por una parte, les ahorraba tener que sentarse sobre las heladas losas de piedra y, por otra, les permitía tener los brazos a una altura razonable. Si les hubiesen cerrado las argollas estando sentados en el suelo, al cabo de media hora el dolor de los brazos y los hombros los hubiese vuelto locos.

La oscuridad era casi total, aunque por el ventanuco se colaba algo de luz de luna, tan blanca y helada como la nieve que cubría la ciudad. El frío era terrible en la celda.

—¿Quién es ese profesor que has pedido que venga? —susurró Nora al cabo de un rato, cuando se convenció de que estaban realmente solos y, al menos de momento, iban a seguir así.

—Una eminencia en derecho canónico.

—¿Y de qué lo conoces?

Max se mordió los labios.

—No estoy en libertad de decírtelo.

Nora puso los ojos en blanco de fastidio.

—Se llama Weishaupt, ¿no? ¿Adam Weishaupt?

—Sí.

—El gran maestre de los Illuminati.

Si Nora hubiese podido ver con claridad la expresión de asombro de Max, se habría echado a reír.

—¡Shhh! —exclamó él, mirando a la puerta de la celda, alarmado—. ¿Cómo lo sabes? ¿Quién te lo ha dicho? No puedes saber eso, y menos siendo mujer. Es secreto. Solo lo sabemos los iniciados.

—Siempre te olvidas de dónde vengo.

—Pero..., pero... ¿cómo?

—Estudio en la Universidad de Ingolstadt, así que antes de matricularme estuve leyendo su *home page*..., bueno, las informaciones generales sobre la historia y lo más relevante de la institución a la que pensaba pertenecer. Ahí me enteré de la existencia de esa Orden y unas cuantas cosas más, como que dentro de un par de años será disuelta.

—No es posible.

—Si no recuerdo mal, en 1784 o 1785. Dentro de tres o cuatro años. Pero ahora lo que más me importa es qué vamos a hacer y por qué no puedo simplemente decir que soy una mujer y que estamos prometidos.

—Porque el castigo por llevar ropa del otro sexo es una pena de azotes, o bastonazos o latigazos a los que no sobrevivirías, además del escarnio público. De todas formas, en cuanto consiga entrevistarme con el profesor, le explicaré la situación y haremos lo que él nos aconseje. Quizá la pena no sea tan terrible aquí en Baviera, o quizá a él se le ocurra una solución mejor.

—Y si nos condenan por sodomía, ¿qué puede pasar?

—Nos quemarían vivos, en la plaza pública.

—¿Por ser homosexuales? —Nora estaba escandalizada.

—Nunca había oído esa palabra, pero sí, ese es el castigo cuando dos hombres tienen relaciones... íntimas.

—¡Qué animalada!

—La Iglesia católica considera que no hay pecado peor que ese.

—Pues entonces vamos a dejarnos de tonterías. Prefiero que me azoten a que me quemen.

—Esperaremos a Weishaupt.

—¿Y si no viene?

—Vendrá. No es solo una cuestión privada. Está claro que alguien quiere destruir nuestra logia o incluso nuestra Orden.

—¿Quién?

—Los jesuitas, los masones, los rosacruces, los de la Hermandad de la Rosa..., hay muchas posibilidades. Tenemos muchos enemigos. Ya han matado a un hermano nuestro, Frankenstein ha desaparecido, a mí también intentaron matarme, y ahora esto. No puede ser casualidad.

—¿Erais todos de la misma logia?

—Sí.

Se oyó ruido de cadenas en el pasillo y ambos guardaron silencio, pero nadie abrió la puerta y suspiraron, aliviados. Movieron los brazos y los hombros para mitigar el dolor que empezaban a sentir y tratando de entrar un poco en calor. Luego volvieron a quedarse quietos.

—¿Puedo hacerte una pregunta? —dijo Max en voz muy baja al cabo de un rato, cuando Nora casi se había dormido con la cabeza apoyada en la pared.

—Claro —contestó, adormilada.

Él carraspeó varias veces antes de hablar.

—¿De verdad te habrías entregado a mí antes, en casa, aunque no estemos aún casados?

Nora sonrió en la oscuridad, contenta de que él no pudiera verlo.

—Sí, Max.

—¿Por qué?

Ella sabía la respuesta y, sin embargo, no lograba decidir cuál era la mejor manera de formularla, así que acabó optando por la más sencilla y probablemente la más sincera.

—Porque te quiero.

—¡Ah! —Hubo un silencio en el que él trataba de organizar en su mente toda la información, esforzándose por no juzgarla como lo habría hecho de tratarse de una mujer de su propia época. Ella era tan clara, tan directa... No debía de saber que una joven no dice nunca «te quiero» si no lo ha dicho primero el hombre. La pobre era tan inocente que, si no hubiese dado con él, cualquiera podría aprovecharse de ella y destruir su reputación. Por fortuna, él estaba dispuesto a protegerla a toda costa, de modo que acabó por decir—: Yo también te quiero, Nora, pero me habría gustado hacer las cosas más despacio, como se debe. No deseo causarte ningún daño.

—Yo... confío en ti, Max —dijo ella, sabiendo que era lo que él más necesitaba en ese momento—. Sé que puedo confiar en ti. Y ahora... déjame dormir un rato, por favor.

—Te sacaré de aquí como sea, Nora. Te lo juro.

* * *

Sanne se despertó temprano. Por primera vez en su vida no tenía nada concreto que hacer, así que volvió a estirarse en la cama (la mejor cama en la que había estado nunca) y trató de dormirse de nuevo. La ciudad debía de estar nevada, a juzgar por el ruido sordo que hacían los cascos de las caballerías, y una luz grisácea entraba por la ventana. Tenía la punta de la nariz helada y las orejas bastante frías a pesar del gorro, pero debajo del edredón se estaba caliente, de modo que no le apetecía salir de allí. Se levantaría más tarde, subiría al laboratorio y empezaría a poner algo para el almuerzo; quizá unas lentejas con verdura y un poco del jamón ahumado que Su Excelencia le había mandado comprar.

Había tenido mucha suerte, sobre todo con el más joven de los primos, que se había convertido en su protector. Esperaba que su ayuda durase los meses necesarios para poder tener a su hijo en paz; luego, ya se vería. Por su gusto, se quedaría con el bebé, aunque no creía que fuera posible. Nadie quería tener a su servicio a una madre soltera, y nadie querría casarse con una muchacha que iba a tener un hijo de otro. Tendría que dejarlo en un convento o, si tenía suerte, se lo quedaría algún matrimonio sin hijos y lo criaría como propio.

Como todos los días, se llamó tonta un montón de veces seguidas por haber creído en las promesas de aquel señoritingo que ahora no quería saber nada de ella ni del niño que iba a nacer, a pesar de que fuera su propio hijo. ¿Cómo podían ser tan crueles los hombres? Dar vida, y negarse a cuidarla y protegerla. Ni los animales tenían tan mala hiel.

Sin embargo, era lo que también había hecho el estudiante Frankenstein: dar vida y abandonar a la criatura a su suerte. Despreciable.

A ella le daba bastante grima esa monstruosa criatura, pero no era ella quien la había creado, así que tampoco tenía ninguna obligación; y sin embargo le sabía mal ser tan mala cristiana y no ir a ofrecerle su ayuda.

A pesar de lo bien que se estaba bajo el edredón y del frío que hacía fuera, se levantó, se vistió deprisa casi tiritando y, después de lavarse en la palangana la cara y las manos, sacó el orinal de debajo de la cama, lo tapó con el delantal y lo llevó a la ventana de la escalera para vaciarlo en el patio. Se aseguró de que no hubiera nadie abajo y vertió su contenido lo más cerca que pudo de la pared. Volvió a guardarlo bajo la cama y, reuniendo todo su valor, subió las escaleras dispuesta a ofrecerle al monstruo algo de desayunar, llamándose estúpida por dentro. ¡Para una vez que no tenía mil cosas que hacer nada más levantarse y que no había nadie gritándole ni llamándola perezosa...!

En fin, no podía evitarlo. Estaba claro que había nacido para trabajar, y además ya tenía hambre.

Abrió con cuidado, deseando que estuviera dormido y poder comerse su mendrugo de pan con tranquilidad; aún quedaba un poco de manteca con chicharrones y la boca se le hacía agua solo de pensarlo.

Tumbado delante de la chimenea apagada, el extraño ser yacía envuelto en una capa y tapado con una manta que ella no había visto nunca; al menos parecía estar durmiendo. El laboratorio estaba aún más frío que el dormitorio del que venía; casi habría preferido irse a la calle donde el aire tendría buen olor, pero le habían mandado salir lo menos posible y no pensaba incumplir las órdenes. Cuando llegaran los señores, ya les pediría permiso para ir a misa; de momento no había más remedio que quedarse allí.

No por primera vez en la vida se le ocurrió lo maravilloso que sería saber leer y poder sentarse en el sillón, bien envuelta en el edredón de la cama, a leer un libro que le contara cosas de lugares lejanos y de las aventuras que corrían los héroes más allá de las murallas de Ingolstadt; pero leer era un lujo reservado a los nobles y a algunos burgueses, y casi no había mujeres, por muy damas que fueran, que supieran hacerlo.

Se puso a roer el mendrugo de pan con manteca sin quitar ojo a la chimenea y al bulto que yacía delante. ¿Podría intentar rodearlo, acuclillarse y hacer un fuego, aunque fuera uno pequeño, para no morirse de frío y que luego le sirviera para ir poniendo la comida? ¿O sería demasiado pronto y gastaría demasiada leña? ¿Y si despertaba al monstruo? No quería tener que mirarlo, no quería que le hablara; le daba miedo estar con él sin nadie más alrededor, aunque el día antes se había dado cuenta de que, a pesar de su horrible aspecto, era un hombre educado.

De todas formas, ella llevaba tanto tiempo sirviendo en una taberna a la que acudían estudiantes y profesores que sabía muy bien que eso no significaba mucho. Había muchos hombres educados que trataban a las mujeres peor que a los animales y pensaban que tenían derecho a todo, solo porque ellos eran hombres y ella no tenía a nadie que la defendiera.

Al cabo de un rato, sin embargo, cuando ya no le quedaba nada que roer, se levantó de la silla y se fue acercando poco a poco a la chimenea, cuidando de no hacer ruido sobre el suelo de madera. Acababa de decidir que haría ese fuego. Seguro que al monstruo también le venía bien un poco de calor, y los señores lo trataban con bastante consideración, lo que quería decir que no se enfadarían si se daban cuenta de que había usado más leña de la que era estrictamente necesaria para hacer la comida.

Rodeó al monstruo, se acuclilló frente al hogar y empezó a armar la construcción de troncos que mejor garantizaría un fuego constante y duradero. Lo prendió y se quedó mirándolo, feliz, notando su calor en la cara.

De pronto, si saber cómo, dos zarpas la levantaron por la cintura y se vio tumbada encima del hombre, mirando sus ojos de distintos colores y las terribles ojeras casi negras que los rodeaban. El aliento le olía horriblemente a vino barato y a vómito. Debía de haberse emborrachado la noche anterior.

—Vaya, vaya —dijo con voz espesa—. ¡Qué buena forma de empezar el día! Una palomita que ha venido a despertarme. Lo primero bueno que me pasa desde hace siglos.

Ella se puso a patalear, luchando por soltarse de las garras que la tenían apresada y habían empezado a pasearse por la parte de detrás de su cuerpo.

—¡Suéltame, suéltame! Me haces daño. ¡Déjame en paz! ¡Gritaré! ¡Gritaré hasta que venga alguien!

El monstruo se echó a reír.

—¿Aquí? ¿Aquí quién va a venir, estúpida? ¿La patrona? ¿A salvar a una cualquiera que ya sabe lo que es un hombre a pesar de ser soltera? No me hagas reír... Has hecho bien en encender un fuego..., así pasarás menos frío cuando te desnude.

A punto ya de ponerse a gritar, el monstruo giró sobre sí mismo y Sanne se vio aplastada por su enorme peso. Más allá de todo lo horrible que pudiera hacerle, lo único que pensaba era «que no intente besarme, por favor, que no me bese», mezclado con «que no le haga daño a mi niño». Ella sacudía la cabeza de lado a lado y, cuando quiso lanzar un grito, la mano izquierda del monstruo, la grande, se estrelló contra su boca haciéndola sangrar.

—Estáte quieta, polvorilla. Nadie te va a salvar de esto. Y ya sabes que no es tan malo. Si te estás quieta, terminaremos antes y no tendré que pegarte.

—¡¡¡Noooo!!! —consiguió gritar.

¿Por qué no venían los señores? ¿Por qué no podía abrirse la puerta para que entraran los dos primos, tan elegantes y tan buenos? ¿Por qué la habían dejado sola

184

con un monstruo, pensando que, solo porque en otra vida había sido catedrático en la universidad, era una buena persona?

La otra mano del monstruo se aferraba a la tela de su falda, tratando de levantarla. Sanne seguía debatiéndose, arañando todo lo que podía, gritando cuando la mano que le tapaba la boca le dejaba un mínimo resquicio. Pensó que podría matarla, pero en ese momento le daba igual. Solo quería defenderse hasta donde pudiera.

El monstruo comenzó a gruñir, como si estuviera luchando también por dentro con algo que le molestara profundamente. De repente, se dio la vuelta, quitándose de encima de ella como si alguien le hubiese dado un empujón, a pesar de que no había nadie.

Ella aprovechó para ponerse en pie mientras él se debatía en el suelo, gruñendo y lanzando mordiscos, con los ojos en blanco. Sanne había visto una vez en la taberna a un hombre que había tenido un ataque en el que le salía espuma por la boca. Ahora el monstruo estaba sufriendo algo similar y ella no pensaba ponerle un palo entre los dientes como había visto hacer a los estudiantes de Medicina que lo atendieron. Si se mordía la lengua, tanto mejor.

Con la espalda pegada a la pared, fue deslizándose hacia la puerta sin quitarle ojo al ser que se retorcía en el suelo, tratando de ponerse de pie sin conseguirlo.

—¡Sal de aquí! —lo oyó decir, como si hablase consigo mismo—. ¡Déjame, demonio!

Sanne se santiguó, con los ojos a punto de salírsele de las órbitas por el terror. ¡Aquel ser estaba poseído por otro peor! ¡Frankenstein había animado a un cadáver poniendo en su interior a un diablo! ¡Por eso la había atacado de ese modo! Tenía que ir a buscar a los señores, tenía que decirles lo que estaba ocurriendo. Ya no podían quedarse allí y disimular lo que había hecho aquel estudiante. ¡Por eso se había marchado! De puro terror de las consecuencias de sus actos.

Llegó hasta la puerta, la abrió y echó una última mirada al interior. El monstruo había conseguido ponerse de rodillas y ahora, de golpe, incomprensiblemente, la observaba con una expresión totalmente diferente en su horrible cara. Una expresión que podría llamarse dulce.

—¡Sanne! ¡Márchate! —dijo con una voz distinta a la que ella le conocía—. ¡Márchate y no vuelvas sola!

Luego se derrumbó de nuevo sobre la alfombra y quedó inmóvil.

Sanne huyó por las escaleras, confusa y aterrorizada.

* * *

Max y el profesor Weishaupt llevaban ya dos horas reunidos en una habitación del ayuntamiento, dos pisos más arriba del calabozo donde habían estado retenidos, cuando entró un alguacil, se inclinó hacia el oído del catedrático y le susurró algo.

—¿Conocéis por casualidad a una muchacha llamada Sanne? —preguntó el profesor a Max.

—Sí. Es una sirvienta mía. Debe de haberse enterado del asunto y habrá venido a ver si necesitamos algo que ella nos pueda traer.

186

—Parece que es algo más que vuestra sirvienta... No tengo que recordaros vuestro juramento de no faltar jamás a la verdad. —La expresión del profesor era severa.

—No sé qué queréis decir, doctor.

—Por lo que me acaba de decir el alguacil..., la muchacha... acaba de confesar que espera un hijo vuestro.

A Max se le desencajó la cara.

—Miente.

—¿Estáis seguro?

—Por supuesto que estoy seguro.

—A veces..., ya sabéis..., una noche de borrachera..., un reto entre camaradas..., un pronto cuando uno está ya harto de estudiar y la chica viene a traer la comida...

—No. Nunca. ¿Por quién me tomáis?

—Es lo habitual entre los estudiantes. Y más si son ricos y nobles.

—No.

Callaron unos segundos mirándose a los ojos hasta que el profesor bajó los suyos.

—Además —continuó Max—, os acabo de confesar que amo a Nora y voy a casarme con ella.

—Eso no es óbice. No seríais el primero.

—Nunca he estado con una mujer, doctor. Es una lástima que, en los hombres, un médico no sea capaz de comprobarlo igual que sucede con las mujeres. Me sometería gustoso a la prueba. Recogimos a esa muchacha por pura lástima; de hecho fue Nora la que me convenció de ayudarla. Sé quién es el padre, aunque no haga al caso: un condiscípulo mío que, si no me equivoco, es miembro de la Hermandad de la Rosa.

187

—¿Y por qué dice la chica que el niño es vuestro?

—No se me alcanza.

Weishaupt guardó silencio mientras se acariciaba el mentón y se tironeaba los labios, sumido en sus pensamientos.

—Es posible que esté intentando ayudaros —dijo por fin—. Si es una muchacha agradecida y de buen corazón, puede haber pensado que diciendo que está encinta de vos queda suficientemente claro que la acusación de sodomía es falsa. ¿La creéis capaz?

Max lo meditó un instante y asintió. Si bien Sanne no era tan lista ni tan atrevida como Nora, la consideraba más que capaz de haber pensado de ese modo.

—Pues no es mala idea... —continuó el profesor—. No tiene nada de particular que un joven adinerado se divierta un poco con una sirvienta, a pesar de estar prometido; eso no afectará a vuestra reputación. Lo que sí es importante es dejar claro que el supuesto primo Leo es una mujer.

—¿Y qué castigo le espera por vestirse de hombre?

—En Baviera, poca cosa. Una multa y una amonestación.

—En Salzburgo sería flagelación pública.

—Salzburgo es un Principado-Arzobispado. Las leyes son diferentes, y algunas muy crueles. Aquí, en cuanto probemos que Eleonora es una dama, no debería haber ningún tipo de consecuencias, o muy leves. Tendremos que decir que estabais enamorados en secreto, que ella vino a buscaros para llevar a cabo el matrimonio y que... No sé. ¿Cómo justificamos el que de repente se vistiera de hombre?

—Podríamos decir que lo hicimos para que, de momento, pudiese vivir en la misma casa que yo, de manera que yo estuviese en posición de protegerla hasta que se realizara el matrimonio y pudiera presentarla oficialmente como mi esposa.

—Así lo haremos. —Weishaupt sonrió por fin—. Y en cuanto salgáis de aquí, tengo que pediros que abandonéis Ingolstadt cuanto antes. Aquí no estáis a salvo. Investigaremos el caso del *minerval* apuñalado, el de vuestro intento de asesinato y la desaparición de Prometeo, pero mientras tanto me sentiré más seguro si os vais a casa.

Prometeo era el nombre que Frankenstein había elegido para formar parte de la Orden de los Illuminati, igual que Max llevaba por nombre Chronos. Elegir un nombre en clave garantizaba el anonimato.

—Podéis proseguir vuestros estudios en Salzburgo, a pesar de que de momento hay muchas tensiones con Baviera por el control de la universidad, y, si todo sale como yo espero, el próximo curso académico podréis regresar, ya con vuestra esposa si lo deseáis, aunque mi consejo sería que la dejaseis en casa. Para entonces seguramente ya estará encinta y para vos será mucho más productivo estudiar sin tener que ocuparos de una dama.

Cuando abandonaron la sala donde había tenido lugar la conversación y bajaron al claustro, Sanne los esperaba sentada en un banco de piedra, frotándose las manos para hacerlas entrar en calor. Se levantó de inmediato y los saludó con una reverencia.

—¿Qué haces aquí? —preguntó Max.

—Es que no me han dejado esperar dentro, Excelencia. —Metió la mano en algún lugar entre el delantal y la falda, y sacó un papel—. Han traído esto para vos. Me lo dio vuestra patrona cuando yo salía de casa de Herr Frankenstein.

Weishaupt suspiró con alivio. La muchacha era educada y digna. No habría ningún escándalo. Ahora la llevaría a que le tomaran declaración y en unas horas todo se habría arreglado.

—Voy a buscar a Eleonora y a ver si ya han llegado las religiosas que tienen que examinarla.

—¿Pero es necesario hacerla pasar por esa vergüenza? —preguntó Max, molesto.

—Peor sería que la hicieran desnudarse delante del juez, ¿no creéis?

—Efectivamente. Confío en vos, doctor.

Dejando a Von Kürsinger y a Sanne en el claustro, él leyendo la carta que acababa de recibir y ella de nuevo sentada en el banco, se dirigió a la sala donde Eleonora había estado esperando, aún vestida de hombre; pero, antes de llegar, volvió sobre sus pasos.

—¡Muchacha! ¿Sabes cómo conseguir ropa de mujer?

—La ropa de Nora está en su habitación, en la casa donde ambos tenemos alquilados aposentos —dijo Max, apartando la vista de la carta.

—Pues corre hasta allá y tráela enseguida.

Sanne miró a uno y a otro, sin saber bien qué le estaban pidiendo.

—Es un vestido amarillo, un bolsito, la peluca..., no sé bien —ayudó Max—. Lo encontrarás enseguida, es lo único que tiene.

—Pero..., pero... ¿quién es la mujer?

—¡Oh! —Max acababa de darse cuenta de que Sanne no tenía ni idea de cómo estaban las cosas—. Mi prometida, Nora. Tú la conoces como Leo.

* * *

En una pequeña habitación casi vacía, a excepción de un gran crucifijo de madera oscura, una mesa y dos sillones, Nora, con los brazos bien apretados en torno a su cuerpo, paseaba como una fiera enjaulada, cinco pasos arriba, cinco pasos abajo, desde hacía ya bastante tiempo, sin que nadie hubiese acudido a decirle qué estaba sucediendo.

Desde que la habían separado de Max sin darle explicaciones, había pasado ya por todas las fases del miedo, el terror, la desesperación, el llanto y ahora, por fortuna, poco a poco, una cierta indiferencia que podía deberse al agotamiento, el hambre y el frío.

Hubo dos golpes educados en la puerta y entró un caballero de peluca blanca, vestido de gris. Adam Weishaupt, el mismo que conocía por la *home page* de la Universidad de Ingolstadt, solo que ahora en carne y hueso, y bastante más joven de lo que aparentaba en los grabados antiguos, aunque igual de feo.

Se sentaron en los dos sillones, después de que le hubiese besado la mano, y durante un rato solo habló él, explicándole lo que habían decidido para el futuro próximo.

—Entonces..., ahora tengo que pasar un examen para demostrar que soy mujer.

—Así es.

—¿Un médico?

—¡No, por Dios! ¡Sois una dama! Os examinarán dos religiosas, de la congregación de las Hermanas Pobres de Santa Clara, detrás de un biombo, en presencia del juez. Solo ellas verán vuestro cuerpo.

Estuvo a punto de darle un ataque de risa. Llegados a ese punto, habría estado dispuesta a desnudarse delante de medio mundo si eso le garantizaba la libertad, pero sabía que Weishaupt esperaba que se mostrase agradecida y por eso bajó la vista y dijo:

—No sabéis cuánto os lo agradezco, profesor.

No le reveló que dentro de muy poco la Orden que había fundado sería prohibida y sus miembros dispersados por toda Europa. Quizá más adelante, cuando hubiese ocasión, sí le diría que, gracias a muchas de sus ideas, el antiguo orden del mundo acabaría siendo subvertido por las revoluciones que estallarían una tras otra a imitación de la francesa, para la que solo faltaban ocho años. Pero ahora no era el momento adecuado; tenían otros problemas más prácticos y acuciantes.

—Venid conmigo, Eleonora. Pronto recuperaréis vuestro sexo y vuestras ropas.

«Género —pensó por puro automatismo—, lo que voy a recuperar es mi género; el sexo no lo he perdido ni cambiado».

Siguiendo a Weishaupt, salió al claustro y entró en otra sala, esta vez una enorme, que se encontraba al final del pasillo. El miedo no la dejaba respirar. Allí, un hombre vestido con toga negra y gran peluca blanca, y flanqueado por dos alguaciles, escribía algo con una pluma de ave en un folio amarillento.

Al entrar ellos, los tres se quedaron mirándola de un modo que la hizo sonrojarse. Era evidente que les interesaban particularmente las piernas que las calzas marcaban con toda claridad, y que también trataban de distinguir sus pechos, a través de la camisa y la chaqueta. Por fortuna, era invierno y la capa cubría toda la parte posterior. No quería ni imaginarse cómo le hubieran mirado el trasero, bien definido por las ropas masculinas.

—Terminemos pronto —dijo el juez de mal humor—. Tengo cosas más importantes que hacer que preocuparme por los disfraces de una niña mimada y ligera de cascos.

Dos carraspeos gemelos la hicieron volverse. Al fondo de la sala, dos monjas vestidas con hábito marrón y corneta blanca, con las manos ocultas en las mangas y los ojos bajos, la esperaban junto a un gran biombo de pergamino.

Ella pasó detrás y, antes de que nadie le pidiera nada, empezó a desnudarse. Primero había pensado quedarse en sujetador y bragas, pero luego se dio cuenta de que esas prendas no formaban parte de lo normal en la época, sobre todo las bragas, y decidió quitárselas a la vez que el pantalón. Por suerte el sujetador era de los que se abren delante y también pudo librarse de él junto con la camisa.

Las dos monjas la miraban sin expresión, con dos rosetones rojos en las mejillas, como si el hecho de verle los senos a otra mujer les pareciera algo espantoso. Nora notó cómo, cumpliendo con su deber, las dos pasaron la vista por los genitales para asegurarse de que no había allí nada que no perteneciera a una hembra.

—¡Hermanas! —tronó la voz del juez—. ¿Os habéis asegurado bien de que no hay engaño?

—Si pudierais... abrir un poco las piernas... —dijo una de ellas con un hilo de voz.

Nora hizo lo que le pedía y la religiosa, totalmente mortificada, se agachó un poco para mirar que no hubiese nada oculto.

—Ya podéis vestiros —concluyó la otra, señalando una silla que Nora no había visto al entrar, donde reposaban sus ropas, las que había alquilado en el teatro en un tiempo que parecía increíblemente lejano, cuando pensaba que todo aquello era una aventura divertida.

Hizo lo que le pedían y solo al ponerse aquellas prendas volvió a darse cuenta del frío que hacía en la sala. Tenía la carne de gallina y se sentía a punto de desmayarse de hambre y de agotamiento. Le dolían terriblemente los brazos y los hombros de los malditos grilletes, y tenía la sensación de estar a punto de resfriarse.

Las monjas la ayudaron a salir de detrás del biombo porque, de un momento a otro, se encontraba tan débil que creyó que las piernas no la sostendrían.

Las miradas de los hombres la sacudieron otra vez. Nunca en toda su vida se había sentido como un pedazo de carne. Era asqueroso.

Aguantó como pudo el discurso del juez y su amonestación, mientras Weishaupt recibía el documento que la exoneraba. Luego, apoyada en el brazo del jurista, salió de la sala a pequeños pasos, como correspondía

194

a una mujer, y nada más salir al pasillo del claustro se dejó caer en el primer banco y se echó a llorar.

*   *   *

Querido amigo:

Te escribo a vuelapluma, camino a mi amada Ginebra, desde una fonda donde vamos a pasar la noche. Quiero que esta carta salga con el coche de posta al amanecer para que te llegue a la mayor brevedad, de modo que es posible que no haya tiempo a dormir, pero es absolutamente necesario que estas líneas te lleguen cuanto antes, porque me temo que estarás gravemente preocupado y no hay nada más lejos de mi intención que ser causa de tu angustia.

Sé que lo que he hecho es imperdonable y no intentaré darte excusas de mi comportamiento, pero sí una explicación que tú te mereces más que nadie.

Hace cuatro años empecé a experimentar con cadáveres de animales y mis pequeños progresos me fueron confirmando que existía una posibilidad —remota pero real— de cumplir el mayor sueño de la Humanidad: devolver la vida a la materia muerta.

Tú me conoces bien y sabes cuánto sufrí de niño la pérdida de mi querida madre; no es algo que tú ignores. Sé perfectamente que tú, por desgracia, has compartido ese terrible sentimiento de impotencia cuando la persona que más amas en el mundo pierde la chispa vital y, aunque su cuerpo siga presente, su alma ya no está allí para iluminar sus ojos ni encender su sonrisa.

Creo que fue precisamente esa dolorosa experiencia la que me llevó desde muy niño a interesarme por la química y la medicina, y supongo que de ti se podría decir lo mismo, aunque en tu caso hay un gran componente de empatía y compasión con los que sufren, mientras que mis pasiones me llevan más hacia la experimentación y el descubrimiento, dejando a un lado a los enfermos concretos.

En estos dos últimos años he avanzado de un modo que casi podría llamar diabólico, si no fuera porque ni tú ni yo creemos en el diablo. Recordarás que, en una ocasión, uno de los profesores franceses que vino a dar unas charlas nos habló de los experimentos de Von Guericke del siglo pasado, para luego continuar con los desarrollos que se estaban produciendo en la Universidad de Leiden y terminar con el postulado de Franklin de que las nubes están cargadas de electricidad y los rayos son descargas de tipo eléctrico.

Durante un tiempo estuve jugando con la idea de producir una descarga para reanimar el cadáver y llegué incluso a tener cierto éxito en experimentos con ranas, pero pronto me di cuenta de que este no era el mejor camino, de manera que empecé a trabajar químicamente.

No puedo extenderme; solo te diré que llegó el día en que logré sintetizar un elixir en el que tenía grandes esperanzas. El problema era hacer llegar el líquido al interior del cadáver que pensaba reanimar. Por fortuna, ciertos escritos vinieron en mi ayuda y al fin encargué y conseguí una aguja hueca y un aparato provisto de un cilindro que acogería el elixir, que después sería inyectado en el cuerpo mediante un émbolo.

El resultado has podido apreciarlo contigo mismo. Lo que no he llegado a explicarme y no me deja reposo es cómo las venas y las fibras rotas han podido volver a soldarse de manera que todo el organismo funcione como si nunca hubiese sido dañado. Sería mucha soberbia pensar que el líquido que he logrado sintetizar tenga, además de la propiedad de devolver la vida, o evitar el tránsito del alma, como prefieras llamarlo, la increíble capacidad de reparar y sellar todo lo que ha quedado destruido en el cuerpo. He llevado a cabo varios experimentos al respecto, pero aún no puedo decir nada concluyente.

Lo que sí he logrado —Dios me perdone— es dar de nuevo la vida no ya al cadáver de un semejante, sino a un obsceno ser construido con pedazos de otros cadáveres. Puedo decir en mi descargo que nunca fue mi primera intención. Estuve mucho tiempo esperando una ocasión para robar un cadáver reciente, a ser posible de un ahorcado joven o de un hombre que hubiese sufrido un ataque al corazón, con la esperanza de que el resto del cuerpo estuviese en perfectas condiciones. Al cabo, cuando por fin conseguí el cuerpo que ambicionaba, después de los dos días de exposición al escarnio público, resultó que el verdugo a quien yo le había comprado el cadáver me lo trajo casi descuartizado: sin la cabeza, una sola mano y sin algunos dedos de un pie.

Pude reunir lo que requería e incluso logré llevar a mi laboratorio una nueva cabeza, la de un hombre *que había muerto de fiebres y a la que le faltaba una oreja, ignoro por qué.*

Todo aquello me estaba destruyendo, Maximilian. Sé que lo sospechabas y me habría gustado poder decírtelo, pero seguro que habrías intentado o bien disuadirme de mis proyectos, o bien ayudarme a llevarlos a cabo, y yo no podía permitir ninguna de las dos cosas. Temía por tu alma, ¿comprendes? La mía ya la había dado por perdida.

No creo en el diablo, es cierto, mas sé que hay un castigo para los que olvidamos nuestra condición humana y, aunque sea por un breve tiempo, nos creemos dioses. El Purgatorio me espera. Tal vez el Infierno, que seguramente no será un lugar lleno de demonios cornudos pero sí un vacío, una soledad, una ausencia..., el total alejamiento de Dios, para toda la eternidad.

Sé que un hombre cabal se habría enfrentado a las consecuencias de sus actos, pero yo no pude, amigo mío, no pude. Cuando aquel ser empezó a moverse, el pánico que sentí fue de tal magnitud que pensé que mi corazón dejaría de latir en el acto. ¡Ojalá lo hubiera hecho!

No pensé, no reflexioné, no decidí. Salí de mi laboratorio como alma que lleva el diablo, sin encomendarme a nadie, sin equipaje, sin mis fármacos ni instrumentos, tratando solo de poner la mayor distancia posible entre mí mismo y aquel espantoso ser que, en mi soberbia, había construido.

Espero que no te hayas topado con él, porque es grande y fuerte, e ignoro por completo qué hay dentro de su mente. Aléjate de él, Maximilian, y si puedes, tra-ta de matarlo o mejor busca a alguien que lo mate. Esa abominación no merece vivir, y no solamente porque se trata de un ser creado artificialmente por un aprendiz de brujo como yo he sido, sino por algo incluso peor. Te aseguro, amigo mío, que solo con pensar en confiar al papel lo que te voy a decir ahora me tiemblan las manos.

He necesitado hacer una pausa y beber unos tragos de aguardiente para continuar.

En estas horas que he pasado en la diligencia, bebiendo y pensando, se me ha ocurrido algo aún más monstruoso: he llegado a la conclusión de que la criatura que, para mi desgracia, he creado podría tener dos almas reunidas en ese enorme cuerpo.

Todos ignoramos cuál es la sede del alma y, a falta de mejores ideas, nos conformamos pensando que la personalidad de un individuo tiene que residir en el cerebro. ¿Porque es el órgano más grande? ¿Porque aún no sabemos bien cuáles son todas sus funciones? Posiblemente. Pero... yo me pregunto... ¿y si el cerebro fuese solo el motor, y el alma estuviera repartida por todo el resto del cuerpo, o tuviera la propiedad de cambiar de sede a su antojo? En ese caso, podría suceder que, al trasplantar un miembro o un órgano de un ser a otro, fuera también el alma, la personalidad de cada ser humano, la que migrase junto con él.

Esa idea no me da tregua, querido Maximilian. Porque, si fuera así, ahora tendrías que vértelas con un monstruo de un solo cuerpo, pero con dos almas enfrentadas por su dominio. Y no me refiero a los im-

pulsos buenos y malos que conviven en todos los seres humanos, sino a algo peor, mucho peor.

No sé si desvarío. ¡Ojalá se trate solo de mis pesadillas! No ha habido hombre sobre la Tierra que haya hecho tanto mal como yo, a pesar de mis buenas intenciones. Te pido perdón desde lo más hondo de mi ser.

Hice bien en escoger el nombre de Prometeo. También él, como yo, trató de regalar a los hombres algo robado del cielo para mejorar sus vidas. También él fue castigado.

Te ruego, amigo mío, que, en cuanto te resulte posible, pases por mi laboratorio para poner a buen recaudo dos cosas: una, el maletín grande y panzudo que encontrarás en la alacena disimulada que hay a mano derecha de la chimenea; la otra, la caja de madera llena de frascos que ocupa el lugar central de la estantería. Ahí está también el aparato inyector y las dos agujas huecas. Si no estuvieran donde te indico, búscalos y guárdalos, te lo ruego.

En el maletín debería haber también un buen fajo de papeles, notas mías en las que he documentado todo el proceso. No quiero que se pierdan, pero sobre todo no quiero que caigan en manos de gente sin escrúpulos. Puedes destruirlas si prefieres, pero no las dejes al alcance de nadie.

Eso es todo.

Si aún deseas verme, me encontrarás en casa de mi padre, en Ginebra. No sabes la alegría que representaría para mí que vinieras. Creo que estoy perdiendo la razón. No duermo apenas y, cuando a fuerza de vino o

200

de aguardiente consigo conciliar el sueño, las pesadi-
llas me matan. Veo a aquel horrible ser caminando por
una ciudad con una antorcha en cada mano, quemando
todo lo que le sale al paso, o con un hacha de leñador
talando brazos y piernas de las honradas gentes que
tratan de detenerlo, o estrangulando con sus propias
manos —una de hombre y una de mujer— a una niña
vestida de blanco.

No sé cuánto más aguantaré, querido Max. Sé
que me merezco este castigo, pero sé también que
mi intención fue buena, que solo traté de ayudar a la
Humanidad, de vencer a la muerte.

Tengo que terminar ya esta misiva. Me ha costado
toda la noche redactarla porque los sollozos me han
hecho detenerme muchas veces. Oigo movimiento bajo
mi ventana. El conductor del coche de posta sabe que
le voy a entregar una carta, pero no confío en que lo
recuerde a tiempo.

¡Ojalá volvamos a vernos! ¡Que Dios me perdone!
Te abraza tu amigo,

Viktor

* * *

Cuando Max terminó de leer le temblaban las manos y
los labios y, por un instante, pensó que se desmayaría
allí mismo; por eso se sentó en el banco, al lado de
Sanne, que lo miraba espantada, y cerró los ojos.

—¿Os sentís mal, Señoría? Estáis muy pálido.

Él movió la cabeza en una negativa.

—Hambre, cansancio... —dijo en voz baja poco después.

—Si me dais unas monedas, iré a traeros algo de comer.

—No puede ser. Aún nos espera la declaración.

Ella bajó la vista y se puso colorada.

—¿Por qué lo has hecho, Sanne?

—Vos me salvasteis a mí.

—No me gusta la idea de salvarme a través de una mentira, pero te doy las gracias.

Callaron un momento, mientras ella le daba vueltas a si debía contarle lo que había pasado con el monstruo o si sería mejor dejarlo para más adelante. El pobre señor estaba a punto de desmayarse de agotamiento y de nervios; y por lo que parecía, la carta de su amigo le había dado el golpe de gracia. Decidió esperar a que, por lo menos, hubiese comido.

En ese instante se abrió la puerta del fondo del corredor y apareció el profesor Weishaupt dando el brazo a una dama vestida con las ropas que ella había traído, de modo que debía de tratarse de la persona que hasta hacía muy poco ella había pensado que era Leonhard, el primo menor del conde.

Estaba también muy pálida y parecía enferma, pero su mirada se iluminó en cuanto vio a Su Excelencia y él se puso inmediatamente en pie y avanzó hacia ella a grandes trancos. ¡Cuánto le gustaría encontrar a alguien que la quisiera así! Desgraciadamente, ya nunca sería posible. Ningún hombre decente la querría por esposa. Había quedado condenada a la soledad para el resto de su vida. Por estúpida. Por haberse creído las mentiras de un estudiante que la había tratado como a una reina y hasta le había regalado bombones como a una dama hasta conseguir lo que quería de ella.

Nora se soltó del profesor y ya estaba a punto de lanzarse a los brazos de Max, cuando este la detuvo ofreciéndole las dos manos que ella estrechó, perpleja.

—Aquí no —susurró él—. ¿Todo bien?

Ella asintió con la cabeza.

—Pues ahora te vas a casa o mejor al laboratorio y descansas hasta que pueda llegar yo.

—Al laboratorio no —dijo Sanne desde detrás de ellos.

Max se giró, enojado. Aquella sirvienta empezaba a tomarse demasiadas libertades.

—¿Por qué no?

Sanne los miraba alternativamente mientras se mordía los labios y se pasaba la lengua por los dientes. No podía hablar delante del profesor y ellos no parecían darse cuenta.

—Te he hecho una pregunta.

—No es buen momento para ir al laboratorio. Hace muchísimo frío allí —improvisó—. No me ha dado tiempo de encender fuego y la señorita sufriría mucho. Mejor que vaya a casa y le pida a la patrona que le dé algo caliente.

—La patrona no sabe quién soy, Sanne. Ella espera a Leo. —Nora estaba agotada, pero su cerebro aún conseguía pensar lo suficiente.

—Pues entonces a un café, señorita. Hay uno nuevo muy elegante donde también van damas solas. El Café de París, muy cerquita de la plaza del mercado. Si quiere la señorita, cuando termine de declarar, la recojo allí y la acompaño a..., a donde quiera —terminó sin saber bien qué decir.

—Me parece buena idea —intervino Weishaupt—. Es, efectivamente, un local muy bien puesto, pensado sobre todo para las señoras de calidad, aunque aún no se ha corrido del todo la voz y sigue siendo un poco atrevido dejarse ver por allí. Sin embargo, al menos Fräulein Eleonora estará caliente hasta que terminemos.

Un alguacil se acercó a ellos y les pidió que lo siguieran para tomarles declaración. Max le dio a Nora un último apretón de manos y echó a andar pasillo adelante acompañado del jurista. Sanne se quedó un momento atrás, se aproximó a Nora como si fuera a arreglarle el lazo de la espalda y, poniéndose de puntillas, le susurró al oído:

—Ni se le ocurra ir al laboratorio, señorita. Mejor morirse de frío en la calle, se lo juro. Ya se lo explicaré en cuanto pueda.

Un chistido de impaciencia por parte de los hombres la obligó a separarse de Nora y salir casi corriendo por el pasillo para reunirse con ellos.

9

Johannes von Kürsinger estaba furioso. Más furioso de lo que había estado en toda su vida. Había sido robado, humillado y tratado como un villano, como un don nadie. No había tenido más remedio que quedarse a dormir en una fonda de dentro de la ciudad y, para aliviar su rabia y sus deseos de venganza, se había visto obligado a tomar una cantidad de láudano de Sydenham superior a la normal.

Ahora, después de unas horas de sueño que no había resultado tan reparador como le habría gustado, su furia se había purificado y condensado, de modo que podía volver a pensar con relativa claridad, y todos sus pensamientos iban encaminados a vengarse de aquel bastardo que se había atrevido a enfrentarse a él. Aún no tenía ningún plan, pero estaba seguro de que a lo largo del día se iría perfilando. Hasta ese momento de su vida siempre había conseguido todo lo que había deseado, por unos medios o por otros. Eso le daba la seguridad de que, en cuanto consiguiera trazar un nuevo plan, todo caería en su lugar: el Lobo recibiría su merecido y su odiado primo Maximilian desaparecería de la faz de la Tierra, dejándolo a él como heredero del condado.

Se dirigió a la taberna que ocupaba la parte baja de la fonda a comer algo. La comida, a ser posible una buena carne roja, siempre hacía que su cerebro funcionara mejor, y de paso quizá pudiese captar alguna noticia sobre cómo iba el asunto de su primo. Si el Lobo no le había mentido, habría pasado la noche en la cárcel y en estos mismos momentos toda la ciudad sabría que había sido detenido por sodomita, lo que le arrancó una sonrisa. Siempre había odiado a su primo, pero jamás se le había pasado por la cabeza que no fuera un hombre cabal, que pudiera ser uno de esos degenerados que desean a otros hombres. Para su gran fortuna, resultaba que así era y que eso, incluso si no lo llevaba a la hoguera, podría ser usado en su contra por lo que suponía de deshonor para la familia. A pesar de su furia contra el Lobo, tenía que reconocer que las cosas no pintaban mal.

Echó a dos campesinos que ocupaban una mesa junto a la ventana y, mientras esperaba la carne dando bocados de pan recién hecho, regados con abundantes tragos de tinto, preguntó al patrón por las noticias de la ciudad.

Como suponía, el nombre de su familia no tardó en salir. El hombre parecía estar bien informado (no en vano su fonda estaba a apenas dos calles del ayuntamiento), pero lo que le contó no era lo que él esperaba.

—Así que —terminó el patrón sus explicaciones— ha resultado que el joven conde está prometido a una dama que se había vestido de varón para poder acudir a su lado, y además el muy pillo ya había dejado encinta a una criadita mientras esperaba a su amor. —Soltó una carcajada después de haberle guiñado un ojo—. De manera que ahora todos contentos. Los jóvenes se casarán, la muchachita tendrá otro bastardo y la colocarán lejos de Ingolstadt, y el mundo seguirá siendo lo que ha sido siempre. Con vuestro permiso, Señoría, voy a ver si la carne está lista.

Cuando el hombre se retiró, a Johannes le temblaban las manos de furia en estado puro. Habría querido coger la jarra de vino y estamparla contra la pared, pero eso lo habría puesto en evidencia y, ahora que su primo había salido libre, no quería arriesgarse a que nadie supiera que él había pasado por allí.

Se le había quitado el apetito, pero se forzó a comerse la carne porque sabía por experiencia que necesitaba tener el estómago lleno para tomar decisiones importantes y la fuerza precisa para hacerlas cumplir.

¿Tendría que volver a contratar al Lobo? Él le había dejado claro que no estaba dispuesto a aceptar otro encargo, pero estaba seguro de que era cuestión de dinero. Para la gente de su calaña todo era cuestión de dinero. Esta vez seguro que le pedía un pago por adelantado. Quizá lo que podía hacer era ofrecerlo él directamente en lugar de esperar a que el asesino se lo pidiera y tuviese la sensación de que lo había intimidado.

Se limpió la grasa en la manga, que ya estaba empezando a brillar (no había querido traer ni siquiera a su criado de confianza porque pensaba que la cosa no le llevaría más de una semana, contando el viaje), se escarbó los dientes, se acabó el vino y, después de eructar sonoramente, salió a la calle a buscar al asesino.

* * *

Wolf, el Lobo, había pensado salir de Ingolstadt por la mañana temprano. Sin embargo, después de su entrevista nocturna con el imbécil del primo del condesito, había decidido disfrutar un poco de los placeres de la civilización aprovechando que tenía una bolsa llena con la que hacerlos posibles y se había permitido unas horas de buen vino y buena compañía femenina en una de las mejores casas de la ciudad. Luego, se había levantado tarde y, antes de abandonar Baviera, se había pasado por el ayuntamiento por pura curiosidad para ver en qué había quedado su plan.

«¡Un individuo inteligente, el condesito! —fue lo primero que pasó por su cabeza en cuanto se enteró de lo que había sucedido—. Y tú, Wolf, un soberano estúpido, al no haberte dado cuenta de que ese muchacho que acompañaba al conde era una chica».

Pero es que aquella chica se movía y se comportaba como un hombre, no como una mujer disfrazada. Una mujer decente que se pone por primera vez en su vida unas calzas masculinas no hace más que taparse las piernas y le da terror la idea de que todo el mundo pueda ver los contornos de la parte inferior de su cuerpo, mientras que una mujer indecente procura que todo el mundo vea lo que tiene que ofrecer y le apetezca la oferta. Sin embargo, aquella chica iba vestida de hombre con absoluta naturalidad; por eso había conseguido engañarlo incluso a él. Estaba claro que era una mujer extraña.

Así eran las cosas, y así había que tomarlas. No había sobrevivido a tantos peligros sulfurándose por cualquier error. Siempre había que tener en cuenta posibles desviaciones en cualquier plan que uno hiciera.

Se preguntó qué pasaría ahora. ¿Se quedarían los tres en la ciudad en amor y compañía? ¿O no era más razonable que los dos tortolitos se marcharan a las tierras del conde para contraer matrimonio con tranquilidad, rodeados de sus familiares, y no regresaran hasta que se hubiesen aquietado las aguas? ¿Y la criada encinta del bastardo? ¿Se la llevarían también? ¿Y el raro engendro que vivía en la casa de Frankenstein y que, por lo que había conseguido averiguar, era el fámulo de Von Kürsinger? ¿Pensarían viajar también con un tipo que daba miedo al verlo?

Una de sus mejores cualidades, y también la que lo había metido en más embrollos, era la curiosidad. Al fin y al cabo, tampoco tenía tanta prisa en salir de Ingolstadt. Podía retrasar un poco su partida y averiguar qué pensaban hacer. Quizá tuviesen necesidad de alguien que los protegiera en su viaje y así él podría matar dos moscas de un solo golpe: viajar hacia el sur y sacar dinero de ello.

* * *

Cuando por fin llegaron al laboratorio, después de haber comido algo en una fonda modesta y de que Sanne, con muchos titubeos y algunas lágrimas, les hubiera contado lo que le había sucedido con la criatura creada por Frankenstein, Max estaba mucho más nervioso de lo que quería confesar a las dos chicas. La carta de su amigo, que les había resumido por encima, dejando de lado las partes más preocupantes, le quemaba por dentro, ya que casaba perfectamente con lo que Sanne les había relatado.

Él había conversado con el profesor Plankke, un hombre educado y elegante, ya mayor, con experiencia de la vida y la suficiente tolerancia con los errores ajenos para ser capaz de disculpar a Viktor por su atrevimiento; y ahora Sanne le había hablado de un ser vulgar, lujurioso y violento, lo que venía a confirmar que el temor de Frankenstein se había hecho realidad: había dos almas en el interior de un solo cuerpo. Lo malo era que no le había dado ninguna indicación de qué se podría hacer para desplazar a una de ellas; aparte de que, incluso si fuera posible, eso plantearía un segundo problema ético de gran envergadura: ¿cuál de las dos almas debía quedarse en el cuerpo y cuál debía ser expulsada para siempre? ¿No eran las almas iguales en dignidad y derechos, aunque los comportamientos no lo fueran?

Además de que, después de haber leído varias de las obras de Monsieur Rousseau, el filósofo ginebrino que había conocido a través de Viktor, había quedado convencido de la bondad fundamental de los seres humanos. Todo niño nace bueno. Es la sociedad la que, con el tiempo, la mala educación y las malas experiencias, acaba por envilecerlo.

Si eso era así, y Max no lo dudaba, el ser creado por su amigo era, hasta cierto punto, un nuevo ser y, por lo tanto, bueno. Aunque en su caso no estaba tan claro, porque la personalidad de Plankke había sido formada por sus cincuenta años de vida, y la otra personalidad, la que aún no conocían, era probablemente la de un criminal, a juzgar por cómo había acabado su existencia, en la horca.

Al abrir la puerta, el engendro, que en el tiempo que llevaban sin verlo parecía haber adelgazado, los miró con aprensión, como si hubiese olvidado quiénes eran. Estaba encogido frente a un fuego agonizante y se envolvía estrechamente en la capa. Al cabo de un segundo, cuando también Sanne entró en el laboratorio detrás de ellos, los ojos de la criatura destellaron y una sonrisa pareció iluminar su rostro. Estaba claro que a ella sí la había reconocido.

—Profesor —comenzó Max—, lamento haberos abandonado durante tanto tiempo. Circunstancias ajenas a mi voluntad han impedido nuestro regreso hasta este mismo momento. Sanne, dale al profesor lo que le hemos traído de comer.

La muchacha lo miró estrechando los ojos. ¿Cómo era posible que, después de lo que acababa de contarles, le pidiera que se acercase al monstruo? En lugar de tenderle las viandas, se limitó a dejar frente a él la cesta que llevaba al brazo, donde había un trozo de pan y queso.

—Gracias, Sanne —dijo en una voz que a todos les pareció distinta de la que conocían.

—¿Cómo sabes mi nombre? —Desde que había salido huyendo de allí no había dejado de pensar por qué la había llamado por su nombre al decirle que se marchara y no volviera sola.

—Porque te conozco. He ido muchas veces a la taberna, solo para verte, pero tú no tenías ojos más que para los estudiantes.

Los tres se quedaron mirándose sin saber qué estaba pasando.

—¿Dónde está el profesor Plankke? —preguntó Max—. ¿Quién sois vos?

—Nunca nadie me había llamado de vos —dijo el monstruo sonriendo—. No sé nada de Plankke, excepto que ha tratado de violentar a Sanne y yo he conseguido reducirlo.

—¿El profesor Plankke? No es posible. ¿Quién eres tú? —preguntó de nuevo Max con la boca repentinamente seca.

—Todos me llaman Michl. ¿Sois médico, señor? ¿Qué me está pasando?

Sanne contestó antes de que Max o Nora hubiesen llegado a decidir qué iban a contarle.

—Te ahorcaron por ladrón, por robar una joya a tu señora. Luego, Herr Frankenstein te resucitó o algo parecido. —La muchacha se santiguó al hablar de resurrección. Michl se tapó la cara con las manos—. Pero como tu cuerpo había perdido algunos pedazos, lo completó con otros, de otras personas, ¿verdad, Señoría?

Max asintió. Sanne había entendido perfectamente lo que le habían contado y, aunque al principio había demostrado un terror supersticioso, en cuestión de dos horas y después de una buena comida se le había pasado casi todo el miedo derivado de estar conviviendo con un cadáver animado. A Max, el valor de aquella muchacha cada vez le parecía más increíble.

—Yo no soy ningún ladrón, no he robado nada a nadie. Frau Grete me acusó por despecho. —Michl cruzó la mirada con el otro hombre presente, implorándole que no lo obligara a explicar más. No quería tener que decirles a las dos mujeres que su señora había tratado de meterlo en su cama y él se había negado.

Hubo un silencio. Nadie sabía bien qué hacer. Max acababa de comprobar que Viktor tenía razón con lo que le había dicho en su carta; ahora el problema era suyo y no tenía ni idea de cómo seguir. Lo único que empezaba a parecer evidente era que tenían que salir de Ingolstadt y marcharse a resolver sus problemas a algún lugar donde, o bien no los conociera nadie, o estuvieran lo suficientemente aislados y protegidos para tomar todas las decisiones pendientes.

—Lo primero —dijo Nora, como contestando a las preguntas mentales de Max— es recoger el instrumental de Viktor y todas sus notas. Es posible que ahí encontremos algo que nos pueda servir para solucionar algunos de los problemas. Depués tendremos que ver cómo salimos de Ingolstadt. —Era obvio que ella había llegado a la misma conclusión.

—Nora..., si nos vamos de aquí..., si salimos de la casa donde están nuestros aposentos... —No se atrevía a decirlo más claro, pero su miedo era que, si se marchaban de Ingolstadt, pasaría mucho tiempo hasta que pudiesen volver a probar el pasaje, que además ya estaría en una casa donde ellos ni siquiera tenían derecho a entrar.

—Lo sé, Max, pero no hay más remedio. Regresaremos. Después. Cuando sea posible.

—Ven un momento. —La tomó de la mano y salieron al descansillo de la escalera—. Suponiendo que nos marchemos ya..., ¿qué hacemos con Sanne y con...?

—Llevarlos con nosotros. No podemos hacer otra cosa. Ella está embarazada, y él..., él no tiene ninguna culpa de ser lo que es, ni tiene adónde ir. Hemos de ayudarlo, aunque yo tampoco sé cómo. No podemos dejarlo aquí.

Max se giró hacia la pared y apoyó la frente en la piedra helada.

—¡Como si no tuviéramos bastantes problemas ya tú y yo! Esto es espantoso, Nora.

—Sí —dijo ella, poniéndole una mano en el hombro.

Se abrazaron durante unos minutos, buscando en el otro la fuerza que cada uno de ellos ya no tenía.

Dentro del laboratorio, Michl estaba acabando de comerse el pan y miraba a Sanne, que no le quitaba ojo porque no se fiaba de lo que pudiera suceder.

—Sanne...

Ella se mordió los labios.

—Te juro que haré todo lo posible para que ese viejo verde no te ponga las manos encima. Yo..., cuando estaba vivo, tenía miedo de hablar contigo, ¿sabes?, pero ahora..., ahora ya no. Quiero ayudarte. Por favor. Déjame que te ayude.

—¿Fuiste tú de verdad quien me quitó al viejo antes, cuando me atacó?

—Sí. Fue muy difícil porque no sabía cómo, ni sabía qué estaba pasando, ni quién era yo. Solo sabía que no podía permitir que nadie te hiciera daño.

—Gracias —dijo en voz baja, con una pequeña sonrisa que a Michl le supo a gloria.

Antes de que pudieran decirse nada más, entraron Nora y Max a exponerles su plan para salir de la ciudad y marchar a Salzburgo.

* * *

Mientras los dos hombres salían a buscar una posibilidad de transporte (Max no quiso dejar al engendro fuera de su vista y solo con las dos chicas), ellas fueron a recoger la ropa y los enseres que necesitarían en el viaje.

—Espero que no nos encontremos a Frau Schatz. La pobre debe de andar bastante loca con las noticias que se comentan por ahí y ya me ha conocido una vez como prima de Max y otra como primo.

—Subiré yo primero diciendo que vengo de parte de Su Excelencia. Si no hay nadie, la llamo, señorita.

La casa estaba tranquila. Al pasar por la alacena, Nora hubo de contenerse para no entrar a ver si el pasaje seguía cerrado; no podía arriesgarse a que por una casualidad estuviese abierto y eso la pusiera en la situación de tener que decidir si abandonar a Max en las circunstancias en las que se encontraba o negarse a usar la salida. Mejor no saberlo. Ya habría más ocasiones... De todos modos se le encogió el corazón al quedarse un segundo allí, junto a la puerta de la alacena, sin que su mano se lanzara a abrirla. El «psst» de Sanne la salvó y en un par de saltos se halló recogiendo lo necesario. Unos minutos más tarde, salían cargadas con dos grandes bolsones de viaje que pesaban como si estuviesen llenos de piedras.

—Espere, señorita. Voy a buscar a un mozo.

Nora se quedó a la puerta de la casa, indecisa. Enseguida Sanne volvió con un muchacho alto y recio de unos dieciséis años que, tocándose la frente en señal

215

de respeto, agarró las dos bolsas y echó a andar detrás de ellas sin preguntar siquiera adónde iban.

Sanne le dio unas monedas al llegar a la casa de Frankenstein y el chico se fue muy contento, dejando el equipaje detrás de la puerta.

Subieron oyendo ruido de voces en la planta alta. Max, la criatura y un hombre desconocido hablaban muy serios.

—Querida mía —dijo Max volviéndose hacia ellas—, te presento a Wolf Eder. Nos acompañará en nuestro viaje y será nuestro defensor si hay necesidad.

Ella inclinó la cabeza sin palabras. No le gustó que ignorase a Sanne por completo, pero no le pareció el mejor momento para comentarlo. El hombre era fuerte, delgado y fibroso, como un bailarín o un escalador, y tenía una mirada filosa, cargada de peligro, aunque su sonrisa era encantadora. Iba escrupulosamente afeitado y llevaba el pelo bastante más corto de lo que dictaba la moda. Sin que se le pareciera en absoluto, pensó en Han Solo: un canalla simpático del que una no debería fiarse jamás. No se explicaba por qué Max lo había contratado, pero ¿qué sabía ella de cómo se hacían los viajes en el siglo dieciocho?

—Quiero que pasemos esta noche ya extramuros. He escrito dos notas para las dos patronas. Ahora se las llevarás, Sanne. Luego vuelves a toda velocidad y nos ponemos en marcha.

La muchacha salió sin rechistar.

—Nora, abajo está el coche que he alquilado. Si lo prefieres, puedes esperar sentada dentro mientras nuestro hombre carga.

Estuvo a punto de decir algo, pero decidió no hacerlo. Estaba agotada y, como siempre cuando estaba agotada, todo empezaba a darle igual, de modo que bajó y, sin esperar a que nadie le abriera la puerta, se metió en el coche, apoyó la cabeza en el rincón, junto a la ventanilla, y, cuando quiso darse cuenta, ya trotaban sobre los adoquines. Max estaba a su lado y, en el banquito de enfrente, iba Sanne.

—¿Y los demás? —preguntó con la lengua torpe.

—Wolf a las riendas. El..., la... criatura, a su lado en el pescante, convenientemente maniatado.

—¿Maniatado?

—Hasta que no sepamos quién es quién ni qué propósitos tiene, es lo más seguro. Además, lleva un velo de gasa por la cabeza y un sombrero de ala ancha. No queremos llamar la atención más de lo necesario.

A pesar de que Nora no estaba muy segura de estar de acuerdo con el arreglo, no se sentía capaz de pensar, la venció el cansancio y de nuevo se quedó dormida. Ni siquiera se le ocurrió ver cómo era Ingolstadt desde fuera.

* * *

Nunca se le había ocurrido en su vida normal, lo que ahora empezaba a llamar su «vida anterior», que costara tanto hacer un viaje. Recordaba que una vez Toby le dijo que la palabra inglesa para viaje, *travel*, venía directamente del latín *tripalium*, que era una forma de tortura. No se le había olvidado porque entonces pensó que era una tontería propia de una sociedad perezosa, sin horizontes ni ambiciones. Sin embargo, ahora, cada vez que paraban en algún lugar para estirar las piernas, dejar descansar a los caballos o comer algo, tenía la sensación de que el nombre estaba muy bien puesto.

El carruaje no tenía amortiguadores, con lo que cada piedra del camino que pillaran las ruedas era un salto y, al cabo del día, una tenía la espalda descoyuntada. El frío era espantoso, y eso que Max se había preocupado de conseguir pieles de oveja y mantas para envolverse; la comida era entre mala y peor; y las mejores camas tenían unos horrendos colchones de lana que se hundían en el centro y se apelmazaban a los pocos minutos, por no hablar de que en muchas de ellas había pulgas y chinches que ya le habían dejado todo el cuerpo lleno de mordeduras dolorosas que no sabía cómo combatir y que a los demás no parecían hacerles tanto efecto como a ella. Contra las pulgas, la vitamina B habría funcionado estupendamente, pero no había forma de conseguirla y ni siquiera podía comerse un kilo de cacahuetes porque aún no se había generalizado su importación desde América.

En las películas donde salía un viaje a un tiempo pasado, todo parecía muy fácil. Nunca saldría que llevaba más de una semana sin ducharse ni lavarse el pelo; que se moría por comer patatas, o arroz, pasta, *pizza,* una buena hamburguesa o un simple tomate; que no había papel higiénico y que, conforme se acercaba el momento, estaba empezando a pensar con horror en qué haría cuando le viniera la regla.

No sabía adónde iban, pero estaba deseando llegar, porque otra cosa que nunca se le había pasado por la cabeza era que los doscientos y pico kilómetros que había entre Ingolstadt y Salzburgo, y que en su época se hacían en un par de horas por unas autopistas fenomenales, ahora significaban un viaje de varios días.

Lo único realmente bueno de todo aquello era la sensación de intimidad que a veces se establecía entre ella y Max cuando Sanne se dormía (lo que le pasaba casi siempre) y ellos estaban sentados muy juntos, con las manos enlazadas debajo de las mantas, y ella podía apoyar la cabeza en su hombro, en silencio, dejándose llevar por el traqueteo del carruaje, hablar con él en voz baja o limitarse a soñar en un duermevela maravilloso. Otras veces, sin embargo, discutían acaloradamente porque él parecía incapaz de comprender ciertas cosas.

El primer día de viaje, el engendro, a quien ella había empezado a llamar Frankie, para escándalo de todos, simplemente porque no podía decidir con quién estaba hablando cada vez, había vuelto a transformarse; la personalidad de Plankke había conseguido imponerse y había estado protestando con toda su elocuencia, que era mucha, de tener que estar maniatado y de que no creyeran que él era el legítimo amo de aquel cuerpo. Nora, sintiendo que Max estaba a punto de ceder y darle la razón solo porque hablaba como un caballero, lo llevó aparte para recordarle que aquel caballero tan razonable y bienhablado había tratado de violar a Sanne.

—¿Cómo podemos estar seguros de que fue él? ¿No sería más probable que hubiese sido Michl?

—¿Por qué? ¿Porque Michl es un simple trabajador y Plankke es profesor universitario?

—Pues sí, por ejemplo. La gente de la clase de Michl hace ese tipo de cosas y las mujeres como Sanne están acostumbradas.

—¿Acostumbradas a que las violen y les peguen?

—Exageras, querida Nora. Piensa que cada clase tiene sus hábitos y sus baremos.

—No hay ninguna mujer que esté acostumbrada a que la violen y le peguen. Violar y pegar a un ser humano, hombre o mujer, nunca es aceptable, en ninguna clase. Y no me vas a decir que tú, en tu maravillosa clase nobiliaria, no conoces a hombres que les hacen las dos cosas no solo a sus sirvientas, sino incluso a sus esposas. —Nora se iba calentando y cada vez subía más la voz.

—Yo no permitiría que ningún hombre de mi casa, ni pobre ni rico, tratara así a una mujer.

—¿Y los de fuera de tu casa?

—No me parece bien, pero no puedo meterme.

—Pues ahora sí tienes que meterte. Sanne está bajo nuestra protección. No puedes fiarte de Frankie. No conocemos a ninguna de las dos personalidades, y me niego a pensar que Michl es necesariamente el malo porque es pobre y analfabeto. En mi... —había estado a punto de decir «mi época», pero había conseguido controlarse a tiempo porque tenía la sensación de que Wolf no se perdía nada de lo que hablaban— experiencia, hay muchos «caballeros», sean profesores, artistas, políticos, filósofos..., cualquier cosa, que se comportan de manera despreciable, aunque sean ricos y cultos.

Vio por el rabillo del ojo que Wolf asentía con la cabeza, con un brillo travieso en los ojos, como diciéndole: «Bien, chica, sigue por ese camino; tienes toda la razón». Max no se dio cuenta.

—¿Entonces qué sugieres? ¿Que lo sigamos teniendo maniatado en el pescante y que se pase el viaje contándole al señor Eder todo lo que se le ocurra? Yo preferiría mantener en secreto todo esto, especialmente lo que se refiere a mi amigo Viktor. ¿Tú no?

Ella asintió con la cabeza, mientras pensaba a toda velocidad.

—Has traído tus fármacos, ¿verdad?

—Sí.

—¿Tienes algún sedante, somnífero..., algo que lo tranquilice y lo haga dormir? Así podríamos llevarlo dentro del carruaje, maniatado y dormido, hasta que lleguemos.

Max repasó mentalmente el contenido de su maletín.

—Tengo láudano.

—¡Eso es opio!

—Sí, en su mayor parte —contestó Max con tranquilidad, sin comprender que ella estuviese tan escandalizada—. Es una gran medicina.

—Ya. —Nora pensó en todo lo que en su época se sabía del opio, pero decidió que en esas circunstancias daba bastante igual—. De acuerdo. Vamos a darle láudano y luego ya veremos.

Desde ese momento habían hecho así casi todo el camino con Frankie dormido y, algo que al principio les ponía los pelos de punta pero a lo que habían acabado por acostumbrarse, con su rostro cambiando de expresión y casi de forma con las dos diferentes personalidades que se alternaban en el interior de su mente.

La pobre de Sanne se apartaba todo lo que podía, sobre todo cuando era Plankke el que ocupaba el cuerpo, y en dos ocasiones pidió y obtuvo permiso para hacer unas horas arriba con Wolf, al aire libre en el pescante.

El segundo día Max sacó del equipaje los papeles de Frankenstein y Nora y él se pusieron a leerlos, o más bien a descifrarlos, porque la letra de Viktor era infame, especialmente cuando escribía deprisa y solo para su uso.

Sanne miraba con envidia mientras leían hasta que al final, en una parada que hicieron para alivio de la vejiga, en la que las dos chicas fueron juntas al establo de la fonda, acabó por preguntarle a Nora:

—Señorita..., ¿es muy difícil aprender a leer?

—No me acuerdo, la verdad. Yo empecé a aprender a los cinco años. Pero supongo que no, que es cuestión de querer y de práctica. Y tener quien te enseñe, claro.

—¿Usted me enseñaría? —Le daba un poco de vergüenza ser tan atrevida, pero con la señorita Nora creía poder hacerlo.

—Claro. No lo he hecho nunca, pero podemos probar.

—¡Qué alegría!

—¿Para qué quieres saber leer? Si me permites la pregunta...

Sanne se la quedó mirando, perpleja. Nadie le había hablado nunca así. Nadie había pedido nunca su permiso para nada.

—Para leer novelas y aprender cosas de otros países, y disfrutar con las aventuras de los personajes, y no estar nunca sola ni aburrida.

222

—Pues dalo por hecho. En cuanto lleguemos a un sitio tranquilo, empezamos. O... espera..., en el carruaje tampoco tenemos tanto que hacer, ¿no? Podemos comenzar ya mismo.

Un rato después, bajo la mirada escéptica de Max, Sanne aprendió sus cuatro primeras letras: las que formaban su nombre, mayúsculas y minúsculas.

10

Llevaban apenas unas horas en Hohenfels, el castillo de la familia Von Kürsinger, cuando poco antes de cenar, y antes de que a Nora le hubiese dado tiempo a explorar, que era lo que más ilusión le hacía, con mucho ruido de cascabeles, apareció un coche de caballos del que se bajaron dos mujeres, evidentemente madre e hija.

Al cabo de poco, una sirvienta llamó a su puerta y le pidió, de parte del señor conde, que bajara a conocer a su familia.

Sanne y ella cruzaron una mirada.

—No se preocupe, señorita, está usted muy guapa, aunque lleve ese vestido tan raro.

—¿Es raro el vestido? —Era la primera vez desde que había llegado a esa época que alguien le decía algo similar.

Sanne bajó la vista.

—Bastante. Por aquí nunca se ha visto nada igual.

«¡Malditas diseñadoras de teatro! —pensó Nora—. Ahora resulta que lo que llevo no es un vestido aceptable y todo el mundo se ha estado dando cuenta de lo rara que soy. Aún más». Pero como no tenía otro, no podía ni plantearse cambiarse de ropa, de modo que se encogió de hombros y bajó las ampulosas escaleras hasta la planta baja. Las voces venían del saloncito que daba al oeste; los rayos del sol poniente se colaban por la ventana y venían a lamer las maderas rojizas y pulidas del parqué; un buen fuego ardía en la chimenea. Era la viva estampa de una película; solo que era verdad y no había regreso.

Max se había cambiado de ropa y le tendió la mano al verla entrar.

—Querida Nora, ven a conocer a mi tía Charlotte y a mi prima Katharina. Os presento a mi prometida: Eleonora.

—¡No sabes las ganas que tenía de que este sobrino mío se animase por fin a casarse, hija mía! Porque... os vais a casar, ¿no?

—Por supuesto, tía.

—Hemos venido tan rápido precisamente por eso, querido Maximilian. No es conveniente que tú y tu prometida viváis bajo el mismo techo antes de ser marido y mujer sin nadie más alrededor, de modo que Kathy y yo nos quedaremos hasta la boda. Tu tío tiene asuntos que atender en casa y vendrá mañana o pasado. También se lo hemos notificado a tu primo Johannes, aunque parece que está de viaje y nadie sabe exactamente dónde encontrarlo, pero ya volverá… La falsa moneda acaba siempre por volver —dijo con retintín despectivo refiriéndose a su otro sobrino. Se acomodó en una poltrona junto al fuego y se quedó mirando a Nora como si estuviera pensando en comprarla—. A ver, hija, dime quién eres.

Ella carraspeó, pidiendo ayuda a Max.

—Soy... Nora.

—Sí, eso ya lo sabemos, pero ¿de dónde vienes? ¿De qué familia, quiénes son tus padres, dónde tenéis vuestras tierras, vuestra casa? ¿Tienes hermanos? ¿Quién ha sido tu institutriz? ¿Con quién te relacionas?

—Yo..., es complicado... y largo de contar.

—No hay prisa, querida. ¿Tú eres su doncella? —preguntó dirigiéndose a Sanne—. Ve a la cocina y dile a Edeltraut que nos sirvan aquí un té y algunas pastas para aguantar hasta la cena. A ver, cuenta...

Nora se sentía tan mal allí de pie en el centro de todas las miradas que acabó por sentarse en una silla de respaldo rígido.

—Mi padre es inglés y tiene tierras en el Nuevo Mundo, en lo que ahora se llama los Trece Estados, desde que se independizaron de Gran Bretaña. Yo me crie allí hasta los quince años, así que mi lengua es más el inglés que el alemán, por eso hablo un poco raro. Mi madre, que era tirolesa, murió siendo yo muy pequeña. —Nora prefería no tener que hablar de su madre y de lo que de verdad hacía y de cómo la había dejado de lado casi desde que tenía uso de razón—. Después, ya con quince años, me fui a vivir con mi abuelo porque mi padre volvió a contraer matrimonio y las relaciones con mi madrastra no eran demasiado buenas. Mi abuelo, que es médico, me llevó con él a Asia y desde entonces he vivido allí, haciendo muchos viajes por la zona y aprendiendo de él todo lo posible. —Cambió a su auténtica abuela por un abuelo porque suponía que sería más creíble que un hombre fuese médico, esperando que ese currículum recién inventado fuera excusa suficiente para todas las cosas que no sabía o todos sus extraños comportamientos.

226

—¿Y qué haces ahora en Europa?

Viéndola perdida, intervino Max:

—Su abuelo pensó que, como ya estaba en edad de buscar esposo y en Asia no había más que militares y grandes terratenientes muy mayores y muy aficionados a las bebidas alcohólicas —les hizo un guiño de complicidad—, sería conveniente que pasara un tiempo aquí y la envió a casa de una tía segunda que vivía en Baviera. Nada más llegar, sin embargo, resultó que la pobre señora había muerto hacía poco de unas fiebres y Nora no conocía a nadie. Por suerte nos presentaron en una recepción que dio el alcalde de Ingolstadt y yo me convertí en su valedor, porque no podía soportar la idea de que una mujer tan hermosa estuviese tan sola y tan perdida.

—Hiciste muy bien, hijo. —La tía Charlotte movió afirmativamente su cabeza tocada con una peluca blanca con reflejos azules y volvió a clavar la vista en Nora—. Así se explican ciertas cosas... —dijo, crípticamente—. En fin..., si necesitas aprender algunas costumbres de aquí para hacer honor a tu esposo y a tu nueva familia, nosotras te enseñaremos con mucho gusto. ¡Anda, Kathy, sube con Nora y que se pruebe alguno de tus vestidos para la cena!

Las dos chicas subieron al segundo piso, acompañadas por Luzia, la doncella que se habían traído de casa para las dos, y allí Katharina las guio a una habitación contigua a los dormitorios que ocupaban ella y su madre, donde había un espejo de cuerpo entero montado en un marco de madera brillante y lleno de florituras.

227

—¡Mira qué preciosidad, Nora! Cuando mi padre le regaló a mamá el espejo de casa por su aniversario, convenció a Maximilian de que comprase uno para su futura esposa. ¡Uy! Lo siento. Quizá era una sorpresa y quería habértelo enseñado él mismo... Bueno, no le diremos nada. Ven a mi cuarto. No he traído mucho, pero creo que hay cinco o seis vestidos para escoger. ¿Qué color prefieres?

Mientras la prima de Max hablaba, Nora no conseguía apartar los ojos de su imagen en el espejo. Hacía tanto tiempo que no se había visto en ninguna parte que apenas se reconocía. Tenía el pelo grasiento bien recogido en un moño tenso hecho por Sanne, estaba palidísima y había adelgazado tanto que las mejillas se le habían hundido y los pómulos se destacaban en su cara como los de una calavera. El vestido de teatro le colgaba de los hombros como si lo llevara un espantapájaros. Y lo peor de todo era la mirada, esa mirada de loca, de estar perdida en tierra de nadie, de desesperación. Parecía un fantasma de sí misma y no comprendía cómo Max podía querer casarse con ella, como no fuera por puro sentido del deber.

—¿Qué color te gusta? —La voz de Katharina la sacó de sus pensamientos.

—No sé. Me gustan todos.

—A ver... —Luzia había abierto el arcón de viaje y Katharina, con medio cuerpo dentro, se afanaba buscando—. Pruébate este rosa pálido. Creo que puede quedar perfecto con tu color de pelo, con esos reflejos castaños tan bonitos. ¡Me encantaría tener reflejos así! ¿Quieres que Luzia te ayude a desvestirte?

Nora cerró fuerte los ojos recordando el mal rato pasado en el ayuntamiento de Ingolstadt, cuando la habían examinado aquellas monjas delante del juez y los alguaciles. No quería tener que volverse a desnudar delante de nadie.

—No, gracias. Ya lo hago yo. Ahora vuelvo —terminó, recogiendo el vestido.

—¿Adónde vas?

—A mis habitaciones, a buscar a Sanne.

Katharina y Luzia se miraron, agitaron la cabeza, pero no dijeron nada.

—Vuelvo enseguida. Esperadme aquí.

«Deberían estar prohibidos los espejos —pensó—. Antes de verme no me encontraba tan mal como ahora. Tengo pinta de cadáver y jamás conseguiré pasar por una chica normal en este ambiente».

Se metió en su cuarto y, si no se echó a llorar, fue simplemente porque no quería que se le enrojecieran los ojos y todo el mundo le preguntase qué le pasaba. Un segundo después sonaron dos golpecitos en la puerta y entró Sanne, tan fresca y bonita como siempre, la viva imagen de la juventud y la alegría.

—¿Me ayudas a vestirme?

—Pues claro, señorita. A ver... ¡Qué maravilla de tejido! Estará usted preciosa con él.

Nora se puso entonces la ropa, que le quedaba un poco ancha, pero que Sanne le arregló a base de apretar cintas, y su aspecto mejoró bastante. En el pequeño espejo del tocador seguía pareciendo un fantasma con el pelo sucio, pero no había mucho más que hacer.

—Espere, señorita, voy a pedirle prestada una peluca a la prima del señor. Seguro que ha traído varias.

—¿Podría lavarme el pelo mañana, crees tú?

—Mañana le pediré al señor que me permita prepararle un baño.

Nora se sentó al tocador y se quedó mirando sus cejas sin depilar, sus ojos hundidos, sus mejillas sin carne, sus labios secos. Nunca, nunca en toda su vida había estado tan horrible.

Entonces recordó algo que la hizo levantarse a toda prisa y buscar entre sus pocas pertenencias hasta encontrarlo. En el bolsito que se había traído de casa estaba lo que ella recordaba: un *eyeliner*, una barra de labios, un rímel, una sombra de ojos… Se puso manos a la obra y, cuando volvió Sanne con la peluca, estuvo a punto de soltarla de la impresión.

—¡Está usted guapísima, señorita Nora! Déjeme ponerle esto.

Le ajustó la peluca blanca y, de repente, las dos se quedaron mirando a la bella desconocida cuya imagen devolvía la pequeña luna del espejo.

—El señor conde se va a caer redondo cuando la vea —dijo Sanne, apretando una mano contra otra sobre el delantal.

—Anda, ven conmigo. Vamos a reunirnos con los demás.

* * *

Max había dedicado mucho tiempo de reflexión a qué hacer con la criatura de Frankenstein una vez instalados en casa. Primero había pensado dejarlo en los establos a cargo de uno de los mozos, Thomas, que era el más antiguo. Luego, se le había ocurrido que allí estaría expuesto a que lo viera demasiada gente y empezara a haber habladurías, de manera que había acabado por subirlo al desván y dejarlo a cargo de Eduard, el mayordomo que llevaba en la casa desde la juventud de su padre, con la orden expresa de que nadie supiera de su presencia allí.

No dejaba de darle vueltas a la carta de Viktor en la que le pedía que lo matara. Era tremendo pensar que su pobre amigo hubiese llegado a ese punto de falta de responsabilidad, a esa medida de crueldad para con su propia creación, y, a la vez, algo en su interior le decía que esa podría ser la mejor manera de resolver el problema. Él y Nora iban a empezar una nueva vida, habría muchas dificultades que superar, muchas cuestiones que solventar. El tener que hacerse cargo de un ser monstruoso que, además, albergaba dos almas en su seno, de las cuales al menos una era claramente peligrosa, era algo que pesaría innecesariamente en una relación que ya era difícil en sí. La muerte del monstruo solucionaría bastante las cosas y, al fin y al cabo, la criatura ya estaba muerta. Tanto Plankke como Michl habían perdido la vida original, la que les había sido dada por la Divina Providencia, y lo que tenían ahora era un pobre simulacro de vida llevado a cabo por un simple mortal.

Le habría gustado consultarlo con un teólogo, pero tampoco quería implicar a nadie más y sobre todo no quería que la Iglesia se enterase de los experimentos llevados a cabo por Frankenstein. Podrían acabar todos en la hoguera.

Tampoco sabía bien qué hacer con Wolf Eder. Los había acompañado y protegido en el viaje, pero, ahora que había acabado su cometido, lo mejor habría sido licenciarlo y dejarlo marchar. Si no lo había hecho aún, era simplemente porque algo en su interior no había terminado de decidir si necesitaría a alguien que se encargase del monstruo.

El Lobo, como le había confesado que solían llamarlo, no le había dicho con todas las palabras que era un asesino a sueldo, pero había dejado bastante claro que sus escrúpulos eran menores de lo común y que, si le parecía que con la muerte de algún malhechor otras personas de bien quedaban protegidas, no tenía reparos en usar su daga contra él.

Le daba auténtica vergüenza estar ponderando la posibilidad de convertirse en asesino (ya que sus principios le dejaban claro que quien ordena una muerte es tan culpable como quien la ejecuta), y le habría gustado negarse a considerarla, pero aún no había llegado tan lejos. De manera que tenía dos problemas graves: la existencia del engendro bajo su propio techo y la decisión de su futuro. Además del problema de tener a un asesino ocioso a su servicio, pululando por su casa y por sus tierras, y del otro problema, más pequeño, de que su tía, en los tres días que llevaba con ellos, ya se había dado cuenta de que Nora no era en absoluto normal.

La tarde anterior, aprovechando el tiempo soleado, le había pedido que la acompañara a la rosaleda a ver cómo se iban desarrollando las plantas y allí, los dos solos, le había comentado que no se explicaba cómo había elegido a aquella joven como compañera para el resto de su vida.

—No me malentiendas, Maximilian. La muchacha es amable y bonita, aunque tiene una belleza un tanto... original. —Max estuvo a punto de preguntarle qué quería decir con eso, pero la verdad era que no le importaba en absoluto que su tía encontrase a Nora más o menos guapa. Para él era la mujer más bella del mundo. Cuando la vio bajar la primera noche con el vestido que le había prestado Kathy, la peluca y algo que se había hecho en la cara y que no sabía qué era..., esas cosas que se hacen las mujeres cuando los hombres no están presentes..., sintió que iba a desmayarse de amor. La *Tante* Charlotte continuó hablando como si él estuviera prestándole toda su atención—. Lo que pasa es que no tiene ni idea de labores de aguja, no sabe llevar una casa, no toca ningún instrumento, no habla apenas francés, no conoce a nadie, no parece tener sentimientos religiosos... —Él cabeceaba en silencio mientras *Tante* Charlotte iba contando defectos con los dedos—. Opina demasiado, piensa demasiado, habla vehementemente de muchas cuestiones que no son femeninas, te trata sin ningún respeto, que es lo que más me duele, y te toca demasiado, aunque supongo que esa es una de las cosas que a ti más te gustan. No serías hombre, si no. Pero ese es mi miedo, hijo, ¿comprendes? Que lo que de verdad te guste de Nora sea la parte... más física de la relación. Lamento tener que hablarte tan claro, pero me parece importante habértelo dicho. No estará ya encinta, ¿verdad?

—No, tía. Si os tranquiliza, puedo deciros que no hemos tenido ningún tipo de intimidad que no sea correcta entre prometidos.

—Me quitas un gran peso de encima. Aun así, me preocupa que una perfecta desconocida con una historia inverosímil vaya a ser la siguiente condesa de Hohenfels. Porque lo que resulta realmente inadmisible, perdona que te hable otra vez tan claro, hijo mío, es que se te haya siquiera pasado por la cabeza la idea de contraer matrimonio con una plebeya desconocida. A ti precisamente, al conde de Hohenfels, una de las familias aristocráticas más antiguas de Europa. Tú, casarte con una mujer que no es de los nuestros, que no tiene familia, ni árbol genealógico, ni educación, que no sabe llevar una gran casa como la tuya…, una muchacha de la calle como si dijéramos… ¿Has perdido el juicio? ¿No te importa que todos tus egregios antepasados se estén revolviendo en sus tumbas?

—Os agradezco vuestra preocupación, que es muestra de un profundo cariño, querida tía, pero os ruego que me otorguéis el beneficio de confiar en mí y en mi criterio. He elegido a Nora como esposa y así será.

—Como gustes, sobrino —dijo la mujer apretando los labios—. Tú eres el conde.

Habían regresado a la casa en silencio, con una cierta tensión en el ambiente. Él respetaba y quería a su tía Charlotte. Era una mujer inteligente y buena, y lo había ayudado mucho cuando perdió a su madre. Sin embargo, no podía decirle quién era Nora y por qué resultaba tan rara. Igual que no podía decirle por qué estaba enamorado de ella, por qué su corazón se echaba a volar en cuanto la veía, por qué tenía la sensación de que el único sentido de su existencia era quererla y cuidarla y estar con ella. Ni él mismo lo sabía; pero era así, y no iba a permitir que nadie le arrebatara esa felicidad. Nadie.

* * *

Entre la bruma del bebedizo que lo obligaban a tomar, Michl buscaba una salida a aquella espantosa situación en la que se hallaba. Aquello era peor que la muerte, porque en el tiempo en que había estado muerto no había sentido nada ni tenía ningún recuerdo, mientras que ahora sufría casi constantemente, sobre todo por la angustia de compartir lo más íntimo y preciado que tiene una persona, que es su propio cuerpo, con otra alma. Con un alma en guerra, además. Alguien que no estaba dispuesto a compartir o a arreglarse de algún modo para seguir adelante, sino que quería expulsarlo por completo de su cuerpo y enviarlo de nuevo a la muerte, a la nada, precisamente ahora que había vuelto a encontrar a Sanne y que ella le había sonreído, no solo en el laboratorio cuando le dio las gracias, sino algunas otras veces durante el viaje.

Recordaba con especial cariño un momento en el que ella, sentada a su lado en el carruaje, y viendo en sus ojos que era él, Michl, no el catedrático lujurioso y soberbio, había acercado su dorada cabeza a su hombro y, con una sonrisa, le había dado un pedazo del *brezl* que ella estaba comiendo.

Necesitaba hablar con el conde; tenía que explicarle que él quería trabajar, ayudar, tratar de conquistar el corazón de Sanne, volver a ser un hombre normal. Para lograrlo había que encontrar un modo de librarse de la otra presencia, y eso solo podía hacerlo él, o su amigo, el estudiante que lo había hecho posible.

Había decidido que lo primero era tratar de evitar estar siempre adormecido con la droga que le daban; luego, hacer lo posible por salir de allí, demostrar que podían confiar en él, ver a Sanne, hablar con ella, hablar con Su Excelencia... Pero antes que nada debía volver a tener la mente clara y empezar a moverse.

Plankke estaba dormido. Poco a poco Michl había aprendido a tantear con cuidado para saber si el otro estaba despierto. Era un poco como cuando duermes en la misma cama que un desconocido y te mueves con infinito cuidado para ver si reacciona.

Michl se puso de pie en la oscuridad del desván. Notaba los miembros blandos, como si estuvieran hechos de resina caliente, pero al menos le respondían. Se acercó al ventanuco y miró al exterior: había una ligera capa de nieve y todo estaba en silencio. Debían de ser las tres o las cuatro de la madrugada. No era el momento adecuado de pasearse por la casa, incluso si la puerta hubiese estado abierta, pero sí la ocasión propicia para intentar forzar la cerradura o ver si conseguía alguna forma de salir de allí a voluntad. Tenía hasta el alba para intentarlo.

Se aproximó a la puerta pisando suavemente a fin de evitar los crujidos de las tablas del piso y, con mucho cuidado, bajó el picaporte de hierro. Para su sorpresa, la puerta se abrió y él se encontró frente a unas escaleras que descendían en la oscuridad. Indeciso, dio un paso sin saber bien qué estaba haciendo y adónde iba. Los restos del bebedizo aún le hacían algo de efecto y tenía la sensación de estar soñando, como si lo que lo rodeaba no fuera del todo real, sino una especie de pesadilla suave.

Bajó al segundo piso y desembocó en un corredor lleno de pesadas puertas talladas, con una ventana al fondo por la que se colaba la luz de la luna, una luz lechosa, invernal. A medida que avanzaba iba encontrándose con los ojos de hombres y mujeres que debían de llevar mucho tiempo muertos y enterrados y que ahora lo contemplaban con desaprobación desde sus cuadros enmarcados en madera sobredorada. En algún lugar lejano un reloj dio las dos. No era tan tarde como él suponía, pero lo bastante como para que todos estuviesen durmiendo.

Siguió avanzando hasta llegar a la escalera principal, cuyos escalones de mármol se perdían en la penumbra del vestíbulo. A su izquierda, una puerta estaba entornada. Se acercó muy despacio, temiendo que en cualquier momento alguien pudiese salir de allí. Escuchó intensamente, pero el silencio era total. Puso la mano grande en la puerta para empujarla y dio dos pasos hacia el interior.

Enfrente de él se recortaba sobre la penumbra la silueta de un hombre enorme, de hombros anchos y cargados que avanzaba a su encuentro. Estuvo a punto de aullar de terror, pero consiguió acallar el grito que amenazaba con escaparse de su garganta poniéndose sobre los labios la mano femenina, la derecha. Se quedó rígido, esperando. El otro también se detuvo.

Poco a poco sus ojos fueron adaptándose a la oscuridad y pudo ver el repugnante rostro del ser que tenía enfrente: una piel palidísima con la frente abombada y los ojos hundidos en unas ojeras como pozos de oscuridad; los labios finos y rectos, casi morados; una terrible cicatriz a la altura de un ojo y alrededor del cuello; una oreja arrancada, y un cabello negro y lacio cayéndole a los lados del rostro emaciado. En aquella casa vivía un monstruo que solo salía por las noches a pasear por sus estancias para evitar que lo vieran. Su corazón se llenó de compasión. ¡Pobre criatura! ¿Quién sería aquel desdichado hombre? ¿Un enfermo? ¿Alguien que había quedado malherido en un accidente?

Michl tendió la mano hacia el horrible ser y la criatura le tendió la suya.

—No temas, amigo. No quiero hacerte daño.

Su voz, aunque suave, produjo un eco en la habitación. No hubo respuesta. Dio otro paso para reunirse con aquel otro desgraciado ser. El otro lo imitó.

Antes de que su mano tendida se posara sobre la frialdad del espejo, Michl ya había comprendido que el monstruo era él. Dos lágrimas resbalaron por sus mejillas hundidas.

Se dio la vuelta y regresó al desván, en la oscuridad.

11

Cuando se apearon del carruaje en Getreidegasse, en el centro de Salzburgo, Nora sonrió maravillada. Si no se fijaba en las puertas de las casas, casi todas ocupadas por talleres de artesanos, y se limitaba a mirar hacia arriba, hacia las ventanas y miradores de los edificios, parecía que hubiese regresado a su propia época, porque todo estaba como ella lo recordaba de cuando el año anterior había pasado un fin de semana con una amiga allí en Salzburgo. Luego, con más rapidez de la que le hubiera gustado, se pusieron en marcha y la maravillosa sensación desapareció. Volvió a quedarle claro que estaba atrapada en un tiempo que no le pertenecía, donde la gente pensaba y sentía de otra manera; donde ni siquiera podía hablar cómodamente porque la miraban raro, ni hacer la mayor parte de las cosas que le gustaban porque no existían; donde tampoco podía hacer deporte, salir a correr o a caminar en pantalón corto, ir al gimnasio o a la piscina. Tenía la sensación de que hacía siglos que no había oído música de ningún tipo; hasta la tarde anterior no se había duchado ni bañado entera desde que había salido de su piso siguiendo a Max; no había comido ninguna de sus comidas favoritas, ni siquiera una fruta porque era invierno y en invierno no se podía conseguir ningún tipo de fruta fresca en el siglo en el que se encontraba. Empezaba a entender por qué en los libros y poemas antiguos se hablaba tanto de la primavera.

Fue una mañana muy movida. A pesar del frío, y de que las calles estaban cubiertas de una capa de nieve ya muy sucia y pisoteada, caminaron con buen ánimo y se las arreglaron para visitar una corsetería, una peluquería, un zapatero y una modista. Después Charlotte, Katharina y Nora comieron en un saloncito reservado a las damas mientras que Sanne, Luzia y Wolf hacían lo propio en la sala común de la taberna contigua, y por la tarde aún tuvieron tiempo de ir a una sombrerería y de comprar algunas piezas sueltas, como guantes y abanicos, que al parecer eran necesarias para el arreglo femenino.

Ya habían salido del último establecimiento, cuando la tía Charlotte recordó algo más y volvió sobre sus pasos; pero al ver la cara de agotamiento de Nora, dijo agitando la mano:

—Sigue hacia el coche, querida. Enseguida nos reunimos contigo. Herr Eder, acompañe a la señorita. Sanne, quédate con nosotras para ayudarnos a llevar las compras.

El Lobo, cargado de paquetes y bolsas de todos los colores, hizo un amago de reverencia y siguió a Nora por la calle principal. Ella se detuvo para ponerse a su lado y así caminaron uno al lado del otro, para perplejidad de Wolf, como si fuera lo más normal del mundo. Al pasar por la estafeta de Correos, Nora echó una mirada rápida por encima del hombro con el fin de asegurarse de que la tía Charlotte no andaba por allí.

240

—Haga el favor de esperarme un instante, Herr Eder. Tengo que hacer un recado.

Y sin aguardar respuesta, entró en la oficina y depositó la carta que había escrito la noche anterior. Un momento después estaba de nuevo en la calle con Wolf.

—He oído decir que habéis vivido en América algún tiempo —comentó. Tenía la sensación de que a aquella chica no le parecería un atrevimiento hablar con él por la calle.

No se equivocó. Nora le contestó con naturalidad, como si la prometida de un conde pudiera conversar con toda normalidad con un buscavidas como él.

—Así es. Muchos años.

—¿Y qué tal es? He pensado algunas veces dar el gran salto y cruzar el océano.

—Es buena idea para un hombre valiente. Hay muchas tierras muy baratas, incluso gratis, y gran libertad de movimiento, pero es también un lugar peligroso. Lo bueno es que, en cuanto se sale de las grandes ciudades de la costa este, ya nadie pregunta quién es cada uno o de dónde viene. Allí se puede hacer uno a sí mismo, sin que importe su linaje o su extracción social.

Wolf la miró sorprendido. Por como había hablado, estaba claro que a ella las nuevas ideas que solo podían leerse en libros prohibidos, como la libertad y la abolición de los privilegios de la nobleza, le parecían buenas, y eso no era normal en una dama, y mucho menos en una dama que se fuera a casar con un conde. Aquella muchacha era realmente peculiar, y extrañamente atractiva. Le lanzó una de sus sonrisas de conquistador. No se perdía nada por intentarlo.

Ella le sonrió también, pero sin asomo de coquetería, como si fuera un chico, mirándolo directamente a los ojos sin más intención que verlo.

—Estoy cansadísima —dijo—. Esto de salir de compras es agotador.

—Es lo que más les gusta a las mujeres.

—Pse. Según. A mí ahora me apetecería mucho más ir a nadar —terminó con una sonrisa nostálgica.

Wolf se echó a reír.

—¿En pleno invierno?

Ella sonrió.

—En algún país cálido. Por pedir...

—¿Sabéis nadar?

Su expresión incrédula le hizo darse cuenta de que había metido la pata otra vez, de que no era en absoluto normal que las personas supieran nadar, y mucho menos una mujer, de modo que decidió seguir embelleciendo su historia retorciendo recuerdos reales para que casaran con lo que ya había ido contando.

—Me enseñó mi abuelo, en Siam, para estar más tranquilo cuando salíamos en el velero por la bahía. Así, si me caía al agua con un golpe de mar, podía aguantar hasta que me subieran. —El día anterior se había encerrado con Max en la biblioteca y, mirando un globo terráqueo, habían localizado lo que para ella era Tailandia, donde había estado un mes el verano anterior, y que en el siglo dieciocho se llamaba reino de Siam y tenía su capital en Ayutthaya.

—Sois una caja de sorpresas, señorita.

Ella soltó una carcajada. Él dejó los paquetes en el suelo, le abrió la portezuela del carruaje y se quedó fuera, deseando seguir charlando con ella, aun sabiendo que era de todo punto imposible, que ya se había arriesgado mucho.

Tuvieron suerte porque en ese mismo momento regresaron las demás charlando y riendo como una bandada de pájaros.

—Mira, Nora, hemos comprado sombrillas también. Ahora las verás al llegar a casa. —Katharina estaba excitadísima—. ¡Qué ganas tengo de que podamos venir a probarnos lo que hemos elegido, y de ver ya listo tu vestido de novia!

Justo cuando los caballos echaron a andar, la tía Charlotte miró por la ventanilla, se acercó a la nariz sus «impertinentes», unas extrañas gafas con mango como si fueran un antifaz, y exclamó:

—¡Mirad, mirad, niñas, ahí va Herr Mozart!

—¿El músico? —preguntó Katharina.

—Exactamente.

Nora alcanzó a ver a un chico joven de mediana estatura, vestido de gris, con peluca y tricornio, caminando a grandes pasos hasta que dobló la esquina. Sintió frío de repente. Más de lo que podía achacarse a la temperatura exterior. Acababa de ver al mayor genio de la música aún vivo, caminando por su ciudad, sin saber que le quedaban apenas unos años de vida. Porque recordaba con toda claridad de sus clases del instituto que Wolfgang Amadeus Mozart murió a los treinta y cinco años.

* * *

Frankenstein miraba por la ventana la tranquila extensión del lago que, a media mañana, estaba azul como un cielo de verano, aunque la temperatura era igual de baja que en las semanas anteriores. Las altas cumbres nevadas se reflejaban en el agua reduplicando la imagen y todo el paisaje era un espejo de paz que contrastaba horriblemente con la guerra que sentía en su interior.

Apretaba en la mano una carta que lo había conmocionado y sobre la que aún no había conseguido tomar ninguna decisión; la carta de una desconocida.

Tomó asiento de nuevo en el sillón frente a la ventana y volvió a leer las líneas escritas en una caligrafía tan extraña como su contenido:

Estimado Viktor Frankenstein:

No me conoces todavía y, a pesar de ello, me atrevo a escribirte, dada la importancia de la cuestión. Perdona también que te trate de tú, pero soy casi extranjera y no domino las sutilezas de la lengua ni me creo capaz de escribir correctamente de vos.

Me presentaré: soy Nora Weiss y voy a casarme con Maximilian von Kürsinger dentro de dos semanas. Sin embargo, no te escribo para invitarte a la boda, aunque por supuesto espero que vengas, ya que nada alegraría más a Max que tenerte a su lado en esos momentos. Sabes que eres su mejor amigo, yo creo que el único, y está sufriendo mucho tanto por tu ausencia como por los problemas que has cargado sobre sus hombros.

Y sobre los míos, añado yo ahora, sin que ni él ni yo tuviéramos parte en tus experimentos.

No puedo extenderme mucho. Mañana tendré ocasión de echar esta carta al correo sin que nadie se dé cuenta (al menos eso espero) y no tengo muchos ratos de intimidad en esta casa ni siquiera para escribir.

No voy a reprocharte ahora lo que hiciste. Sospecho que eres consciente y que ese fue el motivo de tu huida. Lo que sí debes saber es que el problema se ha agudizado desde que te marchaste porque la criatura a la que diste la vida ha resultado un doble ser —como tú temías— y ahora se nos está volviendo realmente imposible de manejar, ya que una de las personalidades parece pacífica y solidaria, mientras que la otra es peligrosa y me atrevería a decir incluso maligna.

Max y yo hemos revisado tus anotaciones y tus fármacos. Ambos somos estudiantes de Medicina —sí, yo también, aunque te resulte difícil de creer—, pero no conseguimos entender muchas de tus conclusiones. O faltan pasos que no has documentado, o somos demasiado cortos de entendederas para comprender el proceso que, para ti, obviamente, estuvo claro.

Quiero que sepas que no tenemos ningún interés en dominar el secreto de dar vida a la carne muerta. Tu secreto es tuyo y puede morir contigo si lo deseas, pero nos gustaría saber si has reflexionado sobre todo el proceso y si se te ocurre alguna manera de fijar en la criatura una sola de ambas personalidades, reprimiendo la otra definitivamente.

La alternativa de destruir al ser que has creado es algo que ni Max ni yo queremos plantearnos, al menos por el momento. No puedes carecer de sentido de la responsabilidad hasta el punto de dejarnos en esa situación, para que seamos nosotros el brazo ejecutor mientras que tú te alejas y te rodeas de los tuyos olvidando tu deber para con tu creación.

Con esta carta te ruego que vengas a Hohenfels, que, con la excusa de asistir a nuestra boda, te enfrentes a tu responsabilidad y nos ayudes a solucionar un problema que tú y solo tú has creado. No es propio de un científico, ni de un caballero, ni de alguien que se precia de llevar colgado del cuello el símbolo de Minerva rehuir sus obligaciones. Ni es de amigos cargar a Max con algo de esta envergadura.

Él no sabe nada de mi carta. Sé que está dándole vueltas a la posibilidad de escribirte, pero no consigue encontrar el tono adecuado para no ofenderte y tampoco quiere confesar cuánto te necesita. A mí no me importa hacerlo; por eso te lo estoy pidiendo ahora, aunque ya sé que suena más a exigencia que a ruego.

¡Ven a Hohenfels, Viktor! Enfréntate a la criatura que has creado y que te necesita. Sé que no es una visión agradable, pero un padre no puede abandonar a un hijo debido a su fealdad. Tú mismo lo creaste y no pudo ser ninguna sorpresa el darte cuenta de hasta qué punto su aspecto se aleja del común de los mortales. En cualquier caso, si por fuera infunde espanto, o al menos desasosiego y desagrado, por dentro, cuando surge la personalidad del muchacho de quien tomaste el cuerpo, es un chico ingenuo, valiente y bueno que precisa una mano que lo guíe, un futuro al que aspirar.

Te esperamos. No tardes. Me pongo a tu disposición si me necesitas para asistirte en el laboratorio, aunque ya supongo que tu primera elección será Max. No lo decepciones, por favor. No le niegues tu ayuda.

Te envío saludos desde las tierras de Salzburgo y espero verte pronto.

Nora

Aquella carta era un insulto y más escrita por una mujer, y además, desconocida. Hacía falta una inmensa desfachatez para sentirse justificada escribiendo algo así a un caballero, brillante joven científico, y miembro de la Orden secreta de los Illuminati.

Maximilian debía de haber perdido la razón para haberle confiado a aquella muchacha secretos tan terribles, incluso el hecho de que ambos pertenecían a la Orden. ¡Había traicionado su juramento por una mujer!

Sin embargo, algo en lo que le decía en aquellas líneas tan torpes le había herido el alma. Era cierto que había cargado sobre su amigo toda la responsabilidad que solo a él mismo le pertenecía. Cierto también que lo había abandonado, traspasándole sus obligaciones sin más explicación que una breve carta redactada en el viaje y bajo la influencia del alcohol.

Pero él estaba enfermo, sus nervios no le permitían ni apenas comer sin vomitar después, ni dormir sin pesadillas. No se sentía capaz de hacer un viaje hasta Salzburgo, y menos en invierno. Serían cerca de diez días de carruaje, de malas posadas, de comida infecta..., justo cuando estaba empezando a sentirse bien en casa,

rodeado de su padre y sus hermanos. ¿Y todo para qué?
Para encontrarse cara a cara con el horror y tener que
verse obligado a tomar decisiones espantosas que le
destrozarían la pequeña calma que había comenzado
a instalarse en su corazón.

Maximilian era conde y, al no tener ya padre, estaba
habituado a decidir, a actuar; era también un buen científico, y sobre todo era un hombre de acción. Y estaba a
punto de casarse, lo que significaba, a juzgar por la carta, que había encontrado a alguien con quien compartir
el peso de los secretos, alguien que lo ayudaría a llevar
la carga. No como él mismo, solo, abandonado por
todos, sin una blanca mano de mujer que le enjugara
la frente sudorosa después de una pesadilla.

Él le había devuelto la vida a su amigo cuando
aquellos criminales se la arrebataron a puñaladas. No
podía hacer más. Von Kürsinger estaba en deuda con
él y el pago consistía en ocuparse de su experimento
fallido. Que aquella tal Nora lo entendiese o dejase de
entenderlo no era de su incumbencia.

Si en primavera, cuando tanto el tiempo como él
mismo hubiesen mejorado, Maximilian le escribía
pidiéndole una entrevista, no se la negaría. Mientras
tanto, le remitiria una carta aclarándole ciertos extre-
mos de lo que, según sus investigaciones, consideraba
la mezcla más conveniente para intentar reparar el
desaguisado producido por la existencia de dos almas
en un solo cuerpo. Ya tenía algunas ideas que se podían
explorar al respecto.

Pero no acudiría a Hohenfels, no miraría de nuevo
al espantoso y obsceno ser al que había dado la vida

por un simple error. Dedicaría el tiempo a curarse a sí mismo en cuerpo y alma, a dar largos paseos por los prados y los bosques en cuanto la estación fuese favorable, a remar en el lago y a escalar las montañas circundantes, a disfrutar del amor de los suyos, de las risas de su hermanito pequeño, para quien él era un semidiós, a reflexionar sobre las más candentes cuestiones científicas y, si la Fortuna le sonreía, quizá con el tiempo consiguiera hasta encontrar a una bella joven que le hiciese olvidar los sufrimientos pasados.

Arrugó la carta en el puño, la depositó en un cuenco de mármol y le prendió fuego.

* * *

Johannes von Kürsinger despidió con cajas destempladas a su mayordomo, que, nada más llegar él, cansado, acalorado a pesar del frío reinante, y oliendo a rayos por culpa del caballo, el sudor y las malas posadas, había tenido la osadía de comunicarle el mensaje de su tía Charlotte respecto a la boda de Maximilian con esa extraña que se había metido en su vida disfrazada de varón.

Había reflexionado un poco durante el viaje, había agotado a Donner con sus galopes, necesarios para ventilar la furia que lo ahogaba, y había llegado a la conclusión (dado que no había habido forma humana de localizar al Lobo) de que él era perfectamente capaz de ocuparse en persona de lo que deseaba. Al fin y al cabo, se trataba simplemente de despachar a su primo de uno u otro modo, y eso tenía que estar al alcance de alguien como él, hijo de una de las primeras familias de Salzburgo, heredero de una larga estirpe de guerreros que habían combatido incluso en las Cruzadas para liberar de los infieles los Santos Lugares. Sabía usar una espada como un caballero y una daga como un rufián; no era nada despreciable como arquero y la ballesta se contaba entre sus armas favoritas, así como las más modernas pistolas y fusiles. Y lo más importante: su pericia como cazador era legendaria y la experiencia de la caza lo había curtido hasta el punto de que ni la sangre ni la muerte lo hacían temblar. La muerte era solo la otra cara de la vida.

Se desnudó y ordenó a Lukas, su sirviente personal, que quemase todas aquellas ropas malolientes que lo habían acompañado durante tanto tiempo. No quería verlas más, ni en su cuerpo ni en el de ningún criado.

Se metió en el agua caliente de la bañera con un suspiro de satisfacción y enseguida alargó la mano para recibir la copa de vino de Jerez que tanto había echado de menos durante el viaje. Tenían razón los que decían que no hay nada como el propio hogar, y, si él deseaba desesperadamente ser el señor de Hohenfels, no era porque le pareciera que ese castillo fuese mejor que el suyo, sino porque era el que pertenecía al conde, y él no podía soportar la idea de que su primo Maximilian, solo por ser el primogénito del primogénito, tuviese el derecho que a él se le negaba, sobre todo considerando que él era ya un hombre de treinta y dos años mientras que su primo tenía diez menos y era aún casi un niño.

Apuró la copa y alargó la mano para pedir otra. Lukas se la sirvió de inmediato.

250

También tendría que matar a la criadita que esperaba el hijo de Max, ya que, por muy bastardo que fuera, sería el primer hijo nacido del conde de Hohenfels y, cuando uno conocía la Historia con mayúsculas, sabía que perdonar a un bastardo era algo que siempre había traído problemas.

A la novia podía dejarla con vida, siempre que los otros dos desaparecieran antes de la boda. Si por lo que fuera, no lo conseguía antes de que se casaran, también debería morir para no correr el riesgo de que se hubiese quedado encinta la misma noche de bodas y, siendo ya la condesa viuda, tuviera el derecho de esperar al parto y trasmitir el título al recién nacido, caso de ser varón.

Habría sido mucho más cómodo contar con el Lobo, pero, a falta de él, estaba seguro de poder encontrar a un par de rufianes que se encargaran del trabajo menos elegante o que le guardaran las espaldas cuando fuera necesario.

Descansaría dos días y, antes de visitar a su primo en Hohenfels, pasaría por ciertos tugurios que conocía bien en la principesca y arzobispal ciudad de Salzburgo.

* * *

Sanne dejó a Nora metida en la bañera disfrutando del agua caliente y, con el mayor sigilo, subió las escaleras que llevaban al desván, ocultando bajo su delantal algo que había robado en la cocina.

Hacía varios días que había adquirido la costumbre de pasarse por el horrible lugar donde habían confinado a Michl y, desde la puerta, tocar una contraseña que solo él conocía. Si era él, abría la puerta y charlaban un rato. Si no le abría, se marchaba.

Ni ella misma conseguía explicarse cómo era posible que aquel engendro mal cosido se estuviese convirtiendo en alguien con quien le gustaba hablar, pero era la persona que mejor la había tratado en la vida, descontando al conde y a la señorita Nora.

La primera vez que subió, porque necesitaba desesperadamente hablar con alguien que no fuera la señorita o el señor y él era un chico de su pueblo, lo había encontrado llorando, cubierto con el velo y con el sombrero puesto y, solo después de un rato de persuasión, consiguió que le contara un poco de cómo se sentía, ahora que se había dado cuenta cabal de qué era lo que veían los otros cuando lo miraban.

—Soy un monstruo, Sanne. Jamás podré salir a la luz del día y tener una vida normal —le había confesado por fin—. No me explico que tú, que eres como una flor de mayo, no apartes la vista, asqueada, al verme.

—Mi abuela decía que no todo es lo que se ve, que lo que de verdad vale la pena es lo que se averigua con el tiempo, lo que está dentro del corazón de las personas. Y que, antes o después, hasta los más guapos se vuelven viejos y feos.

Michl le contó cómo luchaba contra el otro, contra el profesor Plankke, al que, al parecer, le gustaba mucho la medicina que le daban y que él reducía a la mitad, guardando en la boca un sorbo para escupirlo después, cuando se marchaba el mayordomo. Estaba empezando a saber apartar al otro y dejarlo dormir y soñar mientras él estaba despierto, pero no siempre lo conseguía y había veces en que tenía que ver, desesperado de impotencia, cómo el otro rechinaba los dientes y daba puñetazos a las paredes sin que él pudiera hacer nada por impedirlo.

Ella, una vez que él empezó a sentirse mejor, le había contado el miedo que tenía por su bebé, porque pronto empezaría a notársele y no sabía si podría quedarse en aquella casa o si volverían a echarla a la calle; y ella no tenía adónde ir, ni familia ni nadie que pudiese ayudarla. Tampoco quería desprenderse del pequeño y dejarlo a otras personas. Aquel niño era suyo y solo suyo y ya lo quería, a pesar de que aún no lo habría reconocido si lo hubiera visto entre unos cuantos más.

Cuando se separaron, los dos se sentían mucho mejor y, desde entonces, Sanne lo visitaba siempre que podía.

Ahora tocó la clave convenida: tres golpes seguidos, una pausa y dos más. Un momento después, la alta figura de Michl se recortó en la puerta. Llevaba el velo y el sombrero puestos.

—Pero hombre de Dios, ¿qué haces? ¡Quítate eso, pareces un espantapájaros! Ya tengo costumbre de verte; no me voy a asustar.

—No, Sanne. Es mejor así.

—¡Que te lo quites, te digo!

Obedeció despacio mientras ella sacaba lo que le había traído de la cocina envuelto en una servilleta.

—¡Michl! ¿Qué te ha pasado?

Toda la fea cara del ser estaba marcada por arañazos sanguinolentos.

—¿Pedradas?

Él asintió.

—¿Cómo? ¿Dónde?

—No conseguí detener a Plankke. Salió ayer noche y esta mañana, al alba, entró en una granja cercana. Se metió en el gallinero a robar unos huevos y se encontró con una niña que había ido a recoger la puesta. Tendría unos diez u once años... La agarró del cuello y le dijo que, si gritaba, mataría a toda su familia. La niña se echó a llorar sin ruido. Yo hacía lo posible por controlarlo, pero era muy difícil, Sanne. Quiso..., quiso hacerle lo que a ti y la pequeña se puso a gritar. Él la volvió a agarrar del cuello y empezó a apretar. Pensé que la mataría y..., no sé..., eso me dio la fuerza necesaria para impedirlo. No puedo explicarlo..., le di... como un empujón muy fuerte, lo que hizo que soltara a la niña, que salió corriendo. Luego, al cruzar el patio de la granja para volver aquí, comenzaron a llover las piedras. Mucha gente, hombres y mujeres, y hasta niños, me insultaba, me tiraban piedras... a matar..., bueno..., a mí no, pero ellos ¿cómo iban a saberlo?, y Plankke rugía de rabia y decía que nos iba a matar a todos, que él era una persona importante y no podían tratarlo así... No sabes lo que sufre por ser lo que es..., lo que somos... ahora. Yo nunca fui más que un pescador y luego jardinero, pero él..., él era alguien, y ahora... ya ves.

—¿Te duele? —preguntó ella rozándole las heridas con las puntas de los dedos.

—Ahora no, porque tú me tocas.

Ella sonrió bajando la vista.

254

—Tengo que irme. La señorita me espera. Cómete eso que te he traído. ¡Es un trozo de pollo!

Michl le tomó una mano con su mano izquierda, la grande, la suya.

—Eres un ángel, Sanne. Si..., si consigo librarme de Plankke..., ¿me dejarás ayudarte? ¿Me dejarás ayudarte con el bebé?

—No es tuyo, Michl —Sanne se ruborizó.

—Da igual. Es tuyo. A mí eso me basta.

Ella bajó la vista y salió corriendo por las escaleras.

* * *

—Max, ¿tienes un momento? —Nora asomó la cabeza al despacho donde estaba reunido con su apoderado viendo cuestiones de tierras y aparcerías.

—Por supuesto que sí, querida. Discúlpeme, Herr Schalk. —Salió al pasillo y se la quedó mirando con preocupación.

—Solo es una pregunta. ¿Puedes decirme qué pinta Eder..., el Lobo..., dando vueltas por la casa sin nada concreto que hacer?

—¿Tiene que ser ahora? Estoy trabajando.

—Ya lo sé. Pero como el buen hombre se aburre, se dedica a hacer preguntas a diestro y siniestro, a seguir a la gente para averiguar si oculta algo y a todo tipo de cosas ociosas. Me ha preguntado ya varias veces si puede ir a ver a... Frankie. Sabe que sigue aquí, escondido.

—Pues dile que venga a hablar conmigo si quiere saber algo.

—¿Lo tienes por aquí por si decides matarlo?

—¡Nora! ¡Shhh! —Se cruzó los labios con el índice, mientras miraba, suspicaz, hacia la puerta entreabierta del despacho.

—O sea..., que sí.

—Deja que termine con el apoderado, vamos a dar un paseo y lo hablamos.

—En esta casa es imposible ir solos a ninguna parte. O está la familia, o están los criados, o están todos. ¿Le has escrito por fin a Viktor?

—No he tenido tiempo.

—Yo sí.

—¿Qué? ¿Cómo te atreves? ¿Qué le has dicho?

—Si te interesa saber eso y otras cosas, arréglatelas para que estemos solos un rato. Adiós, querido Max; Kathy y yo vamos a dar un paseo aprovechando que hace un tiempo delicioso, casi primaveral —terminó con una voz ligera, alegre y deliberadamente femenina.

En cualquier otra mujer no le habría parecido nada de particular, pero aquella frase, dicha por Nora, era casi un insulto. Se mordió los labios por dentro y volvió al despacho haciendo ya planes para tener ocupada a su tía Charlotte y poder reunirse con Nora a solas.

* * *

Mientras tanto, en el desván, Wolf se las había arreglado para visitar al extraño ser que se habían traído de Ingolstadt y que, como lo más horrible y lo más bello del mundo, en cuanto se tenía un poco de costumbre dejaba de resultar tan feo o tan hermoso.

Durante el viaje apenas había tenido ocasión de hablar con él, pero se había podido dar cuenta, una vez descartada la acción diabólica, ya que él no creía en esas cosas, de que aquella criatura debía de ser un alienado, un enfermo mental. Había oído hablar de que a veces había personas que tenían dentro varias otras diferentes y que no eran capaces de controlar quién llevaba las riendas cada vez. Por eso cabía la posibilidad de que el mismo ser fuese alternativamente un asesino y un santo sin que ninguno de los dos pudiera interferir en lo que hacía el otro. Algo realmente curioso que quería ver de más cerca.

A fuerza de espiar a la doncella de la señorita, se había enterado de que a una de esas dos personas la llamaban Plankke y parecía un señor mayor muy elocuente; el otro era un hombre joven, de nombre Michl, que se había hecho amigo de Sanne. Parecía que aquella muchacha no le hacía ascos a nada.

De momento le extrañó que la puerta no estuviese cerrada con llave. Después, cayó en la cuenta de que, igual que a lo largo del viaje, al monstruo le daban un bebedizo para tenerlo tranquilo y quizá por eso no considerasen necesario encerrarlo. Gran error. Siempre son mejores dos obstáculos que uno, pero a él le venía bien y no iba a protestar de lo que le convenía.

El engendro estaba echado sobre unas viejas mantas, con los ojos semiabiertos y las pupilas vueltas hacia arriba dejando ver el blanco de los ojos. Se acuclilló a su lado y, con pocos miramientos, lo sacudió por un hombro. Pronto caería la noche, pero aún había suficiente luz como para verlo con claridad.

Abrió los ojos, asustado. Luego los entornó y, con cierta dificultad, los enfocó en su visitante.

—Sacadme de aquí —dijo con voz rasposa—. Os lo ruego. Soy el profesor Plankke, no pueden hacerme esto. Soy un hombre importante. Llevadme lejos de aquí. Os recompensaré. Os pagaré en oro. —La mano de mujer se engarfió en la casaca de Wolf causándole, a su pesar, un fuerte desagrado. Los ojos del hombre, inquietantes por ser de distintos colores, estaban fijos en él y por eso pudo apreciar con claridad el cambio.

De un momento a otro fue como cuando una brisa fuerte pasa por encima de la superficie de un lago o un estanque velando momentáneamente su reflejo con las ondas que produce. Un instante después, los mismos ojos con los mismos dos colores tenían, sin embargo, otro tipo de luz, de transparencia.

—¡Amigo! —dijo otra voz, ligeramente distinta—. Os reconozco del viaje. Sois el hombre a quien llaman el Lobo, ¿no es cierto?

Wolf asintió, maravillado.

—¿Y quién eres tú?

—Michl Fischer, y antes de ser... esto que soy ahora, era jardinero.

—¿Quién te ha hecho esas heridas?

Michl se incorporó con dificultad, haciendo una mueca de dolor.

—Gente asustada.

—¿Puedo? —Wolf le acercó las manos al torso—. De heridas, algo entiendo. —Lo tocó, presionando un poco aquí y allá—. ¿Te duele al respirar? ¿Y al cambiar de posición?

Michl asintió.

—Una costilla rota o al menos con una buena fisura. Reposo y aguantar. No se puede hacer otra cosa. Te dan láudano, ¿verdad?

—No sé lo que es el bebedizo que tomo.

—Te calmará el dolor.

—Pero me tiene atontado todo el tiempo y yo necesito empezar a moverme y hacer algo.

—¿Qué?

—Quiero trabajar, ser útil.

—¿Ser útil a quien te tiene encerrado?

—Ella pronto tendrá el niño y quiero poder protegerlos entonces.

—¿Sanne?

—Sí.

—Algo había oído, pero... ¿está encinta de ti? —La perplejidad era claramente audible en el tono del Lobo.

—Caballero, eso es un insulto.

—No era mi intención.

—Si ella me acepta, nos casaremos, pero de todas formas quiero ayudarla, pase lo que pase. Y para ello tengo que librarme de Plankke y luego..., luego habremos de irnos, muy lejos, a vivir en un lugar donde nadie nos conozca, donde no me tiren piedras al verme.

—Sabia decisión.

Wolf se puso en pie. Había caído la noche y ya casi no veía al otro.

—¿Tienes alguna luz?

—No.

—Trataré de traeros una.

—¿Podríais traerme también un libro, el que sea?

—¿Sabes leer?

—Un poco. No quiero que se me olvide. Y como Sanne también está aprendiendo...

—Veré lo que puedo hacer.

—Id con Dios, amigo. Y muchas gracias.

El Lobo salió sigilosamente del desván con la incómoda sensación de que aquel desgraciado era mucho más señor que el que había contratado sus servicios para matar a Von Kürsinger. Por una vez ese «veré lo que puedo hacer» era verdad. Trataría de aliviar un poco su soledad y quizá se pasara de vez en cuando a conversar con él hasta que tomara la decisión definitiva de marcharse.

Esperaría a la boda y, si dos días después no había ningún tipo de encargo, se iría. Quizá a América.

* * *

A pesar de que estaban en su propia casa, Max y Nora salieron por una de las puertas laterales, la que daba directamente al huerto, y, lanzando miradas hacia atrás, se apresuraron a llegar al bosque para evitar ser vistos desde las ventanas de los pisos altos.

En cuanto llegaron a la sombra de los altos abetos, la temperatura descendió considerablemente. Al cabo de un par de minutos llegaron a un lugar despejado donde un pequeño arroyo murmuraba entre orillas de un verde intenso salpicadas de campanillas de las nieves.

—Es mi lugar secreto desde la infancia —dijo Max con una sonrisa pícara—. Supongo que lo conoce todo el mundo, pero cuando tenía seis años me sentía muy valiente viniendo aquí yo solo y disfrutaba mucho de jugar con las piedras y de buscar peces y ranas.

—¡Es maravilloso poder estar un rato solos! —Nora se sentó en una piedra gorda caliente de sol.

Max, con toda naturalidad, se quitó la capa, la dobló, le tendió la mano para que se levantara de nuevo y se la puso como cojín a fin de que pudiera sentarse con más comodidad. Ella, en su propia época habría dicho que no hacía ninguna falta; en esta ya sabía que una respuesta de ese tipo resultaría ofensiva y que debía aceptar con gracia la amabilidad de su prometido. También había aprendido cómo agradecérselo: se quitó el sombrero y empezó a sacarse los ganchos y alfileres que Sanne le había metido en el pelo para sujetar el peinado. Luego se sacudió la melena, la atusó con los dedos y lo miró a los ojos, sonriente. El regalo de ver su pelo suelto era de lo mejor que podía hacer por Max.

Él se acercó, la abrazó y metió la cabeza en su cuello, debajo de la melena limpia y esponjosa. Se besaron hasta que ella, a pesar de que le habría gustado seguir, lo apartó suavemente. Tenían mucho de qué hablar y muy pocas ocasiones.

—Hay que decidir qué hacemos, Max. No podemos seguir así. Le he pedido a Viktor que venga con la excusa de la boda y que nos ayude en estas circunstancias. No le he dicho que ya nos conocemos de Ingolstadt, porque era muy complicado explicarle que él me conoció cuando tú me presentaste como tu prima Eleonora que estaba de paso por la ciudad de camino a Múnich. Además, no me parecía necesario. Le he preguntado también si se le ocurre una manera de reprimir una de las dos personalidades de Frankie; es fundamental librarse de Plankke.

—Le tienes auténtica manía a ese pobre hombre.

—No es manía. Son hechos. Ven, siéntate, tengo que contarte algo. —Hizo una inspiración honda y pasó a relatarle lo que Sanne le había contado de cómo Plankke había tratado de forzar a una niña pequeña y que había estado a punto de estrangularla. Le habló también de las pedradas que había recibido.

Max, se pasó la mano por la frente, agobiado.

—Entonces es cierto que ese hombre, a pesar de su formación, es un canalla.

—Eso parece.

—Le diré al Lobo...

—¿Qué? ¿No pensarás mandarlo matar y, con eso, matar también a Michl?

—Ya estaba muerto, Nora.

—Sí. Y tú también.

Se quedaron mirándose. Ella tenía razón. Daba igual haber estado ya muerto para seguir aferrándose a la vida. Él no querría morir ahora solo porque eso ya le había sucedido una vez. Su vida se había convertido en algo infinitamente más precioso después de haberla perdido: había conocido a Nora.

—¿Y qué hacemos?

—Escribe a Viktor. Convéncelo de que venga o, al menos, de que te mande sus notas, sus ideas, que te explique cómo lo hizo y qué se le ocurre que podríamos hacer.

—De acuerdo.

—Ah, tu tío Franz me ha hecho unas cuantas preguntas incómodas. Debe de ser porque la tía Charlotte, al ver que ella no consigue sacarme mucho, lo ha azuzado para que me interrogue él.

—¿Qué tipo de preguntas?

—Que por qué llegué aquí sin ningún tipo de equipaje, por ejemplo. Que de dónde he sacado esos zapatos tan raros que llevo. Que cómo es posible que nadie me haya enseñado a usar el abanico... Te juro que ya no sé qué decirles.

Max sonrió. Sabía perfectamente lo metomentodo que podía ser su tía y que el buenazo de su tío hacía todo lo que ella le mandaba.

—¿Y qué le has dicho? Al menos tendríamos que usar las mismas mentiras...

—Que dejé todo mi equipaje en casa de mi tía de Ingolstadt, que fui a la recepción donde te conocí a ti y a mi vuelta me lo habían robado todo. Que estos zapatos son muy normales en Asia y que, como siempre me crie entre hombres y nunca tuve *nannies*, sino preceptores, nadie me enseñó ese tipo de frivolidades del abanico.

—Eres la mujer más inteligente que he conocido en la vida.

—Y la más mentirosa.

—La necesidad crea el hábito.

Se levantó y pasearon de la mano por la zona soleada fijándose en las florecillas que empezaban a despuntar entre la hierba. La primavera se acercaba deprisa.

—Hablando de mentiras... —continuó Nora.

—¿Sí?

—Les he contado a tu tía y a tu prima que Sanne estuvo medio año casada y perdió a su marido, que era pescador, en un accidente en el Danubio, que se ahogó, antes incluso de saber que ella esperaba un bebé; que por eso nos la trajimos de Ingolstadt y me la quedé como doncella; que estaba trabajando de criada en la casa donde tú te alojabas. Creo que ese es más o menos el resumen de todo.

—Perfecto. Te secundaré y me condenaré contigo. La mentira es un pecado, ¿sabes?

—Si decimos la verdad, nos queman. Sobre todo a mí. Ah, también les llama la atención tu nuevo cochero.

—¿Wolf Eder?

—Ajá.

—Ilústrame. ¿Qué has inventado sobre él?

—Nada. Que supongo que se hallaba a tu servicio en Ingolstadt y que, si quieren saber más, que te pregunten a ti.

—¡Bien hecho!

—¿Sabes a quién quiere contratar Katharina para que toque en nuestra boda?

—No me ha dicho nada.

—¡A Mozart!

—¡Ah! Me parece bien. Es un buen músico. Mi padre lo trajo en varias ocasiones. Me acuerdo de cuando yo era muy pequeño y él debía de tener unos cuantos años más. Me contó varios chistes picantes. Era traviesísimo. Salvo cuando se ponía al piano, que era más que adulto. Si tú estás de acuerdo, a mí me gustaría volver a verlo y escucharlo.

Nora estaba escandalizada de oír a Max hablando así de uno de los mayores genios de la historia de la música, como si fuera un chico normal con una cierta habilidad para el piano. La idea de ir a conocer a Mozart, de que Mozart tocara en su boda, le daba una especie de risa tonta.

—¿Han llegado ya vuestros encargos? —preguntó Max, dándole la mano para pasar por encima de un tronco caído—. Ayer llegaron los míos.

—¿Tu traje de novio?

—El traje que he encargado para la boda y otras solemnidades futuras. Ha quedado muy bien, ya lo verás.

—Tengo mucho miedo, Max —dijo Nora muy bajito, sin saber seguro si quería que él la oyese o no. Pero sí la oyó.

—¿De qué, mi amor?

—De todo. Absolutamente de todo.

12

Tres días antes de la boda, y sin que Max se hubiese animado a escribir a su amigo Viktor, recibió una carta suya cuyo comienzo lo dejó perplejo:

Querido amigo:

Antes de nada me siento en la obligación de decirte algo doloroso, pero necesario. Solo le pido a Dios que esta carta te llegue a tiempo, antes de que cometas el mayor error de tu existencia.

Hace unos días recibí, para mi sorpresa, una misiva de una cierta Nora Weiss que, según cuenta, es tu prometida; una extranjera que ni siquiera domina mínimamente el arte epistolar. Es posible que se trate de algún tipo de impostora, pero, por lo que me dice en esa carta, es evidente que ha tenido contacto contigo —prefiero no imaginar de qué clase— y ha conseguido extraer ciertas informaciones que deberían haber permanecido secretas.

No quiero culparte directamente, dilecto amigo; sé que en ocasiones el excesivo consumo de bebidas espirituosas o las perversas artes amatorias de algunas mujeres logran lo que no harían ni las más crueles torturas ni los más feroces interrogatorios. Solo quiero que seas consciente de que has traicionado nuestro sagrado juramento a Minerva y te ruego por lo que más quieras en este mundo que retrocedas y evites que la situación empeore aún más.

Dice esta mujer que es tu prometida y que pronto la desposarás. Incluso ha tenido la desfachatez de invitarme a vuestro enlace.

No iré, amigo mío. Mi salud aún no me lo permite y, a pesar de que me gustaría acudir, aunque solo fuera para intentar disuadirte, si lo que dice esta Nora en su carta es verdad, no lo haré porque no quiero ser testigo de tamaña imprudencia. Sabes que siempre te he querido como a un hermano y me apena profundamente que un hombre de tus cualidades haya decidido desposar a una mujer de su extracción y su carácter.

Luego, por fortuna, pasaba a asuntos científicos que le interesaban bastante más, y le detallaba página tras página las diferentes combinaciones que había probado hasta alcanzar la que, supuestamente, había conseguido el milagro de dar la vida.

Frankenstein suponía que quizá el ingrediente decisivo, aunque no podía jurarlo, era el polvo de un mineral venido de fuera del planeta que había tenido ocasión de comprar el primer año de estudios a un hombre procedente de las estepas mongolas donde se había estrellado un meteorito. Uno de los materiales hallados en esa piedra y en el cráter que creó al aterrizar era algo nunca visto y que no se había analizado lo suficiente ni había producido resultados concluyentes. En la caja que contenía sus materiales, y que él esperaba que permaneciese en poder de Max, como le había pedido en su primera carta, ese mineral estaba en un frasco de vidrio azul oscuro con una etiqueta que ponía simplemente «Mongolia».

Al final del larguísimo informe científico, concebido simplemente como información entre dos investigadores, no volvía a tratar el tema personal, ni hacía ninguna referencia a su propia falta de responsabilidad en el asunto, ni siquiera a la criatura que había creado o a lo que se podría hacer con ella.

O Frankenstein había cambiado mucho, o él nunca había sabido darse cuenta de que se trataba de un joven vanidoso, egoísta e irresponsable.

La carta terminaba con «un abrazo de tu fiel amigo» y una firma irregular que denotaba una personalidad nerviosa y probablemente enferma.

Quizá fuera él quien debería visitar a Viktor y asegurarse de su estado de salud. Ya lo consultaría con Nora y tal vez en el verano decidieran hacer un viaje a Suiza.

* * *

Johannes von Kürsinger llegó a Hohenfels de muy mal humor y con el caballo agotado. Donner era un enorme semental negro que casi daba miedo cuando estaba limpio y descansado, pero cuando llegó, después del galope al que lo había sometido su dueño, los mozos de cuadras sintieron compasión por la pobre bestia. Les lanzó las riendas mientras él descabalgaba de un salto y se dirigía hacia las escaleras de la entrada quitándose el sombrero, la capa y los guantes, que tiró sin miramientos a Eduard, el viejo mayordomo que había salido a recibirlo.

—¿La familia? —preguntó sin ralentizar el paso.

—En la biblioteca, señor.

—¡Johannes! ¡Pasa, pasa, sobrino! —lo saludó su tía Charlotte desde el sillón más cercano a la chimenea, mientras el tío Franz se acercaba a estrecharle la mano y Max, que estaba junto a las ventanas con Nora y Katharina, también se dirigía hacia él—. ¿Dónde has dejado a Mathilde y a Philip?

—No soy yo hombre para ir encerrado en ese maldito carruaje, tía. Ellos estarán al llegar, todos envueltos en mantas y plumas, a pesar de que ya es primavera. Mathilde está desgraciando a ese niño y convirtiéndolo en una damisela.

Saludó a los dos hombres y fue a besar la mano a su tía y a su prima. Se quedó plantado delante de Nora, esperando a que alguien se la presentara, lo que Max se apresuró a hacer.

—Así que esta es la novia... —Hizo amago de besarle la mano y retiró la suya un segundo antes de lo correcto. La muchacha no pareció darse cuenta del insulto—. Me la imaginaba más..., no sé..., más elegante, si me permites la sinceridad, primo.

—Es que la chica es casi extranjera y aún se está imponiendo en nuestras costumbres —explicó la tía Charlotte.

Nora, que detestaba que hablasen de ella como si no estuviera presente, comentó con total naturalidad, para molestar en lo posible a aquel maleducado:

—Pues, mira, a ambos nos ha pasado algo similar, Johannes. Yo también esperaba a alguien más elegante, más caballero... Me alegra que seas tan sincero como yo; aquí las cosas no se suelen decir tan claras. Por fortuna, nos parecemos, futuro primo. —Y terminó con una sonrisa llena de dientes, absolutamente esplendorosa, que hizo que Johannes rechinara los suyos.

En ese mismo instante decidió que ella también moriría.

Había pasado por Salzburgo y, después de echar una mirada a los hombres que podía haber contratado, todos patanes y buscavidas sin ningún tipo de clase, había concluido que la mejor manera de quitarse de encima a los que le estorbaban era recurrir a otro tipo de plan que tenía muchas garantías de éxito; y aunque no resultaba tan heroico como el primero, las circunstancias obligaban. Si todo salía como él había previsto, en menos de cuarenta y ocho horas habrían muerto unas cuantas personas en Hohenfels (para sus planes era necesario que muriesen algunos más que los tres que realmente le interesaban) y él podría por fin convertirse en lo que más deseaba en el mundo, aunque el único heredero que tenía por el momento fuera aquel niño rubio y pálido que tenía miedo de todo y solo se sentía feliz en el regazo de su madre oyéndola leerle alguna historia inventada.

Al cabo de un rato de conversación insustancial, la prometida de Maximilian tuvo la desfachatez de fingir un principio de jaqueca y se retiró. Luego lo hizo su prima y, después de unos minutos más, la tía se levantó y anunció que iba a empezar a prepararse para la cena y que seguramente los caballeros tendrían mucho de que hablar.

Maximilian sirvió un licor y el tío Franz comenzó a departir de la gran población de truchas que esperaba para dentro de muy poco, tanto que incluso había pensado en ponerlas a ahumar o a adobar para poder venderlas no solo a los pueblos cercanos, sino posiblemente también a Viena y a Múnich. A Johannes le resultaba doloroso ver a un vástago de la noble familia de los Von Kürsinger hablando como un tendero. Cuando él fuera el conde de Hohenfels se acabarían esas miserias; le prohibiría terminantemente a su tío rebajarse de ese modo.

Se disculpó en cuanto pudo con la excusa de vestirse para la cena y salió al jardín a fumar uno de los cigarrillos de tabaco americano a los que se había acostumbrado recientemente.

Desde los setos del laberinto de boj, ya en sombra porque el sol estaba casi en el horizonte, el Lobo lo contemplaba inmóvil. Encontraba físicamente desagradable a aquel tipo, además de moralmente despreciable.

El pensamiento le arrancó una sonrisa torcida. Él no era el más indicado para hacer juicios morales sobre nadie, pero en su caso se trataba esencialmente de una cuestión profesional. Él mataba por dinero, sí, pero no todo el mundo podía comprarlo. Si unas semanas atrás se había comprometido con aquel payaso, había sido porque, en contra de sus principios habituales, no había investigado primero a la futura víctima. Sin embargo, ahora que había tenido ocasión de conocer al conde de Hohenfels en su vida cotidiana, a su futura esposa, a Sanne y a Michl, por primera vez en su vida había empezado a pensar que había gente que no se merecía morir asesinada.

Suponía que aquel estúpido y obsesivo vanidoso no habría dejado de hacer planes para matar a su primo y, aunque solo fuera por diversión, pensaba estropeárselos antes de marcharse a América. Estaba seguro de que intentaría algo aprovechando las festividades de la boda y él iba a estar ojo avizor para impedir que tuviera éxito.

* * *

Nora bajó a cenar con uno de los vestidos que acababan de traerle de Salzburgo. Esta vez ya nadie podría decir que no iba vestida adecuadamente. Desde el maldito corsé hasta la punta de las chinelas bordadas a mano todo era perfecto, justo lo que correspondía a una joven a punto de convertirse en condesa de Hohenfels. Se preguntó qué cara pondrían todos al día siguiente cuando vieran el modelo de traje de novia que había elegido: un diseño modernísimo (aunque para ella era simplemente estilo neoclásico, de finales del siglo dieciocho) recién llegado de Inglaterra, con talle alto y caída estatuaria, en un raso blanco bordado que la hacía más alta y más delgada pero que aún no se había visto por aquella zona, aún anclada en la moda rococó, llena de telas abullonadas y faldas y sobrefaldas. Estaba segura de que llamaría mucho la atención.

Al pasar por delante de la puerta donde se alojaban Johannes y Mathilde los oyó discutir acaloradamente y, sin decidirlo, se detuvo unos pasos más allá. Él la estaba insultando a gritos llamándola inútil y estúpida, el niño lloraba desesperado y al cabo de un minuto empezaron a oírse ruidos como si alguien estuviera tirando muebles y objetos al suelo, y luego golpes sordos.

Sin pensarlo más, llamó a la puerta y dijo con su voz más alegre:

—¡Mathilde! ¿Estás lista? ¿Bajas a cenar?

Los ruidos cesaron. Un momento después se abrió la puerta unos centímetros y apareció la cara pálida y asustada de la mujer de Johannes.

—Voy a llevar a Philip a su cuarto y bajo enseguida.

—¿No cena con nosotros?

—No. Es muy pequeño aún. Ya ha cenado con su gobernanta.

—¿Y no duerme contigo?

Ella miró hacia dentro del cuarto, temerosa. Movió la cabeza en una negativa.

—Ven, cariño. Tengo que llevarte a la cama.

Philip, con los ojos rojos e hinchados, pasó por delante de su madre y se quedó agarrado a su falda. Ella cerró la puerta y echó a andar hacia el fondo del corredor frotándose el hombro derecho mientras sujetaba la mano de su hijo.

—¿Tan lejos va a dormir? —preguntó Nora.

—Sí. Es lo mejor. Así, si se despierta y llama, no molesta a Johannes.

—Y tú tienes que salir de la cama con el frío que hace aquí y cruzarte media casa. Y eso si lo oyes llamar...

—Sí, claro que lo oigo.

Nora se inclinó hacia ella.

—¿Qué te ha hecho ese salvaje?

—Nada. Nada. Solo hemos discutido un poco. Eso pasa en todos los matrimonios, ya lo verás cuando te cases. ¡Anda, baja tú delante! Ahora voy yo.

Viendo que no iba a conseguir nada y que Mathilde necesitaba tener un rato con su hijo, quizá para explicarle que papá era bueno en el fondo y que los quería mucho a su manera, Nora, profundamente asqueada, se dirigió a las escaleras pensando que esa era otra de las cosas que requerían una solución urgente. Se le ponía la carne de gallina solo de pensar en la vida que debía de llevar aquella muchacha. Tenía los brazos llenos de moratones y, a pesar de la cantidad de maquillaje y polvos que llevaba, estaba bastante claro que la hinchazón de los labios era producto de un golpe o de muchos.

La cena, que hasta ese día siempre había sido para Nora un momento agradable que todos aprovechaban para contar lo que habían hecho a lo largo del día o para dar alguna noticia grande o pequeña, fue bastante tensa. Johannes estaba de muy mal humor, contestaba del modo más hiriente posible a cualquiera que le dirigiera la palabra, se movía constantemente como si estuviera conectado a un poste de alta tensión y daba la sensación de que estaba a punto de explotar y de que cualquier comentario insignificante le serviría para hacerlo. Mathilde estaba callada y se inclinaba sobre su plato como si estuviera intentando desaparecer y que nadie se diera cuenta de que estaba presente. La conversación era lenta y trabajosa, como si en lugar de haberse reunido para celebrar una boda fueran un grupo de enemigos que no se fiaran los unos de los otros.

Todos se sintieron aliviados cuando Johannes anunció que se marchaba a dar una vuelta y Mathilde se retiró a descansar. Al cabo de media hora todo el mundo subió a sus habitaciones y por fin Max y Nora encontraron unos momentos para estar solos junto al fuego de la biblioteca; pero en ese mismo instante volvió a aparecer la tía Charlotte, en camisón y bata, toda llena de encajes y volantes, con una cofia de dormir como la de la abuela de Caperucita, aunque algo más elegante.

—Queridos míos, es hora de ir a descansar. Dale las buenas noches a tu prometida y retírate, Maximilian, te lo ruego.

—¡Tía, por Dios! ¿No vamos a poder estar un momento tranquilos en esta casa?

—A partir de mañana Nora será tu esposa y podréis estar solos y tranquilos siempre y en toda circunstancia hasta el fin de vuestros días. ¡Buenas noches, sobrino!

Dándose por vencido, Max besó la mano de las señoras y salió de la biblioteca. Charlotte se acomodó en el sofá frente al fuego y palmeó el lugar a su lado para que Nora lo hiciera también.

—Querida niña, como no tienes madre ni otra mujer de tu familia que te acompañe en este trance, he pensado que no hay más remedio que lo tome yo a mi cargo. Solo quiero decirte que, aunque el hombre es la cabeza de la casa y tiene la responsabilidad y el poder sobre su esposa, como bien sabes, mucho de lo que pase a continuación en tu matrimonio depende de ti. No siempre tienes que ceder cuando algo no te parece correcto o va contra tus principios; las mujeres somos también seres creados por Dios y no somos inferiores a los hombres, aunque les debamos respeto. También ellos tienen que respetarnos, ¿comprendes? Creo que a ti no te hace tanta falta que te diga estas cosas; tú pecas más bien de lo contrario, pero no quería irme a dormir sin habértelo dicho para no tener nada que reprocharme. Y nunca nunca querida mía, permitas que nadie te pegue. No te dejes convencer jamás de que eso es una prueba de amor, de que le importas y por eso te «castiga». Eso no es amor, y, aunque tengas que convertirte en una furia, jamás permitas que te golpeen o que te humillen. No sufras, sé que Maximilian es un caballero y está muy enamorado de ti, pero cuando veo a la pobre Mathilde me entran ganas de romperle la cabeza a ese majadero de sobrino que me cayó en suerte.

Charlotte hizo una pausa, se levantó, sirvió dos copitas de jerez y regresó con ellas.

—En cuanto a... vuestra vida íntima... —se bebió la mitad de la copa y continuó—: también tienes derechos. No siempre tienes que decir que sí, por mucho que tu confesor te diga que no puedes negarte; y si tienes la suerte de que te resulta agradable, que puede serlo, y mucho, no es nada malo, no estás cometiendo ningún pecado ni eres una mala mujer. —Se acabó lo que quedaba en la copa y se pasó por la frente y por debajo de la nariz el pañuelito de encajes. Aquello la había hecho sudar de nervios—. Pues ya está. Sermón concluido. Te deseo una buena noche y espero que seas tan feliz en tu matrimonio como lo soy yo.

Le dio dos besos ligeros en las mejillas y, sin esperar a que Nora dijese nada, cerró la puerta tras de sí sin darse cuenta de que la futura condesa, a pesar de lo agradecida que le estaba por haberse tomado el trabajo de hablar con ella y haberle dicho cosas realmente modernas para su época, había empezado a reírse descontroladamente.

* * *

La casa estaba en calma. Los relojes repartidos por todas las estancias acababan de dar las tres. Todo el mundo dormía, salvo Mathilde, que no conseguía conciliar el sueño tumbada en la alfombra donde Johannes la había obligado a pasar la noche porque, como le había dicho, «le daba asco compartir con ella su cama»; Philip, que estaba muerto de miedo tan lejos de su madre en una casa que no era la suya; y el engendro, que, privado de la fuerte ración de láudano que Michl intentaba reducir al mínimo, daba vueltas y vueltas por el desván mientras sus dos ocupantes luchaban en su interior por el control del cuerpo.

Esta vez el triunfo fue de Plankke y, nada más cerciorarse de que piernas y brazos obedecían a su voluntad, abrió la puerta y bajó las escaleras cuidando de no hacer ruido. Hacía unas horas había visto por el ventanuco la llegada de un espléndido carruaje y de sus no menos espléndidos ocupantes: una mujer delicada muy bien vestida y un niño rubio que parecía un auténtico príncipe. No sabía exactamente dónde estarían alojados, pero a juzgar por los pasos y los sonidos que le habían llegado hasta el desván suponía que debían de haber instalado al niño en una de las estancias del final del pasillo del segundo piso, no demasiado lejos de allí.

Había luchado con todas sus fuerzas para hacerse con el control del maldito cuerpo compartido porque aquel niño le atraía con una intensidad que no podía desoír. Quería entrar en su cuarto y contemplarlo mientras dormía, velar su sueño, acariciar con las yemas de los dedos esas mejillas tan redondas y suaves, hacerse la ilusión de que era el hijo que nunca tuvo, apretar su cuerpecillo contra su pecho, pasarle la lengua dulcemente por las delicadas orejas, tan bellas como conchas marinas...

Abrió la puerta de la última habitación del pasillo con toda la suavidad de la que fue capaz para que no hiciera ningún ruido. Estaba tan oscuro que aún necesitó un momento para distinguir dónde estaba la cama, de modo que se quedó quieto en el umbral pasando la vista lentamente por todo el perímetro de la habitación, consciente del tictac del reloj y de su propia respiración cada vez más acelerada al pensar en que el niño estaba ahora muy cerca.

Sentía la presencia de Michl luchando por imponerse, pero no iba a permitir que lo venciese ahora que había conseguido llegar hasta allí. Agradeció la oscuridad: el pequeño no se asustaría al verlo de entrada porque casi no podría distinguir sus facciones, su horrible rostro.

De pronto, un agudo chillido rompió el silencio de la casa:

—¡¡¡Madreeeee!!! ¡¡¡Madreeeee!!!

Sentado en la cama, el pequeño gritaba con todas sus fuerzas. Lo había pillado desprevenido y, por un momento, no supo qué hacer. Lo único importante era hacerlo callar, que se callara, que dejara de gritar de ese modo, pero, antes de poder moverse hacia él, unos pasos rápidos por el corredor lo forzaron a ocultarse detrás de la puerta. Una forma blanca entró en la estancia: la madre del niño, que, llevada por la urgencia, ni siquiera había pensado en llevar una palmatoria para alumbrarse.

El terrible brazo izquierdo, fuerte como una serpiente, se enroscó en el cuello de la mujer. Si no hacía algo, también ella se pondría a gritar.

—¡Silencio! —dijo con la voz rasposa que parecía ser la única que aquel cuerpo remendado era capaz de producir—. Cállate la boca, niño, o mataré a tu madre.

El pequeño empezó a sollozar, pero al menos no gritaba. La mujer se debatía débilmente entre sus brazos. Siempre le había gustado sentir la fragilidad de los demás, sentirse fuerte, poder imponer su voluntad a los otros. ¡Cuántas veces a lo largo de sus viajes por remotos lugares había hecho todo lo que había querido con mujeres, niñas y niños de todas las razas! Y ahora, solo porque un miserable estudiante había decidido experimentar con él y con su muerte, se veía obligado a moverse como una alimaña nocturna e incluso a compartir su cuerpo con un patán que se creía superior a él porque, aunque no tuviera ninguna formación, tenía lo que llamaba «principios y moral».

—Me vas a permitir que me tome ciertas libertades contigo, bella dama —susurró al oído de la mujer—. Si gritas, mataré a tu hijo. Mueve la cabeza si me has entendido. —Soltó un poco a su presa para permitirle el movimiento, y la mujer asintió.

Desde la cama, Philip no podía ver lo que estaba pasando, pero tenía costumbre de oír llorar a su madre y maldecir a su padre; sabía que era algo malo. La diferencia radicaba en que, cuando era su padre el que la golpeaba, él no tenía a quién acudir, mientras que ahora estaba seguro de que, si conseguía salir de la habitación, su padre o sus tíos podrían ayudarlo.

Bajó de la cama en un silencio total y se escurrió pegado a la pared por la zona más alejada de donde el monstruo había empujado a su madre. Lo oía resoplar como un animal y distinguía los sollozos apagados de ella. Llegó al pasillo y echó a correr gritando: «¡Socorrooo! ¡Padre! ¡Socorrooo! ¡Están matando a madre!».

Un segundo después apareció su padre en el corredor con una vela y una pistola montada. Pasos apresurados subían por las escaleras junto con las voces de sus tíos y tías; las luces se acercaban llenando techos y paredes de sombras que saltaban y se movían.

Él señaló con el brazo hacia su habitación.

Plankke debía de haberse dado cuenta de que lo iban a atrapar porque salió de la estancia tratando de huir y se encontró con que el corredor estaba bloqueado por toda la familia y varios criados. La única escapatoria estaba a su espalda, por la ventana. Pero era un segundo piso. Mientras aún dudaba si atreverse a saltar, alguien disparó y todo se llenó de humo y de olor a pólvora. Un segundo después, tambaleándose, chocó contra el cristal de la ventana que cerraba el pasillo, y cayó de espaldas fuera, al jardín.

Todos corrieron hacia la habitación, Philip el primero. Su madre estaba tumbada bocabajo en el suelo, con los faldones del camisón subidos hasta la cintura y el pelo suelto cubriéndole la cara. Se tiró encima de ella para taparla y, abrazándola, se echó a llorar.

—¿Está muerta madre? —preguntaba—. ¿Está muerta?

Su padre se acuclilló junto a ellos, buscándole el pulso.

—No. Aún respira. ¡Primo! Tú eres médico, ¿no?

—Déjame ver a mí —dijo Nora.

—¡Necia! ¡Aparta! ¿Dónde está mi primo?

Maximilian había comprendido enseguida lo que estaba pasando y había salido volando al jardín antes de que los demás pudiesen ver bien al monstruo. Tanto si estaba muerto como si había sobrevivido al disparo y a la caída, era fundamental apartarlo de la vista de familiares y sirvientes. Esperaba que el Lobo hubiese pensado lo mismo.

Tuvo suerte. Nada más dar la vuelta a la casa y llegar al lugar de la caída, se topó con Wolf Eder, que acababa de recoger al engendro y estaba tirando de él en dirección al bosque. Entre los dos resultaba mucho más fácil, sobre todo cuando al cabo de una decena de metros hallaron una carretilla de jardín que les permitió llegar a la diminuta cabaña de aperos que se internaba ya en el bosque, a salvo de las miradas de la casa.

—¡Mételo ahí, vamos! De momento lo importante es que no lo encuentren. Luego ya veremos qué hacemos con él —dijo Max, angustiado.

—¿Sigue vivo? —preguntó el Lobo.

Lo acababan de colocar en el suelo de la cabaña y Max se arrodilló a su lado buscándole el pulso en la yugular, aunque el boquete que la bala había dejado en el pecho y las ropas ensangrentadas hablaban un lenguaje muy claro.

—Me temo que no. Ha muerto.

—¡Pobre amigo! —dijo Wolf con auténtico pesar.

—¿Plankke era amigo tuyo?

—No. Michl. Pobre muchacho. Ahora ha dejado de sufrir. ¡Vamos! Diremos que se ha escapado, que lo hemos perdido en el bosque.

—Mañana vendremos a enterrarlo.

—Mañana es vuestra boda, Excelencia.

Max se lo quedó mirando como si no entendiera las palabras hasta que de repente dijo:

—Es cierto. Lo haremos por la noche, después de la fiesta.

Echaron a andar a toda velocidad de vuelta a casa. Los dos estaban manchados de sangre y tenían que procurar quitarse la ropa antes de que los vieran. Se acercaba un grupo de criados con antorchas, palos y guadañas, mandados por Johannes.

—¿Puedo pediros algo? —preguntó Wolf en voz baja sin quitar la vista del primo del conde.

—Cualquier cosa.

—¿Me permitís que ayude a servir la mesa en el convite?

—¿Qué?

—Os lo explicaré más adelante.

—Concedido. Pero os pediré esa explicación.

—¿Dónde está esa bestia que ha atacado a mi hijo y a mi esposa? —rugió Johannes cuando se encontraron.

Wolf bajó la cabeza y se unió al grupo de modo que su antiguo jefe no lo reconociera.

—Está malherido. Ha huido al bosque. Yo regresaba a buscar refuerzos.

—No te molestes. Nosotros lo atraparemos. Esto es cosa de hombres, Maximilian. Tú tienes que estar tan apuesto como siempre para tu boda. ¡Adelante! —gritó, dirigiéndose hacia el grupo.

Cuando volvieron a quedarse solos, Max y Wolf cruzaron una mirada de complicidad y cada uno se marchó por su lado.

En la casa todo andaba manga por hombro. La cocinera, Edeltraut, acababa de hacer una gran olla de tila para que todo el mundo pudiera tomar una taza y calmarse un poco; las sirvientas andaban revolucionadas, muertas de miedo, soltando gritos histéricos por cualquier cosa, y Eduard, el mayordomo, no hacía más que regañarlas por su comportamiento.

Franz, Charlotte y Katharina se habían refugiado en la biblioteca y allí estaban tratando de consolar y animar a Mathilde, que tenía el cuello lleno de marcas moradas de las manos que habían estado a punto de estrangularla, y temblaba como una hoja con su hijo abrazado a ella, los dos tumbados en el sofá de cuero y tapados por una gruesa manta.

Nora se había excusado para ir a calmar a su doncella, que estaba teniendo una crisis de nervios en la habitación de su señorita.

283

—¡Deja ya de llorar, Sanne! No sabemos nada. A lo mejor ha conseguido huir.

—No, señorita. Yo lo he visto caer. Son dos pisos, y el disparo. ¡Pobre, pobre Michl! ¡Con lo bueno que era! —Los sollozos no la dejaban casi hablar.

Nora la abrazó fuerte.

—Ahora, cuando vuelva Max, le preguntaré qué se sabe.

—¡Se lo ruego, señorita!

—Anda, quédate aquí en mi cama. Voy a ver qué se dice. Y tómate un poco de esto, te sentará bien.

—¿Qué es?

—Láudano. Te ayudará a dormir.

Dejando a Sanne más tranquila y con la vela encendida sobre la chimenea, Nora bajó a reunirse con la familia en el mismo momento en que Max, después de haberse cambiado a toda prisa, llegaba también a la biblioteca. Sus miradas se cruzaron y Max movió la cabeza en una negativa.

«¡Pobre Sanne! —pensó Nora—. ¡Pobre Michl!».

13

El día de la boda amaneció soleado y primaveral. Todos estaban pálidos, cansados y sacudidos por los acontecimientos de la noche anterior. Nadie sabía de dónde había salido aquel energúmeno que había atacado a Mathilde y a Philip en su propia estancia, para luego desaparecer, herido, en los bosques, y los que sí lo sabían disimulaban su conocimiento.

Johannes había vuelto al amanecer, furioso y agotado, sin haber encontrado la mínima huella de la huida del criminal. Su esposa y su hijo se habían dormido por fin en la habitación del niño y él se metió en la suya sin pasar a verlos. Tenía que bañarse y ponerse presentable para la ceremonia, además de asegurarse de que todo estuviese arreglado para poder cumplir sus planes. Aquella boda sería recordada durante largos años. ¡Lástima que la estúpida de su mujer hubiese sobrevivido al ataque de aquella bestia! Habría preferido ser el conde viudo y poder elegir una nueva esposa que estuviese a su altura.

Se quedó mirando su turbio reflejo en el grueso cristal de la ventana. ¿Qué más daría, si iba a seguir adelante con lo que tenía previsto, que Mathilde fuera una víctima más? Si iba a quitarse a tres personas de encima, ¿qué más daba que fueran cuatro? El pensamiento lo puso de tan buen humor que sonrió e incluso le palmeó la espalda a Lukas cuando entró a disponer lo necesario para su baño.

* * *

Después de afeitarse escrupulosamente, Wolf se había vestido la librea azul de los lacayos de la casa, que debía de favorecerle bastante a juzgar por las miradas que las sirvientas le lanzaban por el rabillo del ojo, y había estado un rato en el comedor memorizando la disposición de los comensales. Le había explicado a Eduard que el señor conde le había permitido estar presente como criado, aunque no se podía contar con él para el servicio de mesa; se trataba simplemente de funciones de control y de seguridad personal de la familia.

Con el susto de la noche anterior, Eduard había estado más que de acuerdo, aunque seguía sin ver con buenos ojos que aquel hombre llevase un puñal bajo la librea de gala.

* * *

Sanne había pasado la noche durmiendo y llorando alternativamente, abrazada unas veces a la almohada y otras a Nora, contándole cosas de lo que ella y Michl habían hablado, de los planes que habían hecho para cuando naciera el bebé, de que ahora ya nunca conocería América...

Como la señorita ya se había bañado la noche anterior antes de la cena, al menos Sanne se ahorró ese trabajo y se concentró en peinarla y ayudarla a vestirse. Nora misma se maquilló con las extrañas pinturas que llevaba en la bolsa e incluso la pintó un poco a ella, para que no se le notasen de modo tan evidente las horas de llanto que llevaba. Pensaban usar la excusa de que, con el embarazo, estaba más sensible y se había asustado muchísimo con el ataque nocturno, pero de todas formas era mejor no tener los ojos tan hinchados. Luego Sanne se vistió también con un vestido que había sido de Katharina y las dos bajaron al salón para, desde allí, ir todos juntos a la capilla donde se celebraría la ceremonia.

Para Nora era una combinación de excitación y miedo, mezclados con una sensación de irrealidad muy intensa. Nunca hubiera pensado que se iba a casar tan joven, mucho antes de acabar la carrera, sin que su abuela ni sus padres estuvieran presentes, en una época que no era la suya, y después de los terribles acontecimientos que habían tenido lugar desde que puso el pie en la Ingolstadt de 1781. Habría preferido con mucho estar los dos solos en alguna parte, firmar un documento y luego irse a comer algo bueno para celebrarlo, sin más.

Toda la familia estaba elegantísima, como en una película histórica, y todos sonrieron y aplaudieron al verla aparecer vestida de blanco con su sencillo modelo tipo bata con una pequeña cola. Charlotte y Katharina se habían decidido por vestidos a la polonesa, mucho más amplios y llamativos, una de amarillo y otra de crema con flores bordadas de muchos colores.

—¿Dónde está Max? —preguntó, nerviosa.

287

—Ha ido a dar unas órdenes. Enseguida vuelve —dijo Charlotte, tironeándose de la alta peluca frente al espejo nuevo del salón, recién instalado.

Cuando lo vio entrar, Nora estuvo a punto de desmayarse. Estaba guapísimo, aunque tampoco hubiese pensado nunca que se casaría con un chico con peluca empolvada, vestido de raso de color rosa con bordados gris perla y medias blancas con zapatos de tacón y hebilla de plata. Los suyos debían de ser igual de incómodos que los de ella: no había pie izquierdo y pie derecho, los dos eran iguales y, hasta que uno no los iba formando a base de llevarlos, hacían bastante daño.

Los últimos en bajar fueron Philip y Mathilde, casi transparentes y con un temblor apreciable en los labios y las manos.

Luego, todos juntos, ella del brazo del tío Franz y Max del brazo de la tía Charlotte, se dirigieron a la capilla del castillo, donde los esperaban el resto de los invitados y el monseñor que oficiaría la ceremonia.

Finalmente no habían podido contratar al señor Mozart porque estaba de gira por Europa, pero todo lo demás era perfecto: el sol brillaba sobre la hierba verde de la primavera temprana y hacía destellar las florecillas de colores que adornaban los prados, las montañas lucían aún un penacho de nieve que contrastaba con el cielo de un azul profundo, cantaban los pájaros y la campana de la capilla repicaba alegremente.

Dio comienzo una larga misa en la que el frío fue apoderándose de todos los presentes. Por contraste, la ceremonia fue breve, y llamativa.

Cuando el oficiante comenzó la fórmula de «¿Aceptas a este hombre como tu legítimo esposo para amarlo, honrarlo y obedecerlo todos los días de tu vida?», Maximilian, en voz tranquila, dijo de manera que todos pudieran oírlo:

—Obedecer no, monseñor. Mi prometida no va a jurarme obediencia.

El sacerdote se quedó de piedra, igual que toda la concurrencia.

—Pero..., pero...

—Amarme y respetarme es todo lo que le pido, y también lo que yo le ofrezco. Yo tampoco juraría obediencia a otra persona.

—Nadie os pediría tan gran disparate, excelencia.

—Pues si es un disparate, lo es en los dos casos. Os ruego que procedáis, monseñor.

Un momento y dos síes después, Maximilian von Kürsinger, conde de Hohenfels, y la señorita Eleonora Weiss se convirtieron en marido y mujer.

* * *

El gran salón del castillo, donde en vida de la señora condesa se celebraban los bailes y que ahora llevaba muchos años sin ser usado, brillaba de limpio, con sus maravillosas arañas de cristal llenas de velas y su larga mesa puesta con los mejores manteles de lino, la cubertería de plata, la vajilla de porcelana de Sèvres y la cristalería traída de Bohemia. Los lacayos vestidos de azul y plata esperaban junto a las mesas auxiliares, y los comensales fueron ocupando sus puestos entre risas y charlas.

289

Wolf, vestido como los demás lacayos y con la misma peluca gris, estaba junto a los cortinajes para poder desaparecer si le parecía conveniente. Echó una intensa mirada a la sala hasta que estuvo seguro de que Johannes von Kürsinger no estaba allí y de inmediato se puso a buscarlo. Siguiendo su intuición, que casi nunca le había fallado, se dirigió a la cocina. Para él, un hombre que quería ver a alguien muerto y no era capaz de matarlo él mismo era un cobarde, y sospechaba cuál sería la herramienta de ese tipo de cobarde.

No se equivocó. Johannes llevaba un frasco en la mano, y esta discretamente cerrada en puño a la espalda.

¿No pensaría matar a todos los convidados? Ni él podía estar tan loco...

Oculto detrás de la puerta de la despensa, y aprovechando que aquello era un hervidero de criados, lo vio verter el contenido del frasco en la gran marmita donde bullía suavemente una sopa que, por el olor, debía de ser de pescado.

¿Qué pretendía aquel necio? ¿Qué sería aquello que había vertido en la sopa? No era posible que se tratase de un veneno mortal; todos iban a comer ese primer plato y, por loco que estuviera, no podía querer matar a cincuenta personas, muchas de ellas de su propia familia. Por el momento nadie se había dado cuenta, pero, de todas formas, era necesario evitar el riesgo.

Por fortuna, su madre había trabajado en la cocina de una gran casa y él sabía que lo más probable era que la cocinera tuviera lista otra sopa para servirla por la noche, sola o mezclada con la que sobrase al mediodía. Fue a hablar con la mujer e, invocando la autoridad del conde, consiguió que cambiara una marmita por otra, aunque eso significara retrasar un poco la comida.

Rápidamente subió de nuevo al comedor, llamó al conde con la seña que habían convenido y le expuso sus temores y su estratagema. Tras debatir un rato, volvió a su puesto en la fila de lacayos sin quitarle ojo a Johannes.

Cuando se sirvió la sopa, lo vio sonreír, tomar exactamente una cucharada y dejar el resto en el plato, que le fue retirado con celeridad.

Justo hacia la mitad de la comida, Johannes von Kürsinger llenó tres copas y, con una habilidad digna de mejor causa, abrió el anillo que llevaba en el índice, dejó caer su contenido en dos de ellas, se puso en pie y, después de recabar la atención de todos los comensales, anunció un brindis por los nuevos esposos.

Se acercó con las tres copas en una bandeja dorada a donde Maximilian y Eleonora presidían la mesa nupcial y se las entregó con una sonrisa. Todos se pusieron en pie levantando también las suyas.

Wolf no perdió tiempo. Fingiendo un tropezón inoportuno, chocó con Nora de manera que su copa se derramó sobre el mantel, salpicando de vino su vestido blanco, para consternación de todos los presentes. Max y Johannes acudieron en su ayuda, dejando sus copas sobre la mesa durante un instante que Wolf usó para cambiarlas. Se arrodilló frente a la nueva condesa ocultando su rostro entre las manos fingiendo estar horrorizado por lo que había hecho y Nora, respondiendo a una mirada de Max que no entendió por completo, supo sin embargo lo que tenía que hacer. Tendió su copa vacía a otro lacayo y este le trajo una limpia que enseguida rellenó para ella.

—Bebamos —dijo Johannes—. ¡Por los desposados! ¡Larga y hermosa vida, y que Dios os bendiga con muchos hijos!

Los tres apuraron la copa, sonriendo. Los convidados aplaudieron y Johannes, a pesar de la mortificación que sentía por el fallo parcial de su plan, por culpa de aquel estúpido lacayo, se consoló pensando que aún le quedaba el otro frasquito y podría intentarlo de nuevo con Nora cuando le ofreciera a Mathilde una copa de vino que ella no se atrevería a rechazar. A la criadita la despacharía más tarde, cuando tanto ella como los invitados empezaran a sentirse descompuestos gracias a lo que había echado en la sopa que habían comido todos, señores y criados, incluso él, para que a nadie se le ocurriese pensar que él era el único que no se había visto afectado.

Cuando por la noche o al día siguiente empezaran a preguntarse qué había sucedido, achacarían la muerte de los jóvenes condes a la sopa en mal estado que había hecho enfermar a todo el mundo. Se trataba de una sopa de pescado y era más que posible que algo en ella no estuviese en buenas condiciones. ¡Hasta en eso había tenido suerte! Ahora solo debía ingeniárselas para conseguir que Nora y Mathilde tomaran una copa de vino con la medicina y ya todo sería simplemente cuestión de esperar.

La comida progresaba según lo previsto, las mejillas de los invitados iban subiendo de color conforme se vaciaban los picheles de vino y las fuentes de viandas, las risas iban subiendo de tono y la música que interpretaba el cuarteto de cuerda iba haciéndose cada vez más alegre; pronto llegaría la hora de retirar las mesas y ponerse a bailar, pero, mientras tanto, Johannes decidió hacer tiempo saliendo a fumar al exterior. Quizá encontrase a alguien que también hubiese descubierto los placeres del humo americano.

Antes de salir echó una mirada a su primo tratando de discernir si el veneno había comenzado ya a hacer su efecto. El boticario le había dicho que era una droga lenta, que podían pasar varias horas hasta que empezaran las primeras náuseas y luego los vómitos. Debería tener paciencia porque, de momento, Maximilian estaba radiante comiéndose el delicado *soufflé* que acababan de servir y que a él no le apetecía aún.

En el exterior, el sol radiante de la mañana había empezado a dejar paso a unas nubes grises que se amontonaban con rapidez sobre las colinas y que pronto traerían lluvias abundantes. Bueno para los campos, malo para él. Detestaba salir a cazar cuando todo estaba empapado, pero la caza era su principal actividad y no era capaz de pasar más de dos días sin hacerlo; se ponía nervioso cuando estaba encerrado dentro de casa y, sin pretenderlo, acababa rompiendo cosas.

Apenas había encendido el cigarrillo, cuando oyó unos pasos tras de sí y se volvió con curiosidad por ver quién de los invitados tenía la misma afición al tabaco. Sus ojos se dilataron de sorpresa al ver al Lobo vestido con la librea azul y plata de Hohenfels.

—¿Qué es esto? ¿Qué haces aquí?

—Con vuestro permiso, Señoría, le estuve dando vueltas a nuestra asociación y decidí que, para cumplir vuestros deseos, lo mejor sería introducirme en la servidumbre de vuestro noble primo. Sabía que siempre que hay una boda hacen falta sirvientes extra, de modo que llegué aquí hace ya un par de semanas, primero como cochero del conde y ahora como lacayo provisional. En cuanto terminen las festividades me marcharé, pero antes me vendría bien tener algo ahorrado para el viaje y había pensado que quizá necesitéis mis servicios para algo.

Johannes dio una larga calada al cigarrillo y sonrió, colmado. Estaba teniendo una racha de suerte increíble. Salvo el no haber sido capaz de atrapar al agresor nocturno, lo que aún le escocía en su orgullo de rastreador y cazador, todo estaba saliendo a pedir de boca.

—Espérame aquí. Tengo un encargo que hacerte pero, conociéndote, sé que cumplirás mejor si ves primero el oro, ¿me equivoco?

—Se puede decir que sois casi clarividente, Señoría. Aquí os espero.

El Lobo acarició el puñal que llevaba bajo la librea. Le picaban los dedos de ganas de hundírselo en el pecho a aquel pavo real que además tenía el cerebro de un mosquito, pero no podía uno ir matando a todos los imbéciles con los que se topaba. Ahora lo importante era sacarle todo el dinero posible antes de que el veneno que se había tomado sin advertirlo hiciera su efecto.

Le resultaba curioso pensar que ese mismo hombre pagado de sí mismo, que ahora estaría bajando las escaleras del castillo creyéndose un triunfador y ya casi conde de Hohenfels, al cabo de unas horas estaría vomitando y defecando, pálido y sudoroso, sintiendo los horribles retortijones de unas tripas que se deshacen, y empezando a notar el aliento helado de la muerte en la nuca. La vida es breve, efectivamente, como le decían de pequeño en la doctrina.

El mamarracho vestido de seda se reunió con él y le entregó discretamente una bolsa que él hizo desaparecer con rapidez; pesaba lo bastante como para tranquilizarlo.

—¿Qué puedo hacer por vos, Señoría?

El hombre le entregó un frasquito marrón.

—Mitad y mitad en el vino de la novia y en el de mi esposa. Para que tengan compañía en la eternidad —terminó con una carcajada.

—¿Vuestra esposa? ¿Y la novia? Pensaba que lo principal era despachar al conde...

—No te preocupes por eso. Ya está arreglado. No eres el único que sabe hacer las cosas.

—Mis respetos, Señoría.

Von Kürsinger se hinchó como un pavo.

—Y más tarde, esa criadita insignificante que mi primo se ha traído de Ingolstadt y que hace de doncella de la novia. El método, a tu gusto. Entremos. Debe de estar a punto de empezar el baile.

En ese mismo momento cayeron las primeras gotas sobre la terraza y los dos hombres se separaron.

* * *

Sanne estaba arrodillada junto al cadáver de Michl mirando su horrible rostro, ahora más sereno después de la muerte, recordando su bondad y su cariño, sus palabras de aliento, su mano fuerte que había acariciado la de ella, mucho más pequeña y pálida, casi como la otra de él.

¡Se había hecho tantas ilusiones! Nunca habría imaginado que después de haberse dejado convencer por las falsas promesas de aquel estudiante tan guapo acabaría sintiendo cariño por un monstruo construido con trozos de cadáveres, lleno de cicatrices moradas; pero así era. Lo echaba tanto de menos que dolía como si le estuvieran arrancando una muela, y no conseguía consolarse ni con todo lo que la señorita (la señora condesa, se corrigió a sí misma) le había dicho: que no estaría sola, que podría quedarse siempre con ellos en el castillo, que a su hijo no le faltaría de nada. Todo eso era maravilloso y mucho más de lo que nunca se hubiese atrevido a esperar, pero Michl ya no estaba y su ausencia era un dolor que no creía poder superar nunca en su vida. Al menos le habían dicho dónde estaba su cuerpo para que pudiera ir a visitarlo, aunque con la promesa de no contar nada a nadie ni permitir que nadie la siguiera.

Acercó la mano al rostro sin vida y le acarició la mejilla con suavidad. Estaba frío, pero no parecía realmente muerto, sino dormido, aunque el agujero de la bala seguía allí y la sangre se había secado en sus ropas. Seguramente también se habría roto algún hueso al caer, pese a haberlo hecho sobre hierba y no sobre las losas. Ahora ya... ¡qué más daba! ¡Pobre Michl! Había muerto ahorcado una vez y ahora que había empezado a vivir de nuevo volvían a matarlo por culpa de aquel pervertido de Plankke; ese sí que era un monstruo.

Lo único bueno era que Plankke había muerto también. No volvería a hacerle daño a nadie.

Se quedó mirando a Michl fijamente, repasando sus propios pensamientos. Después de la horca, Michl había vuelto a la vida. Frankenstein le había hecho algo que lo había resucitado. ¿No sería posible que el señor conde, que también era estudiante como Frankenstein y tenía todos sus escritos y todos sus mejunjes, pudiera hacerlo igual?

Se puso de pie a toda prisa, sacudiéndose las hierbecillas secas que se le habían pegado a la falda del vestido que acababa de heredar. Sabía que no era momento de hablar con los recién casados, pero urgía tanto que quizá la señorita..., la señora..., se lo perdonara.

En las bodas los amos regalaban monedas a los criados, o pequeños favores. Ella sabía con toda seguridad lo que iba a pedirles, y no era pequeño.

* * *

A pesar de todo lo que se habían esforzado Charlotte y Katharina, Nora estaba nerviosísima cuando llegó la hora de abrir el baile, como correspondía, con un minué. Había practicado durante horas, pero nunca había sido especialmente grácil bailando y le costaba una barbaridad recordar no solo las figuras, lo que ya resultaba difícil de por sí, sino también el orden de las diferentes parejas con las que tenía que bailar. Sabía que el baile daba comienzo con Max, lógicamente, porque era el novio, y luego pasaba al tío Franz, luego al primo Johannes, después a otro familiar llamado Markus, y a partir de ahí ya no se acordaba de nada. Además, lo de bailar con una rosa entre los dientes le resultaba tan ridículo y molesto que habría preferido quedarse sentada; pero así eran las cosas y la tía ya le había recordado lo difícil y caro que había sido conseguir rosas tan temprano. Ese era de nuevo un ligero reproche por las prisas para casarse; al parecer, lo correcto habría sido esperar unos dos años entre el compromiso y la boda.

Max le tendió la mano y ella lo acompañó al centro del salón, que ya había quedado despejado para el baile. Tenía la sensación de haberse metido en el sueño de otra persona y, cada vez que pasaba la vista por los invitados tan risueños y satisfechos, no podía evitar pensar que estaban todos muertos, que si ella estuviera visitando ese castillo en una excursión en su propia época todas aquellas personas llevarían dos siglos enterradas, incluyendo a Max.

Bailaron durante lo que le pareció una hora, haciendo reverencias, dando vueltas, y dejando manos de unos y de otros, lanzando o no miradas a la pareja de cada momento, según estaba estipulado: todo tenía su significado y su importancia. Aquello era agotador.

Por fin terminó el primer baile y todas las señoras agarraron con furia sus abanicos y empezaron a darse aire mientras se apartaban hacia los lados esperando a que les sirvieran algo de beber.

Wolf Eder, muy galán con su librea azul, se acercó a Nora con una copa dorada en una bandeja.

—Vino blanco con especias, señora. Muy refrescante.

—Gracias, Herr Eder. ¿Cómo lo he hecho?

Él le obsequió su famosa sonrisa traviesa, que tantos éxitos le había granjeado con las damas.

—Maravillosamente.

Ella se quedó mirándolo con una ceja alzada hasta que él, a punto de soltar la carcajada, añadió en voz velada:

—Para ser la primera vez.

Ambos sonrieron y él se retiró. Un momento después le servía otra copa a Mathilde, que no había bailado y llevaba un buen rato tocándose la frente como si le doliera la cabeza o tuviese fiebre.

Estuvo a punto de rechazar la bebida, pero se encontró con la mirada perentoria de su marido y, sin intentar siquiera contradecirlo, se bebió la mitad, hizo una mueca de disgusto y se bebió el resto aún delante de Wolf. Dejó la copa vacía en la bandeja y siguió masajeándose la frente mientras observaba la lluvia a través de los cristales.

—¿Te encuentras mal, Mathilde? —Nora la sorprendió por detrás; sus hombros se encogieron y todo su cuerpo se sacudió en un escalofrío—. Perdona, no quería asustarte.

—No me has asustado. Estoy bien. Es solo porque apenas he dormido esta noche. Creo que hoy no bajaré a cenar y me retiraré temprano. Espero que me perdones, Nora.

Ella se inclinó hacia su oreja:

—Sé lo que te pasa, Mathilde. Quiero ayudarte.

—Nadie puede ayudarme. Disculpa, mi marido me llama.

Johannes había empezado a notar un malestar en el estómago y un calor extraño que le subía por la garganta. Comprendía que era necesario pasar por ello para que nadie pensara que él se había librado de la intoxicación que había afectado a casi todos los comensales, pero había creído que con una sola cucharada de la sopa no podía pasarle prácticamente nada y que tendría que fingir bastante.

Lo curioso era que ninguno de los invitados parecía encontrarse mal. Nadie había salido a tomar el aire ni se había retirado más tiempo del normal a la sala contigua donde estaban los muchos orinales necesarios en ese tipo de celebraciones.

Por estúpido que fuera, daba la impresión de que aquello solo le estaba afectando a él. Maximilian estaba tan galán como siempre, charlando y recibiendo parabienes de unos y otros, mientras muchos bailaban la polonesa.

Él habría preferido que, cuando sus familiares empezaran a encontrarse mal, ya hubiese varias personas enfermas, pero parecía que el buen humor o la humedad de la lluvia estaban contribuyendo a que nadie tuviera náuseas o a que las disimularan tan bien como estaba haciendo él mismo.

De todas formas, solo era cuestión de tiempo. Con sus propios ojos había visto a Maximilian beberse su copa envenenada y ahora acababa de ser testigo de que el Lobo les había servido el vino preparado tanto a Nora como a Mathilde. No había más que esperar.

Despidió a su esposa con un gesto y caminó, un poco mareado, hacia los ventanales que permitían salir a la terraza. Allí, una amplia pérgola resguardaba de la lluvia y, como estaba a la vuelta del salón y protegida de miradas indiscretas, podría aflojarse el lazo del cuello y fumarse un cigarrillo con tranquilidad. El humo tenía propiedades restaurativas, todo el mundo lo decía.

Apenas había disfrutado de la primera bocanada, cuando una arcada lo forzó a inclinarse sobre el parterre y vomitar sobre los narcisos parte del postre que acababa de tomar. Una mano le tendió un pañuelo sencillo, pero de buena tela.

—Las órdenes de Vuestra Señoría están cumplidas.

—Lo he visto. Me alegro.

—¿Os encontráis bien? ¿Demasiado clarete en la comida?

¡Cómo se atrevía aquel patán a criticar sus hábitos! Pero era cierto..., no estaba bien. Todo había empezado a darle vueltas.

—¿Me permitís que os lleve a un lugar donde podréis estar solo hasta que se os pase? —se ofreció el Lobo.

Johannes asintió sin palabras. Si algo quería evitar era ponerse en ridículo delante de su familia y el resto de los invitados. No se explicaba qué era lo que podía haberle sentado tan mal.

Wolf pasó por sus propios hombros el brazo del aristócrata y medio lo cargó, medio lo arrastró hasta el invernadero de la parte sur del castillo, donde había un banco de madera en mitad de la vegetación. Así estaría

301

protegido de la lluvia y, si alguien lo buscaba en algún momento, cuando lo encontrara sería demasiado tarde para poder ayudarlo.

—¿Necesitáis algo que os pueda traer?

—Agua. Agua con limón.

—Vuelvo enseguida. Descansad.

Wolf cerró con cuidado la puerta del invernadero y se marchó a seguir vigilando a Sanne; no creía que corriese ya ningún peligro, pero no estaba de más asegurarse.

* * *

A las siete de la tarde, ya con todas las velas de las refulgentes arañas de cristal encendidas, volvieron a montar las mesas mientras los invitados pasaban al salón pequeño, a las salitas o a la biblioteca, y se sirvió una cena ligera.

Los regalos de los sirvientes habían sido entregados, los regalos de boda habían sido convenientemente admirados, casi todo el mundo estaba cansado, algunos ligeramente achispados, otros abiertamente borrachos y otros más se encontraban tan felices que no querían que acabara aquella fiesta que se les había regalado en mitad de la primavera, justo después de la Pascua.

Como ya había anunciado, Mathilde se acercó a despedirse de los novios para retirarse a sus habitaciones.

—¿Habéis visto a Johannes? —preguntó.

—No —contestó Max—. Hace ya rato que no lo veo. No sé dónde se habrá metido.

—En el cuarto de la más joven de tus sirvientas, supongo. Hace mucho que ha dejado de importarme.

302

—¡Mathilde! —Max encontraba escandaloso que su prima política hiciera ese tipo de comentario fuera de la más estricta intimidad, pero ella no tenía costumbre de beber, casi no había comido, y la copa de vino llena hasta el borde que Johannes la había obligado a apurar se le había subido a la cabeza.

—Pienso cerrar con llave y meterme en la cama con Philip. Si a media noche oís golpes en la puerta, podéis daros la vuelta y seguir durmiendo. Hoy no voy a abrirle.

Max y Nora se quedaron mirándose, perplejos. ¿De dónde habría sacado Mathilde así, de pronto, ese valor?

—¿Cuándo vamos a cumplir a Sanne el deseo que nos ha pedido? —susurró Nora al oído del que ya era su esposo.

—Di mejor cuándo vamos a *intentar* cumplírselo... Además de que no lo tengo todavía muy pensado. Frankenstein dejó un frasco lleno de la mezcla que cree que es la que utilizó, pero ya sabes que ese hombre nunca está seguro del todo y en la carta que me envió no hay nada realmente claro. ¿Consideras que deberíamos intentarlo?

—Sí.

—¿Y si reaparece Plankke?

—No creo que suceda.

—¿Por qué?

—Es una especie de corazonada. Intuyo, por lo que me ha contado Sanne, que cuando Johannes lo mató, Michl ya había conseguido dominar a Plankke casi todas las veces. Si ahora le damos una oportunidad, lo vencerá para siempre. Tenemos que hacerlo cuanto antes. Hoy mismo.

—¿Hoy? ¿Esta noche? ¿Con toda la casa llena de gente?

—Nadie nos echará de menos si nos vamos ahora. Noche de bodas, ¿comprendes? Nadie preguntará dónde estamos o qué hacemos.

Max se puso colorado, pero añadió:

—También me gustaría tener una noche de bodas de verdad, ¿sabes?

—Mañana —le susurró ella muy cerca de sus labios.

14

Cuando salieron al exterior ya no llovía, pero la noche estaba oscura, fría y brumosa. La niebla difuminaba los contornos de los primeros árboles del bosque y parecía que los lobos hubiesen devorado la primavera.

Sanne los esperaba con dos faroles tapados pegada al muro de la casa, en la oscuridad, temblando de miedo y de expectación. Se había mordido los labios hasta hacerlos sangrar y se chupaba la sangre casi sin darse cuenta de lo que estaba haciendo. Aunque los había estado esperando, se estremeció al verlos aparecer.

Max se cruzó los labios con el dedo y echó a andar delante de ellas con un farol en la mano. Había vivido allí toda su vida, conocía el terreno como la palma de su mano y no necesitaba luz para encontrar el camino. La luz la necesitarían después, al llegar al cobertizo.

Las chicas lo seguían envueltas en sus capas y aga-rradas de la mano, con el segundo farol. Por fortuna, se les había ocurrido cambiarse de ropa y ponerse unas botas enceradas que les ahorraban llenarse los pies de barro, aunque el frío penetraba igual.

En la diminuta cabaña de madera apenas había espacio para los tres y el cadáver de Michl, que así, tumbado de espaldas como estaba, parecía incluso más grande de lo que ya era. Descubrieron los faroles y los colocaron de modo que su luz les permitiera ver lo que hacían.

—No sé si deberíais estar aquí vosotras —dijo Max, dubitativo—. Quizá tendría que haberle pedido ayuda a Wolf.

—No hace falta —replicó Nora, resuelta—. Nosotras podemos ayudar perfectamente. ¿Qué quieres que hagamos?

—Desnudadlo —ordenó Max.

—¿Del todo? —preguntó Sanne.

—Necesito acceso a su cuello, su corazón y sus ingles, de modo que me temo que vais a tener que desnudarlo por completo.

Mientras ellas se afanaban con la ropa, Max estaba cargando el aparato inyector con el líquido que esperaba que fuera el adecuado, pero antes tenía que suturar la herida que había producido la bala, después de haberse asegurado de que hubiese atravesado el cuerpo limpiamente. De lo contrario, tendría que buscarla y extraerla.

A la luz mortecina de los faroles aquel cuerpo parecía más muerto de lo que le habría gustado. Quería intentarlo, pero empezaba a invadirlo un terrible cansancio emocional, una conciencia absoluta del más que probable fracaso.

En ese momento vio como Sanne recostaba contra su cuerpo el torso del difunto para poder sacarle la manga de la camisa y en su gesto había tanto cariño, tanta delicadeza, tanta esperanza que decidió que haría todo, absolutamente todo lo que estuviera en su mano, para que pudiera recuperar a Michl.

—Sujetadme la luz lo más cerca posible —pidió—. Tengo que asegurarme de que la bala no está dentro.

Max se sentó a horcajadas sobre el cadáver y, con unas largas pinzas, empezó a hurgar en la herida.

—No parece haber nada dentro, pero la bala ha tocado el corazón. No es posible que esto funcione. No es posible.

—¡Probad, señor conde, os lo ruego! —imploró Sanne.

—Sujetadlo sentado. Quiero ver si hay orificio de salida.

En ese momento un relámpago iluminó el cobertizo con un violento resplandor violeta que los dejó ciegos durante unos momentos. El trueno sonó muy lejano. La tormenta, si llegaba, aún tardaría mucho en alcanzarlos. Las chicas trataron de levantarlo como habían hecho antes para quitarle la camisa, pero el peso era considerable.

—¿No sería mejor que me dejarais a mí? —oyeron decir desde la puerta.

—¡Herr Eder!

—Estaba buscando a Sanne, y parece que la he encontrado.

—¿A mí?

—Michl me pidió que no te abandonara, que te cuidase hasta que naciera el bebé si a él llegaba a pasarle algo. Yo cumplo mis promesas. Dejadme ayudar.

Otro relámpago iluminó la noche. Una tormenta seca, con truenos lejanos, parecía haberse asentado en la región.

La noche fue pasando lentamente. Los relámpagos se acercaban y de vez en cuando, por el ventanuco o a través de la puerta abierta, veían algún rayo ramificado como un árbol de plata marcando la piel de la oscuridad.

Max repasó y suturó las heridas con más cuidado y precisión del que había empleado Frankenstein al coser tanto las suyas como las de su engendro y, cuando ya casi había terminado, impelido por una necesidad interior, volvió a cortar las cicatrices que le cruzaban el rostro y el cuello y las cosió de nuevo con puntos muy delicados.

Por fin, agarrando con fuerza el aparato inyector, susurró:

—Vamos a intentarlo. ¿Estáis listos?

—¿Alguien me puede explicar qué estamos haciendo? —preguntó Wolf, que hasta ese momento había pensado que solo estaban poniendo presentable el cadáver para darle un entierro digno, aunque le había extrañado considerablemente el momento que habían elegido.

—Si funciona, lo verás enseguida —dijo Max, abandonando todo tratamiento de cortesía—. ¡Qué pena no poder usar la fuerza eléctrica de la tormenta! ¡Eso sí que podría ayudar a Michl a librarse de Plankke! Este cuerpo es joven y fuerte, y la mente de Michl también. Con la fuerza de un choque eléctrico podría conseguir expulsarlo.

—¿Qué podemos hacer? —preguntó Sanne, nerviosa pero decidida.

—No lo sé. Es un fenómeno muy poco estudiado.

Nora estaba pensando a toda velocidad. Ella tampoco tenía muy estudiados los fenómenos eléctricos, pero sabía que su abuela le había explicado muchas veces de pequeña todo lo que podía ser peligroso porque atraía los rayos. Si ahora querían atraerlos, tenía que hacer todo lo prohibido y cruzar los dedos para que funcionara.

—A ver, Max, tú inyéctale ya. Sanne, haz un buen fuego, que salga mucho calor por la chimenea. Wolf, abre los dos ventanucos y la puerta, necesitamos corriente de aire. Por suerte aquí hay muchos trastos de metal que posiblemente atraerán la descarga. Vamos a ponerlos cerca del cuerpo y, sobre todo, vamos a salir de aquí a toda prisa porque, si nos alcanza, nos matará.

Max se quedó mirándola como si fuera una aparición celestial.

—¿Cómo sabes todo eso?

—Ya te lo contaré cuando estemos más tranquilos.

—¿Y a Michl? —preguntó Sanne, pálida como la cara de la luna—. ¿No lo matará?

Wolf la sujetó por los hombros y, a tirones, fue sacándola de la cabaña.

—Él ya está muerto, Sanne. No le va a pasar nada, créeme.

Salieron los cuatro dejando el cadáver de Michl igual de muerto que estaba cuando, horas atrás, habían llegado a la cabaña.

—Vamos a la capilla. Allí estaremos seguros.

Recogieron los faroles y ya se estaban poniendo en camino, cuando notaron un cosquilleo en todo el cuerpo y el cabello empezó a erizárseles. Sobre el metal de los faroles aparecieron chispas que corrían por la superficie.

—¡No corráis! ¡En cuclillas, todos, al suelo! —gritó Nora.

Un segundo después, un tremendo rayo descargó con enorme violencia sobre la cabaña dejándolos ciegos durante unos momentos. Un extraño olor lo invadió todo hasta que, poco a poco, fue disipándose y desapareció.

Se pusieron de pie, temblorosos, mirándose unos a otros como para asegurarse de que todos habían sentido lo mismo y todos seguían con vida.

El horizonte empezó a teñirse de rosa. Un pájaro gorjeó muy cerca, dando la bienvenida al nuevo día.

En la puerta de la cabaña, llenando el vano con sus enormes hombros, el monstruo los miraba.

* * *

Los dos días siguientes estuvieron llenos de despedidas. Todos los invitados que habían acudido a la boda y se habían quedado a pasar la noche fueron marchándose a lo largo de la mañana siguiente y después le tocó el turno a la familia.

Los tíos Franz y Charlotte con la prima Katharina se quedaron a comer, junto con Mathilde y Philip, y se fueron antes de que el sol empezase a bajar. Solo tenían dos horas de viaje, pero preferían llegar a casa aún con luz. Mathilde seguía pálida y callada. Johannes no había aparecido y, aunque tenía costumbre de no recibir ninguna explicación de sus idas y venidas, no sabía si alegrarse o asustarse. El hecho de que Donner, su caballo, hubiera desaparecido de las caballerizas indicaba que se había marchado sin despedirse de nadie, cosa que, sin ser realmente rara, mostraba que iba degenerando en su comportamiento.

—¿Quieres quedarte unos días más con nosotros, Mathilde? —preguntó Nora.

Ella negó con la cabeza.

—Me gustaría mucho, pero es mejor que esté en casa cuando Johannes vuelva. Si llega y no estamos... Además —le ofreció una pequeña sonrisa sujetándose el labio inferior con los dientes—, me hace ilusión estar en casa sola con Philip. Lo que dure...

—¿Por qué no le dejas?

—¿A Johannes? ¿En qué mundo vives, Nora? ¿Qué iba a hacer yo sola? ¿De qué iba a vivir?

—Tus padres...

—Mis padres no me abrirían la puerta de casa. Una esposa que abandona a su marido..., ¡qué vergüenza para la familia! —Sacudió la cabeza en una lenta negativa—. Las mujeres tenemos que resignarnos a lo que nos haya tocado.

—Es injusto.

—Ya. Pero siempre ha sido así. A veces... —se acercó mucho a ella, bajando la voz—, a veces pienso, Dios me perdone, que si Johannes tuviese un accidente con ese maldito caballo loco que tiene, esa sería la única posibilidad de ser feliz. Si no me mata antes a disgustos. Pero tengo que ser fuerte por mi hijo.

Mientras ellas hablaban en el saloncito tomando una última taza de chocolate, Wolf fue a la cabaña donde dos noches antes había presenciado lo más extraño de su existencia: un muerto que había vuelto a la vida.

Quería despedirse de Michl y Sanne y suponía que los encontraría allí. Era importante que el muchacho desapareciera cuanto antes. Había ya demasiada gente que lo había visto por los alrededores y su aspecto era de los que no se olvidan y nada tranquilizador precisamente. Cuando llegó, los halló sentados en un banquito en la puerta, con la espalda apoyada en la madera caliente de sol, mirando hacia el bosque, de la mano.

—Vengo a despedirme, amigos.

—¿Te vas por fin a América? —preguntó Michl poniéndose en pie.

—No, aún no. Pronto, pero aún no. Quienes se van a América sois vosotros.

—¿Qué? —Sanne los miraba sin entender nada.

—Escuchadme. Tú no puedes quedarte aquí después de lo que ha pasado, Michl. Lo de las piedras que te tiraron no es nada en cuanto alguien empiece a decir que eres el agresor de la otra noche, que te mataron y has vuelto a la vida. Te perseguirán, te ahorcarán de nuevo y te quemarán en la hoguera en la plaza pública, delante de la catedral. Y tú —se volvió hacia Sanne— aún puedes moverte. Tienes un par de meses por delante antes de que llegue el momento del parto. Si hay que viajar, hay que hacerlo ahora. Tardaréis un mes como mucho en llegar a Génova. Ahí podéis embarcar para el Nuevo Mundo y casaros en el barco. Los capitanes pueden casar a la gente. Una vez allí estaréis seguros, no os conoce nadie. Seréis una pareja como cualquier otra. Tú un poco más grande y más feo de lo normal… —Michl sonrió—, pero ya dicen que «el hombre y el oso…, cuanto más feo, más hermoso». Sanne es guapa por los dos. El conde te ha arreglado bastante los costurones de la cara y, en caso de necesidad, siempre te puedes echar el velo por encima y hacer correr la voz de que te quemaste en un incendio. Nadie va a querer ver si es verdad. Allí podréis empezar de nuevo; dicen que la tierra es barata, tendréis vuestra propia casa y no habréis de servir a ningún amo.

—No tenemos dinero, Wolf. Ni para el pasaje ni para comprar tierra, por muy barata que sea.

Entonces el Lobo sacó la bolsa que le había entregado Johannes.

—Lo vamos a repartir como buenos hermanos. Es el último regalo del primo del conde. A él ya no le hace ninguna falta y su mujer es rica —sonrió de un modo que hizo que Sanne entendiera por qué lo llamaban Lobo.

—¿Qué ha sido de él?

—Se emborrachó en la fiesta, me pidió que le trajera su caballo ya casi de noche. Traté de disuadirlo, pero no hubo nada que hacer. No me extrañaría que se hubiera despeñado. Yo lo acompañé durante un rato y, cuando se puso a hacer el loco, me quedé atrás y lo vi perderse en la montaña dando gritos de furia. No se lo he contado a su mujer, pero supongo que antes o después encontrarán su cadáver.

—¡Dios tenga piedad de su alma, pero así es mejor para todos! —dijo Sanne santiguándose.

—¿Y tú, adónde vas ahora?

—La viuda necesitará a un hombre de confianza —les guiñó un ojo—. Si estoy a gusto, me quedo un tiempo. Si no, me voy a América y os busco allí.

Michl y Wolf se estrecharon la mano y al final se dieron un abrazo.

—Muchas gracias por todo lo que has hecho por nosotros. —Michl lo miraba fijamente, con sus ojos de distintos colores, tratando de poner todo lo que sentía, que era mucho, en esa mirada. Él no era bueno hablando, pero esta vez le importaba de verdad que Wolf supiera lo que su ayuda significaba para los dos.

—¿Te has librado de..., del otro? —preguntó el Lobo, sin saber bien cómo decirlo.

Michl sonrió y se encogió de hombros.

—De momento no noto nada. Me siento completo y solo yo, pero no lo descarto. Sanne lo sabe y, aun así, va a arriesgarse.

—Todos los hombres tenemos una parte buena y una mala, amigo. Hay que apechugar con ello.

—Las mujeres también —intervino Sanne.

—Es verdad. Yo he conocido a muchas que no eran ángeles precisamente.

Volvieron a estrecharse la mano y Wolf echó a andar hacia la casa, a despedirse de los condes y a ofrecer sus servicios a Mathilde von Kürsinger. Algo le decía que iba a aceptar.

* * *

A la hora de la cena, Max y Nora se quedaron solos por primera vez desde aquella otra lejanísima cena improvisada en casa de ella la noche en que se conocieron.

Ella había dejado de contar el tiempo, porque era algo que aún la ponía más triste, pero por encima sabía que debía de hacer unos tres meses desde que salió de casa para no volver. Mientras tanto en su época la policía la habría dado ya por perdida. Había desaparecido sin dejar rastro, sin que hubiese una mínima pista que apuntara a lo que realmente había sucedido.

—¿Cuándo crees tú que podremos regresar a Ingolstadt? —preguntó como si no fuera demasiado importante mientras miraba qué le apetecía de todas las sobras de la comida de boda.

—Me temo que aún tendrá que pasar al menos un año. Le he escrito al profesor Weishaupt preguntándolo, pero todavía no he tenido respuesta.

—¿Qué vamos a hacer, Max?

—Empezar a vivir, Nora. Ser felices. Elegir dónde estudiar y trasladarnos allí. Comprar una casa. Tener hijos.

A Nora se le llenaron los ojos de lágrimas.

—¿Qué te pasa, mi amor?

—Yo quería estudiar, Max, quería ser médico, trabajar en un hospital. Casarme y tener hijos también..., pero sin prisa..., a los treinta y tantos... ¡Es todo tan diferente de como lo imaginaba! ¿Qué voy a hacer ahora?

Él la abrazó y cerró los ojos. Para él también era todo muy diferente y muy complicado.

—No podrás venir a la universidad, por desgracia. Ya hemos visto lo arriesgado que es eso de vestirte de hombre, pero estudiarás todo lo que yo aprenda, te enseñaré todo lo que me enseñen a mí. Luego podremos volver aquí a ejercer como médicos. La gente está muy necesitada y yo tendré el título; tú podrás atender a las mujeres, que estarán encantadas de que las trate una señora. Nuestros hijos se criarán aquí, sanos y felices; tendrás toda la ayuda del mundo. Contrataremos músicos cuando eches de menos oír música o bailar, haremos viajes para comprar libros..., lo que quieras..., pero sobre todo, Nora, sobre todo... estaremos juntos.

—Sí, Max —dijo ella muy bajito—, estaremos juntos, y eso es lo único que cuenta.

1816

El lago Leman brillaba como un espejo de plata a pesar de que no había sol, ni lo habría en mucho tiempo.

Nora inspiró con delicia el aire húmedo y se arrebujó en el gran chal de cachemira que Max le había regalado por su último cumpleaños, cincuenta y cuatro ya. A veces le costaba creer que llevaba ya treinta y cinco años en aquel tiempo que no era el suyo y que, sin embargo, ya empezaba a serlo. Los recuerdos de sus primeros diecinueve en el siglo veintiuno eran cada vez más borrosos y en ocasiones tenía la sensación de que todo lo que creía recordar eran simples sueños o cosas que había leído en alguna novela: las calles llenas de coches, la iluminación nocturna, los aviones cruzando el cielo, los móviles, la música por doquier, el cine, la televisión, la comida de las diversas nacionalidades, la fruta en todas las estaciones del año, la maravillosa atención médica en hospitales limpios y eficientes... Todo sueños de las Mil y Una Noches.

Sin embargo, las cosas también habían mejorado ahora que estaban ya en el siglo diecinueve: los vestidos eran más cómodos y sencillos, en algunas ciudades había algo de iluminación, había periódicos..., pero no llegaría a ver los grandes inventos: la fotografía, la electricidad, los coches, los aviones... Para todo eso faltaba aún mucho tiempo y a ella se le estaba acabando. Se hallaba seriamente enferma y, aunque aún no habían conseguido diagnosticarlo con precisión, era evidente que se trataba de algún tipo de cáncer, y para eso no había cura, quizá ni siquiera en su propia época.

Max estaba ahora conferenciando con el especialista ginebrino que era la máxima autoridad de la época en ginecología. Habían llegado hacía una semana, le habían hecho unas pruebas y hoy el médico había prometido darles alguna respuesta. A Max, por supuesto; ella no era más que una mujer y, aunque se tratara de su cuerpo y su vida, no era digna de que le explicaran a ella la situación directamente. Por eso estaba paseando arriba y abajo del bello parque junto al lago esperando a Max y, por si la cosa se alargaba, habían quedado en que se encontrarían en el pequeño pabellón que albergaba un bonito café donde también las damas eran bien recibidas, de modo que, cuando empezaron a caer las primeras gotas, se dio prisa en ocupar una mesa con vista al lago. El dolor había vuelto y prefería soportarlo sentada y en un sitio cerrado.

Por fortuna, como sabía muy bien que 1816 era el «año sin verano» por la explosión del volcán Tambora en Indonesia, iba preparada, al contrario que las otras personas que ocupaban el café y protestaban del mal tiempo.

Al día siguiente de llegar, Max la había dejado sola en el hotel unas horas para ir a visitar a su antiguo amigo Viktor Frankenstein, del que no había recibido noticias en muchos años. Incluso cuando le escribió en una ocasión contándole que su criatura había emigrado

318

a América, estaba felizmente casado con una buena muchacha y tenía tres hijos, uno del primer matrimonio de su esposa y dos propios, su única respuesta habían sido unas líneas garabateadas diciendo: «Dios me perdone. He contribuido a fundar una estirpe de monstruos. No quiero volver a saber nada de ti». Desde entonces habían pasado más de treinta años.

Cuando Max volvió de la visita, le contó que por un par de días no habían tenido la suerte de hallarlo vivo. Frankenstein había fallecido sin dejar hijos después de una larga enfermedad, y ambos habían sido invitados al funeral por su sobrino y heredero, que no tenía ningún interés científico y le había ofrecido a Max quedase con todos los papeles, libros e instrumental de su tío.

Ellos tampoco habían tenido hijos y eso, que al principio a Nora le había parecido un alivio, con los años había resultado más y más triste. Había tenido una vida plena y feliz, había podido trabajar como médico en su propio castillo, recibiendo a las mujeres primero de la zona y luego de cada vez más y más lejos. Había servido de médica de familia y ginecóloga a muchas damas nobles, y de médica general a muchas pobres mujeres que no podían pagar nada por sus servicios. Había sido muy feliz con Max. Mucho. Seguía siéndolo. Pero ahora su vida se estaba acabando antes incluso de cumplir los sesenta, cuando en su propia época las mujeres aún tenían al menos cinco años de vida laboral por delante, y la esperanza media de vida estaba en los ochenta y tres.

Habían visitado Ingolstadt en muchas ocasiones, tantas que al final habían acabado por comprar la casa donde habían vivido de estudiantes para así tener acceso continuo al pasaje, que jamás se había vuelto a abrir.

Ahora ella le había pedido a Max que volvieran una última vez, sin ninguna esperanza ya de que funcionara. Solo a despedirse.

En la mesa de al lado, una muchacha joven hablaba en inglés con su acompañante, un hombre también joven que le estaba diciendo que tenía que ir a hacer un recado y que hiciera el favor de esperarle allí. Pensó en cuánto tiempo hacía que no había oído hablar en inglés. Ya ni siquiera estaba segura de poder hacerlo.

Cuando el muchacho se fue, se giró hacia la chica y le sonrió. Era, como todas las inglesas, pálida, pero de mirada inteligente, con un cuello muy largo y un peinado a la moda que no la favorecía.

—¡Qué horrible tiempo estamos teniendo! —comenzó Nora. No hay ningún inglés que no encuentre tranquilizador el tema del tiempo para entablar conversación con un desconocido.

—¡Ah! ¿Usted también es inglesa?

—No. Mi padre era americano y me crie allí, cuando aún eran colonias británicas.

—Nosotros hemos venido a pasar el verano, pero esto es peor que Inglaterra. Nunca he pasado tanto frío.

El camarero depositó una tetera de porcelana sobre cada mesa.

—¿No quiere venir a mi mesa, señora...?

—Shelley. Mary Shelley —mintió ella. Su nombre era Mary Godwin, porque no estaba legalmente casada con Percy, pero era mucho más sensato no dar demasiadas explicaciones—. Con mucho gusto.

—Yo soy la condesa de Hohenfels. Llámeme Nora, es mucho más sencillo.

Nora miraba a la muchacha con detenimiento. No recordaba las fotos de Mary Shelley que podría haber visto en su juventud, en su época, pero estaba claro que se trataba de la mujer que dentro de muy poco escribiría la obra inaugural de la ciencia ficción y el género de terror: *Frankenstein o El moderno Prometeo*. Era tan curioso como cuando, tantos años atrás, había visto a Mozart desde el carruaje en Salzburgo.

—¿Usted está también de veraneo?

—No exactamente. Hemos venido al funeral de un viejo conocido. El doctor Viktor Frankenstein.

Cuando Max llegó al café, Nora y Mary llevaban ya un buen rato conversando.

—Tengo que marcharme, Mary. Ha sido un placer conocerla. Le deseo muchísimo éxito con esa historia de miedo que ha decidido escribir. Estoy segura de que la suya será la mejor frente a las de sus amigos y que ganará el concurso. Estaré atenta y, si llega a publicarla, la encargaré y la leeré con gran alegría en recuerdo de esta conversación.

—Me ha dado usted muchas ideas maravillosas, Nora. Ha sido un gran placer conocerla.

Del brazo de Max salió del café, pensando si habría hecho bien dándole algunas ideas para su relato, pero la chica parecía tan perdida que creyó que un par de cosillas para estimularla podrían venirle bien. Lo demás lo pondría ella, por supuesto. Era una sensación curiosa saber que ella tendría parte de la responsabilidad en una de las novelas más influyentes de todos los tiempos.

En cuanto salieron al exterior y estuvieron frente al lago, Nora se giró hacia Max y, sin palabras, le preguntó qué había dicho el ginecólogo. Los ojos de él se llenaron de lágrimas. No hizo falta hablar más.

—Llévame a Ingolstadt. Una última vez, amor mío. Luego volveremos a casa, a Hohenfels, y... hasta que Dios quiera.

* * *

Cuando llegaron a la casa que había sido el comienzo de todo, se quedaron un momento mirándola, sin hablar.

—Ahí me apuñalaron hace tantos años —dijo él en voz baja, para que solo ella pudiera oírlo mientras la doncella y el sirviente se afanaban dando órdenes a los mozos de cuerda que estaban bajando del carruaje el equipaje de los señores.

—Y por ahí fue por donde entraste a mi mundo y nos conocimos. —Se miraron sonriendo—. Ahora me gustaría dar una vuelta por la ciudad y acercarnos a nuestra antigua universidad a echar un vistazo.

—Estará cerrada. Lo han trasladado todo a Landshut y a Múnich.

—¡Qué pena!

Echaron a andar con tranquilidad después de que Max hubiera dado un par de órdenes a los criados.

—¿Sabes, Nora? —dijo él al cabo de un rato en el que ambos andaban perdidos en sus cavilaciones—. He pensado... Ya sabes que llevo treinta y cinco años pensando, trabajando en el laboratorio con las notas de Frankenstein, dándole vueltas a lo mismo, escribiendo a Viktor por ver si se le ocurría algo que no se me hubiese ocurrido a mí, aunque la verdad es que casi nunca me contestó... En fin, el caso es que he pensado que si el elixir que destiló sirvió para darme de nuevo la vida a mí, y a Michl en dos ocasiones..., si consiguió que todo en mi organismo volviera a funcionar a pesar de las terribles heridas, de lo mal cosidas que estaban..., de todo..., ¿por qué no intentamos inyectarte a ti y ver qué pasa? Aún queda para una dosis.

—Aún no estoy muerta, cariño.

—De eso se trata precisamente. Si es algo tan potente que no solo regenera y da la vida, quizá te cure. No vamos a perder nada...

—No.

—¿No quieres que lo hagamos?

—No vamos a perder nada. Tienes razón. Salvo que me mate más deprisa.

—No es posible. Ese elixir resucita, no mata.

Siguieron paseando en silencio, pensando.

Max estaba más preocupado que nunca en su vida. Desde que el colega de Ginebra le había dicho que no había ninguna esperanza para Nora, no había vuelto a dormir una noche seguida. No podía imaginarse la vida sin ella. Ese plan era el único de todos los que había contemplado al que le veía alguna esperanza de éxito. Era una temeridad, pero no había más posibilidades, y además estaba lo que no se había atrevido ni a decirle a ella porque era una locura demasiado grande y no quería que concibiese falsas esperanzas.

Hacía tiempo que se le había ocurrido que, cuando él, sin saber cómo, encontró el pasaje al futuro, fue justamente después de que Frankenstein le hubiera inyectado el elixir. En un plazo de veinticuatro horas él había sido capaz de pasar a la época de Nora y volver a la suya. Y ella se había encontrado el pasaje aún abierto y lo había atravesado antes de que se cerrase. A partir de ahí, ya nunca más había funcionado.

¿Y si había alguna relación entre el elixir y la apertura del pasaje? ¿Y si aquel misterioso polvo venido de las estrellas tuviese alguna propiedad que, combinada con los demás ingredientes, pudiera hacer milagros como devolver la vida y retorcer el tiempo para la persona que llevase dentro el elixir? ¿Y si ahora él se lo inyectaba a Nora para estimular la regeneración de su cuerpo, para devolverle la salud, y el pasaje volvía a abrirse al contacto con ella esta vez? Entonces podría pasar a su propio tiempo, donde la medicina estaba mucho más avanzada e, incluso si el elixir no la curaba, en su época había muchas más posibilidades.

Antes de salir de Hohenfels había dejado una carta a su sobrino Philip por si no regresaban. Como ellos, por desgracia, no habían tenido hijos, él era su único heredero y, desde el fatídico accidente de su padre, había sido educado para ser un buen conde. Hohenfels quedaría en buenas manos si no retornaban.

Le asustaba terriblemente la idea de no volver a casa, de cruzar a un mundo donde todo era desconocido para él, pero era lo que Nora había hecho durante los últimos treinta y cinco años. Era justo. Y si había una sola posibilidad, por mínima que fuera, de que ella estuviera bien de nuevo, no había que darle más vueltas. De todas formas, no quería que se hiciese ilusiones.

A lo largo de los años, cada vez que habían regresado a Ingolstadt a probar el pasaje se había deprimido durante un par de días y, aunque lo iba llevando mejor, se notaba que durante semanas su mente daba vueltas y vueltas a por qué nunca más lo habían conseguido. Lo habían hablado cientos de veces sin llegar a ninguna conclusión, hasta que, al final, el pasaje se había convertido en un tema casi tabú.

—Max…

—Dime.

—Vamos a casa. Quiero que me inyectes eso.

Él le tomó las manos y se las apretó muy fuerte.

—¿Estás segura?

Ella asintió con la cabeza.

—¿Y si no funciona?

—Nos iremos a Hohenfels y disfrutaré de nuestro jardín hasta que me llegue el momento. He sido muy feliz contigo, ¿sabes? Sigo siendo muy feliz. No me arrepiento de nada.

Media hora más tarde, Nora estaba tumbada en la cama con una ligera bata de casa y Max, que en esos años no había dejado de mejorar su instrumental, preparaba un aparato inyector que, siguiendo los consejos de su mujer, ya se parecía mucho a las jeringas modernas, aunque la aguja aún asustaba.

—¿Lista?

—Sí.

Se besaron como cuando eran jóvenes. Max nunca había tenido tanto miedo. Nora tampoco.

—Como tú estás viva, no te inyectaré en el corazón. Solo en la aorta y en la femoral.

—Bien.

—Creo que dolerá.

—No importa. ¡Vamos! ¡Acabemos!

Nora alcanzó un pañuelo y lo apretó entre los dientes. Aquella aguja era casi un puñal. Max sudaba de nervios y preocupación. Si algo detestaba era hacerle daño a Nora, pero no había más remedio. Al cabo de unos minutos, todo había terminado. Él se dejó caer en la cama, al lado de ella, exhausto.

—¿Notas algo? —preguntó.

—Alivio de que se haya acabado —contestó con una sonrisa—. Al menos peor no estoy. Incluso creo que va bien..., el dolor se ha ido de momento.

—Bien.

Agarrados de la mano, mirando al techo, dejaron pasar unos minutos.

—Nora...

—¿Qué?

—Vístete, hazme el favor. Ponte algo sencillo.

—¿Adónde vamos?

—Quiero probar una última vez.

—¿Ahora?

—Cuanto antes.

Nora sintió que para su marido aquello, por la razón que fuera, era realmente importante, de modo que no discutió, se puso el vestido de viaje, que era el más sencillo que tenía, se calzó las chinelas y se quedó mirándolo.

—Cuando quieras.

Bajaron las escaleras uno detrás del otro, sin preocuparse ya de no hacer ruido. Ahora aquella casa era suya y no había ninguna Frau Schatz que pudiera impedirles estar juntos. Llegaron a la puerta de la alacena, cruzaron una mirada, inspiraron hondo y abrieron.

—Las damas primero, amor mío.

Ella sonrió por encima del hombro y entró en la oscuridad.

Un momento después, a Max le llegó su voz, temblorosa, asustada.

—Max..., hay... como un resplandor al otro lado.

—Pues no te entretengas..., ve... rápido... antes de que se cierre.

—¿Y tú? ¿Tú no vienes?

Hubo un breve silencio, apenas unos segundos.

—Adonde tú vayas, iré yo. Siempre, Nora.

Entrelazaron los dedos de la mano y así, juntos, entraron en la luz del otro lado y salieron a una calle llena de gente, farolas, papeleras y coches.

Max se metió la mano en el bolsillo del abrigo donde estaba el frasco y las cuatro gotas que quedaban, que nunca serían suficientes para volver. Daba igual. Había decidido.

Epílogo

Maravillados, caminaron por la ciudad, por el que ahora se llamaba el «casco viejo», hasta la antigua dirección de Nora.

Como ella apenas conservaba recuerdos precisos de los pocos meses que había pasado allí al llegar a estudiar a la universidad, no sabía si las cosas habían cambiado poco o mucho en sus treinta y cinco años de ausencia.

Lo que era evidente era que su abuela llevaría mucho tiempo muerta, sus padres quizá también, y sus antiguos compañeros de piso apenas la recordarían, salvo cuando en alguna reunión se hablara de chicas desaparecidas, quizá para la trata de blancas. Sintió una pena difusa y a la vez una alegría imbatible al pensar que estaba de vuelta en su propio tiempo, aunque no tenía ni idea de cómo iban a sobrevivir sin papeles, sin formación aceptable en el siglo veintiuno y sin dinero.

Max, como tantas veces, debió de notar lo que estaba pensando porque dijo:

—¿Qué crees que llevo en este maletín?

—Tu instrumental, supongo, aunque no sé bien para qué te lo has traído.

Él se inclinó a su oído:

—Por si acaso, me he permitido traer nuestro oro y tus joyas. Eso siempre se puede convertir en dinero.

—¡Eres increíble, marido mío!

La gente que pasaba los miraba con algo de curiosidad, aunque no excesiva. En las ciudades centroeuropeas en verano siempre hay algún festival callejero o alguna feria o gente disfrazada haciendo publicidad de algo.

—Bueno..., pues aquí viví yo hace treinta y cinco años —dijo Nora, sonriendo frente al telefonillo con los nombres—. ¿Te acuerdas?

Él sonrió, asintiendo, y añadió:

—Pues deben de ser unos dejados, porque aquí sigue poniendo «Nora Weiss».

—No es posible. Déjame ver... ¡Anda! ¡Tienes razón!

Sin decidirlo, pulsó el timbre y unos segundos después, con un zumbido, la puerta se liberó.

—¿Subimos?

—Claro.

Cuando llegaron arriba, Heike estaba en la puerta. Igual de joven, igual de despeinada, igual de aficionada a los gatitos que decoraban su pijama.

—¿No tienes llave? ¿De qué te has vestido, chica, de dónde sales? ¿Y este quién es? ¡Menuda cara tienes! ¡Ya podrías haber dejado una nota o algo! Tu pobre abuela lo ha pasado fatal desde que te marchaste sin avisar a nadie. Llámala enseguida. Y tendrás que ir a la policía para que dejen de buscarte.

Aquello no tenía ningún sentido.

Se miraron, tratando de ver si al otro le parecía la cosa igual de loca y se quedaron sin habla. Nora avanzó un par de pasos hasta el espejo de la entrada mientras Heike les daba la espalda y se metía en la cocina.

—Acabo de poner un té —les dijo—. ¿Queréis?

—Con mucho gusto —susurró Max, por pura costumbre.

Volvió a salir de la cocina cargada con unas telas y distintos trastos.

—Es que creía que iba a estar sola todo el día y estaba haciendo cosas para mi disfraz del verano, para la fiesta de los doscientos años del *Frankenstein* de Mary Shelley. Yo voy a ir de la novia de Frankenstein. Si os apetece venir..., la ropa ya la tenéis —dijo, señalando la que llevaban puesta.

Nora no contestó. No podía. Se había quedado de piedra.

El espejo de la entrada, igual de sucio que siempre, les devolvía la imagen de dos estudiantes de veinte años vestidos como para una fiesta de disfraces.

Nota de la autora

A lo largo de la redacción de esta novela he tratado de ser fiel a la verdad histórica de la época que reflejo en estas páginas y a todos los detalles que tienen relación con la historia de Mary Shelley y lo sucedido en Suiza, en Villa Diodati, en 1816, el «año sin verano». A pesar de ello, en un par de cosas me he tomado la libertad de cambiar la realidad, por necesidades narrativas: en la actual Ingolstadt no hay Facultad de Medicina ni la ha habido desde finales del siglo XVIII; la Hermandad de la Rosa no ha existido nunca, mientras que la Orden de los Illuminati, fundada por el profesor Adam Weishaupt, sí existió. El condado y castillo de Hohenfels son también una invención mía, aunque la familia Von Kürsinger, de Salzburgo, no solo existió, sino que son antepasados de mi marido y, por tanto, también de mis dos hijos.

La novela de Mary Shelley *Frankenstein o El moderno Prometeo*, considerada la fundadora del género de la ciencia ficción y del terror, fue una de mis primeras lecturas en la época de mi adolescencia y la he releído varias veces desde entonces. Al acercarse el 200 aniversario de su publicación, sentí la necesidad de dedicarle un homenaje a una mujer tan moderna y valiente, hija de Mary Wollstonecraft, la primera feminista declarada.

Aunque no considero a Mary Shelley mi maestra en el aspecto literario, sí me siento en deuda con ella por el camino que nos abrió a todos los escritores del fantástico, pero sobre todo a las mujeres escritoras. En ese sentido me considero hija de Mary Shelley y me gusta la idea de colocarme en la tradición que ella comenzó y que lleva doscientos años dando frutos.

Si alguna de las lectoras o lectores de esta novela mía tiene interés por leer la obra original (que me ha servido de punto de apoyo pero que difiere muchísimo de lo que acaba de leer aquí), le recomiendo la nueva traducción que, firmada por Lorenzo Luengo, ha publicado la editorial Alrevés. Allí encontrará también brillantes relatos breves, entre ellos uno mío, relacionados con la pervivencia del monstruo de Frankenstein, así como excelentes ilustraciones. Su título es *Frankenstein resuturado*; la idea y el montaje se deben al escritor Fernando Marías: http://www.alreveseditorial.com/fitxallibre.php?i=211.

De reciente aparición (2018), y escrito por otro ganador del Premio Edebé, Ricard Ruiz Garzón, es el estupendo ensayo *Los monstruos de Villa Diodati: los espejos de Frankenstein*, publicado por la editorial Reino de Cordelia. Es muy recomendable para saber más sobre lo que sucedió aquel verano en Suiza y para adentrarse en la temática del monstruo, de los monstruos en general.

Asimismo recomiendo las películas clásicas en blanco y negro, de los años treinta del siglo pasado, protagonizadas por Boris Karloff en el papel del monstruo. Y, por supuesto, la genial comedia *El jovencito*

334

Frankenstein (cuyo título original es *Frankenstein Jr.*), de Mel Brooks, 1974, una de las películas más divertidas que he visto en la vida.

Existe también una película de 1994, de Kenneth Branagh, *Mary Shelley's Frankenstein*, con Robert De Niro en el papel del monstruo.

¡Gracias por haber leído esta novela! Espero que te haya hecho pasar un buen rato.